中国近现代针灸文献研究集成

教材卷

王富春 杨克卫 主编

针灸综合分卷

江浙闽篇（上）

北京科学技术出版社

图书在版编目（CIP）数据

中国近现代针灸文献研究集成. 教材卷. 针灸综合分卷. 江浙闽篇 / 王富春, 杨克卫主编. —北京：北京科学技术出版社, 2021.11

ISBN 978-7-5714-1903-5

Ⅰ. ①中… Ⅱ. ①王… ②杨… Ⅲ. ①针灸疗法—文献—汇编—中国—近现代 Ⅳ. ①R245

中国版本图书馆CIP数据核字(2021)第204687号

策划编辑：侍　伟
责任编辑：吴　丹
文字编辑：吕　艳　董桂红　杨朝晖　严　丹　陶　清
责任校对：贾　荣
图文制作：北京艺海正印广告有限公司
责任印制：李　茗
出 版 人：曾庆宇
出版发行：北京科学技术出版社
社　　址：北京西直门南大街16号
邮政编码：100035
电　　话：0086-10-66135495（总编室）　0086-10-66113227（发行部）
网　　址：www.bkydw.cn
印　　刷：北京捷迅佳彩印刷有限公司
开　　本：787 mm × 1092 mm　1/16
字　　数：659千字
印　　张：71
版　　次：2021年11月第1版
印　　次：2021年11月第1次印刷
ISBN 978-7-5714-1903-5

定　　价：980.00元（全二册）

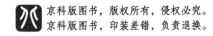

“中国近现代针灸文献研究集成”丛书

编 委 会

张　琪	张　楚	张子扬	张丹枫	张珊珊	张晓旭
张晓梅	张瀚文	陆孟静	陈丽丽	陈春海	陈维伟
陈新华	邵　阳	范芷君	范嘉毅	岳永月	周　丹
冶丁铭	赵晋莹	赵雪玮	胡英华	柳正植	哈丽娟
钟　祯	洪嘉靖	姚　琳	贺怀林	柴佳鹏	党梓铭
徐　铭	徐万婷	徐立光	徐晓红	高　姗	郭丽君
郭晓乐	曹　洋	曹家桢	康前前	董国娟	蒋海琳
韩香莲	路方平	詹旭晖	谭蕊蕊		

《中国近现代针灸文献研究集成·教材卷》

编　委　会

总 前 言

1840年，鸦片战争爆发，西方列强入侵中国，自此中国由独立的封建社会逐步沦为半殖民地半封建社会。20世纪初，受“五四运动”时期各种新思潮的影响，许多有识之士开始积极地向西方学习，由此，大量的自然科学和社会科学知识传入中国，这对中国的政治和社会经济等都产生了重大影响。近代西医学的影响力逐渐增大，解剖学、生理学等知识开始被当时的人们所了解和接纳，西医医院、西医学校等机构也在中国相继出现。随着西医医护队伍的不断壮大，许多人以转译日本人所著的西医学书籍的方式来学习西医学，并成立了相应的学术团体和职业团体。这一时期的针灸界亦是如此，宁波东方针灸学社、中国针灸学研究社等学术团体相继成立，针灸医家访问日本，带回大量日本的针灸著作并将之翻译出版。这些翻译著作较传统针灸医籍更容易学习，颇受民众喜爱。中国近代中医学家、教育家对针灸学术的研究极大地推动了针灸学的现代发展。中华人民共和国成立后，中医针灸学研究越来越受到重视，著书者众、办学者多，由此，针灸成为中医学研究与发展不可或缺的一环，并逐渐在世界范围大放异彩。2010年，中医针灸被列入《人类非物质文化遗产代表作名录》。中国近现代是中西方思想碰撞的时期，是中医学术多流派发展、百家争鸣的时代，其中又以民国时期最具代表性。研究民国时期这一特殊历史时期的针灸文献，可以为今后的针灸学术发展提供良好的借鉴。“中国近现代针灸文献研究集成”丛书对中国近现代针灸文献进行收集、整理和研究，其中以民国时期的针灸文献为主。

一、民国时期针灸的发展概况

民国时期的针灸学术研究一直未被学界所重视，但作为传统针灸与现代针灸的衔接，这一时期的针灸学术研究影响深远。民国时期是中医针灸学院化教育的萌芽时期，是现代针灸教育模式的源头时期，是针灸学术发展的历史转折期。近年来，对于民国时期针灸文献的研究逐渐被学界重视，大量民国时期的针灸医籍得以整理出版，如承淡安编撰的《中国针灸治疗学》《中国针灸学讲义》，杨医亚在民国时期办学的讲义等。然而，随着对民国时期针灸学术、针灸医籍的研究日渐增多与深入，研究者们面临着一个共同的难题——民国时期针灸文献的收集十分困难。这一难题产生的主要原因是民国时期的针灸文献存量不多，有些甚至已经失传。

经历了明清时期的积淀，民国时期的针灸学术得到进一步发展，针灸学术团体、学术体系逐渐形成，这一时期是传统针灸向现代针灸过渡的时期。以承淡安为代表的澄江针灸学派的先辈们创办中国针灸学研究社，开办针灸讲习所，招收学员，传播针灸技术，实践“针灸科学化”，对民国时期的针灸学术发展具有举足轻重的作用。民国时期针灸名医曾天治提倡的“科学针灸”的理念在这一时期备受关注，这对现代的针灸教育及针灸体系产生了巨大影响。中华人民共和国成立初期，全国各地兴办针灸学校，以承淡安为代表的针灸医家在继承古法、融汇新知的基础上，总结民国时期针灸学术研究成果及针灸教育的经验，开办针灸学习班，创办针灸高等教育学校，为现代针灸教育的发展打下了坚实的基础。

二、民国时期针灸文献的保存现状

有学者据《中国中医古籍总目》考查，发现民国时期的针灸医籍共有193种，较之明代的24种、清代的86种多出数倍。另有学者认为，民国时期的针灸医籍共有254种，其中中国本土针灸医籍有229种。民国时期是针灸医籍大量出现的时期。随着印刷技术的发展，出版书籍的成本逐渐降低，许多书籍得以大量出版。另外，民国时期各种中医学校、学术团体大量涌现，由于教学及学术交流的需要，针灸医籍的出版数量激增。

然而，对这些文献的保护并未得到足够的重视。首先，受当时的历史条件所限，大量图书并未经过正规出版，只是简单印刷，数量较少，且战乱频仍，导致不少文献难以留存全本。其次，由于不是正规出版物，相当一批文献没有进入馆藏系统，而是散落于民间，这使得这些文献留存状况不明，有些文献已经成为孤本，甚至已经散佚。同时，由于当时书籍纸张的质量普遍较差，且装订十分粗糙，部分文献在辗转流传过程中被损坏，已成残本，这种情况尤以油印材料及手抄本为突出。民国时期是我国出版业由手工造纸、印刷向机械造纸、印刷的过渡时期，相关技艺还不够成熟，用于印刷的纸张酸性强、保存期限短，加上长期以来各馆藏机构对民国时期文献的保护观念滞后、认识不足、保管不善，以致部分医籍呈现出不同程度的老化或损毁现象，情况岌岌可危。当前，亟须对这批文献进行重新整理及抢救性保护，使之进入国家各级馆藏体系，为我国针灸学术的传承及中医药事业的发展提供宝贵的文献资料。

三、本丛书所收录的针灸文献情况分析

（一）本丛书所收录的针灸文献书目

作者团队通过查阅《中国中医古籍总目》《中国针灸文献提要》《中国针灸荟萃·现存针灸医籍》《民国时期总书目·医药卫生》等工具书，参考各省（自治区、直辖市）及院校图书馆、档案馆和民间个人收藏书籍，共收集针灸文献1000余种，以来源可靠、记录严谨、实用性强、学术价值及文献价值高为原则筛选出210余种针灸书籍作为本丛书的书目。本丛书所收录的针灸文献以私人藏书为主，除了涵盖约90%的《中国中医古籍总目》所收录的民国时期的针灸文献，还增补了《中国中医古籍总目》所未收录的民国时期的针灸书籍近50种，其中不乏珍稀文献，如讲述“广西派针法”的《针灸菁华》、四川程兴阳的《针灸灵法》（石印本）等。对于抄本针灸文献，部分图书馆公藏的难以查阅，故本丛书未予收录，而民间发现的则择而收之。

本丛书按收录文献的内容题材进行分类分卷，并参考编者或学术团体所在地域进行分册，使体例清晰，便于使用。本丛书所收录文献按内容题材具体分为：①教材类；②专著类；③医案类；④杂志类；⑤图谱类；⑥其他（主要包括清末民国时期的佚名抄本等）。本丛书所收录针灸文献的情况如表1、表2所示。

表1　本丛书所收录针灸文献情况（按内容题材分类）

	教材类	专著类	医案类	杂志类	图谱类	其他
数量	54种	127种	5种	13种	6种	10种

表2 本丛书所收录《中国中医古籍总目》中针灸文献书目数量与《中国中医古籍总目》书目数量对比

	针灸通论类	经络孔穴类	针灸方法类	针灸临床类
“中国近现代针灸文献研究集成”收录书目数量	50种	23种	18种	16种
“中国近现代针灸文献研究集成”未录书目数量	15种	15种	8种	6种
《中国中医古籍总目》收录书目数量	65种	38种	26种	22种

注：《中国中医古籍总目》书目包括本丛书所收录书目与本丛书未录书目。其中抄本书目不在统计范围内，且《中国中医古籍总目》中的重复书目算作1种。①针灸通论类：收录50种，未录15种；另存抄本44种。②经络孔穴类：收录23种，未录15种（其中民国时期11种）；另存抄本64种，其中挂图7种，经查未见3种。③针灸方法类：收录18种，未录8种（多为太乙神针别本）；另存抄本15种（收录1种）。④针灸临床类：收录16种，未录6种（含针灸医案别本）；另存抄本17种。

（二）本丛书未收录的针灸文献书目

在对《中国中医古籍总目》进行查阅及对馆藏图书进行实地考察的基础上，现列举部分本丛书未收录的书目，以便后续收集。

针灸通论类：《针灸便览》、《中医刺灸术讲义》、《针灸秘法》、《简明针科学·论针篇》、《针灸纂要》、《针灸说明书》、《实用针灸医学》、《针灸学薪传》、《针灸学》（富锦文新书局）、《针灸学讲义》、《针灸精华》，以及《针灸学》（《中国中医古籍总目》载四川铅印本，经实地考察，实为《针灸医案》油印本）、《针灸学讲义》（重庆石印本，经查未见）、《针灸讲义》（石印本，经查与《针灸医案》同一函，蓝印）。

经络孔穴类：《脉度运行考》、《经络图说》、《俞穴指髓》、《铜人经穴骨度图》（张山雷）、《明堂孔穴针灸治要》（孙鼎宜）、《经络要穴歌诀》（经实地考察，该书与《经穴摘要歌诀·百症赋笺注》系同一馆藏代码，系重复编目）、《经穴辑要》（勘桥散人）、《十四经穴分布图》（姚若琴，经查未见，经考证为中华人民共和国成立后出版的，《中国中医古籍总目》有误）、《铜人新图》（范更生）、《正统铜人插针照片》、《实用铜人经穴图》（董德懋）、《针灸经穴挂图》（杨医亚）、《人体十四经穴图像》（赵尔康）、《人体经穴图》（承淡安）。以上多系人形挂图，未收录。

针灸方法类：《砭经》、《神灸经论》、《传悟灵济录》、《灸法秘传》、《灸法心传》、《延寿针治症穴道》等部分晚清针灸古籍。以上近年多有出版，未予收录。

针灸临床类：《济世神针》、《针灸治验百零八种》、《针灸医案》（系收录《针灸医案》别本）。

如上所述，本丛书基本涵盖了《中国中医古籍总目》所列大部分馆藏图书，亦收录了馆藏未见的民国时期的针灸书目近50种（其中新发现的民间私立学校所用针灸材料有数十种），缓解了目前民国时期针灸文献研究材料难得一见的窘迫局面，既能及时抢救该时期的中医针灸文献，又可使之化身千百，服务于学界，促进文化的传承。

四、民国时期针灸文献的价值及其对近现代针灸学术的意义

（一）民国时期针灸文献的价值

1. 文献保存

民国时期是一个战乱不断的特殊历史时期，战乱对书籍的保存流传的影响是灾难性的，如《针灸杂志》有35期，其中一部分印有千余册，时隔近百年，存世者已非常稀少，可见民国时期的针灸文献散佚了不少。部分老中医所藏医籍在1966—1976年亦有损毁，如著有《实用科学针灸》的谈镇尧（《中国中医古籍总目》为淡镇垚，系误）多年来整理的资料在这一时期几乎被销毁殆尽。《实用科学针灸》一书在河南中医药大学有藏，惜其只藏有中、下两册。在收集文献的过程中，作者团队收集到了谈镇尧的《实用科学针灸》《实用针灸讲义》。其中《实用针灸讲义》为1955年内部铅印本，其内容包含了谈镇尧已散佚的著述与资料，因此，该书的发现将谈镇尧的主要针灸医籍很好地保存了下来。民国时期的针灸文献凝结了一代中医针灸工作者的宝贵经验，是一代人无私奉献的结果，是我国中医针灸工作者宝贵经验和学术成果的集中体现。收集整理民国时期的针灸文献，可有力推动中医针灸学的发展。

2. 历史研究

1929年震惊中医界的“废止中医案”事件，使民国时期的中医学发展遭遇了前所未有的政策压制。民国时期的针灸史研究是整个近现代医学史研究的重要组成部分。目前我国对针灸史的研究多集中在民国时期以前的文献，对民国时期针灸文献

的研究基本处于空白状态。

民国时期是以澄江针灸学派为主导的多流派共发展、百家争鸣的时期。澄江针灸学派兴起于20世纪30年代。该学派以近代针灸名家承淡安先生为代表，以中国针灸学研究社核心成员及其传人为主体，是中国针灸学术发展史上具有科学学派特质的学术流派。民国时期该学派的代表人物还有罗兆琚、曾天治、赵尔康、杨甲三、程莘农等。该学派创办了民国时期影响最大、发行时间最长的针灸专业期刊《针灸杂志》，开创了具有现代化教育模式的中国针灸讲习所，推进了针灸学院化教育方式的发展。该学派的代表人物撰写了高质量的著作，如承淡安的《中国针灸治疗学》《中国针灸学讲义》，曾天治的《科学针灸治疗学》《针灸医学大纲》，罗兆琚的《中国针灸经穴学讲义》《实用针灸指要》，赵尔康的《针灸秘笈纲要》。这些书籍对民国时期及后世针灸医生影响甚深。除此之外，《（香港）广东中医药学校针灸学》（周仲房）、湖南国医专科学校《针灸学讲义》、《莆田国医专科学校针灸讲义》、《广西省立医药研究所针灸学讲义》、《广西省立南宁区医药研究所针灸学讲义》、《华北国医学院针灸讲义》、江苏省立医政学院《经络俞穴歌诀》等馆藏未见讲义陆续被发现，这为研究民国时期全国各地的院校教育提供了宝贵的一手材料。

作者团队在关注学院教育的同时，也收集到数目可观的民间私立学校的教学讲义，如《天津私立益三针灸传习所讲义》、《私立叔平针灸学社讲义》、《温灸术函授讲义》（广东温灸术研究社讲义）、《针灸菁华》（胡耀贞传习广西派针法使用的讲义）等。这些讲义使得民国时期的一些针法及治疗经验得以保存下来。

3. 临床应用

（1）“穴性”对初学针灸者的指导价值。“穴性”一词起源于民国时期。中华人民共和国成立后，“穴性”一词经李文宪、孙振寰等针灸医家的推广而广为流传。陈景文《实用针灸学》记载：“穴之有性质，亦犹药之有性质，知其性质，而后方明其功用。”该书将86穴分为气、血、虚、实、寒、热、风、湿8门。罗兆琚《实用针灸指要》记载：“夫所谓穴义者，即各穴具有之主要特性也，知其性之所在，而后明其功用之特长。故研究针灸术者，不知穴之性质，亦犹讲求方剂，而不识其药性。”该书记载了122穴，依旧将其分为8门。曾天治《针灸医学大纲》第五编“证治”中有“分门取穴”一节，此节除了介绍气、血、虚、实、寒、热、风、湿8门，又介绍了汗、肿、积、痛4门，然而后增的4门实为治疗处方，并非“穴性”。李文宪的《针灸精粹》亦记载了8门“穴性”的相关内容。20世纪80年代，孙振寰的《针灸心悟》记载了

"经穴性赋"的内容，使"穴性"广为流传。

"穴性"分气、血、虚、实、寒、热、风、湿8门。将药性与"穴性"进行对比，对腧穴进行分类，可使腧穴的临床应用更加系统化。"穴性"理论对于初学针灸者有较大帮助，初学针灸者可以依据症状选取穴位进行治疗，这种按"穴性"进行针灸治疗的方式在当时得到了众多医家的认可，并影响至今。

（2）"针灸科学化"为临床建立了相对容易理解的针灸理论体系。民国时期，在"五四运动"时期各种新思潮的影响下，西方科学技术和西医学在中国迅速传播，对针灸学术的发展产生了巨大而深远的影响。中医存废之争及中医科学化思潮使中医针灸面临着巨大的生存危机，以致民国时期的针灸医家被迫对当时的针灸进行反思和变革，试图用"西学"阐释和研究针灸，力求用"科学"改善针灸的生存环境；同时，日本针灸著作和研究成果的引进和翻译，将日本明治维新时期通过引进西方科学技术、西医学方法来阐释和研究针灸机制的方式带入中国。这使民国时期的针灸医家看到了曙光和希望，他们力图效仿日本而革新针灸，试图将中医针灸科学化，这也成为民国时期针灸学术的一大特色。

民国时期的针灸医家将解剖学引入对经络实质的研究中，进而阐释针灸治病的机制。如张山雷在《经脉俞穴新考正》中言："中医之所谓经脉，质而言之，即是血管。"但在民国时期，以血管阐释经络的理论并未占据主流。这一时期以承淡安为代表的针灸医家，将用"西学"阐释针灸原理的方式从日本带回中国并广泛传播。如承淡安在《中国针灸治疗学》中用神经、血管、淋巴来解释经络系统；在《增订中国针灸治疗学》中明确指出经脉由血管、淋巴、神经等构成，用刺激神经的理论阐释针灸治病的机制，通过"强刺激、中刺激、弱刺激"来阐释传统针法的泻法、平补平泻、补法，并将手法量化为具体的操作范式，以便于临床应用。

（3）"广西派针法"的传承与实践。"广西派针法"肇兴于清代末期，起源于广西，创始人为光绪年间著名针灸医家左盛德先生。民国时期，"广西派针法"传播于安徽、天津以及江南等地，成为国内闻名、成绩斐然、颇具影响的针灸流派。

罗哲初（1878—1944），字树仁，号克诚子，"广西派针法"的代表性针灸学家、针灸教育家。罗哲初弟子张治平受该学派思想影响，编著《针灸菁华》。该书现仍存世，是目前研究"广西派针法"的重要资料。以《针灸菁华》为主线展开研究，作者团队发现了以罗哲初、张治平为主传承的2支"广西派针法"传承脉络，一是张治平→吕应韶→胡耀贞的传承脉络，二是张治平→王文锦→于冈樵→白荫昇的传承脉络。通过对《针灸菁华》所载内容的初步梳理发现，该书应为“广西派针法”传习过程中的针灸讲义，经张治平、胡耀贞等弟子整理得以保存下来。参考“广西派针法”相关研究文章，可以窥见“广西派针法”的针灸特色，其特点为遵循子午流注学说，以奇经八法、井荥输经合、主客原络为取穴原则，运用生成数施行补泻手法，独擅针下辨气，将针下气感分为紧、绵、虚、顶、吸、滑、涩、软、微、无力、纯紧、纯虚12种，并在辨气的基础上，采用针刺手法以治疗疾病。《针灸菁华》记载了《六十六穴歌》，将六十六穴每穴编为七言歌诀以便记诵，并记载了《治验效穴歌》《行针秘要歌》等针灸治验歌诀，以便读者学习或研究。

罗哲初及其弟子张治平对“广西派针法”的传承做出了突出贡献。近代分布在天津、安徽、山西及浙江宁波等地的数名针灸医家（如天津的郑静侯、曹一鸣、张治平、华佩文，安徽的刘泽涛和田理全，山西的胡耀贞，以及浙江宁波的裘如耕等）与“广西派针法”皆有渊源。这些针灸医家对“广西派针法”进行了传承与发扬，如郑静侯对“奇经八脉推算开穴法”进行了研究，曹一鸣对“养子时刻注穴法”进行了研究，华佩文对“不留针法”的催气、调气、行气进行了研究，胡耀贞对“无极针法”进行了研究等。这些针灸医家在继承“广西派针法”精髓的基础上，崇尚古法，融汇古今，形成了独具一格的针刺方法及手法，对“广西派针法”的传播做出了卓越的贡献。

（二）民国时期的针灸文献对近现代针灸学术的意义

1.是对近现代中医针灸学术成果的系统总结和突出展示

民国时期的针灸文献记载了当时的针灸医家传承针灸学术的宝贵经验。民国时期是中医针灸学院化教育的萌芽时期，是针灸学术发展的历史转折期，是现代针灸区别于古代传统针灸的开端，是现代针灸教育模式的源头时期。对该时期的针灸文献进行系统、全面的挖掘和总结，是我国中医针灸发展史上具有里程碑式意义的大事。保护好、传承好这些中医针灸文献，并对其进行深入、系统的研究，发掘针灸医家的宝贵经验，不但可以为当今的中医针灸学术研究提供资料和良好的借鉴，还对我国中医药事业的发展具有重要的现实意义和历史意义。

2. 使针灸学术经验得到完整的传承

民国时期的针灸文献凝结了一代中医针灸工作者的宝贵经验，是一代人无私奉献的结果，是该时期我国中医针灸宝贵经验和学术成果的集中体现。我们应珍惜该时期的文献资料，珍惜一代人的无私奉献。通过收集整理、出版该时期的文献，可以有力地推动我国针灸学术的传承发展。

3. 有助于我国中医针灸产业的发展

作者团队对民国时期中医针灸文献进行细致的筛选，并对本丛书所收录的每一种文献进行了深入的研究，撰写了内容提要，对每一种文献的主要学术价值、临床实用性等做出了客观的评价。这使得本丛书整体的学术质量得到了明显提高，也为中医针灸文献后续的学术研究、临床实践、学术流派研究、新疗法创新等工作，奠定了良好的学术基础。长期沉寂在近现代针灸文献中的技术、疗法的不断涌现，必然会对我国针灸相关产业的发展起到积极的推动作用。

4. 填补学界空白，有助于促进我国优秀传统文化的发展

对民国时期针灸文献的研究填补了这一时期针灸文献学术研究的空白。此次整理是中华人民共和国成立以来对这一时期针灸文献最集中、最全面的收集整理。此次整理以《中国中医古籍总目》为主要线索，对该时期的材料进行地毯式搜集。此次整理、出版使近现代针灸文献（本丛书目前所收录的文献以民国时期针灸文献为主）得到了抢救性保护，缓解了当前部分文献传承断裂的严峻局面，使民国时期针灸文献整体进入国家各级馆藏体系，有力填补了民国时期针灸文献学术研究的空白，为我国中医针灸的传承和中医药事业的发展提供了宝贵的文献资料，从而大大促进了我国优秀传统文化的发展。

前　言

《中国近现代针灸文献研究集成·教材卷》所收录的近现代针灸教材文献多出版于民国时期，少数出版于中华人民共和国成立后。

民国时期针灸教育的发展可谓曲折，1914年北洋政府主张废止中医，1929年国民政府通过了“废止中医”的提案，这些举动大大地影响了我国针灸学术的继承和发展。此时期的针灸学家们也清楚地意识到了中医针灸濒于湮灭的危机，他们团结一心，通过开班办学、创办杂志、翻译国外针灸著作等实际行动振兴中医针灸学，为我国针灸学的继承及发展做出了重大贡献。中华人民共和国成立初期，在民国时期中医院校、针灸学术团体的基础上，全国各地大力兴办中医学校，开办针灸学习班，中医针灸学术和教育得以进一步发展。

民国时期是传统针灸与现代针灸的衔接时期，是中医针灸学院化教育的萌芽时期，是针灸学术发展的历史转折期，是现代针灸治疗及理论区别于古代传统针灸的肇始。总结民国时期针灸学术的研究成果及针灸教育的经验，对现代的针灸教育影响深远。

民国时期的针灸教育主要有以下几方面的特点：一是针灸教育团体、学术体系逐渐形成，针灸学校主要由社会团体或个人创办；二是形成了具有地域特征的针灸学术流派，传承有序、传播广泛；三是教学内容以传统中医针灸理论为基础，注重吸纳西学，提倡“针灸科学化”，如以《西法针灸》、《高等针灸学讲义》等为代表的国外针灸著作被译成中文广为流传。

如1931年承淡安等学派先辈们创办了中国医学教育史上最早的针灸函授教育机构——中国针灸学研究社，开办针灸讲习所，开创了我国近代针灸教育的先河。该研究社传授并实践“西式”针灸学术，所用教材《中国针灸治疗学》与传统的针灸学著作不同，采用解剖学来讲解腧穴的定位。为了深入研究新法针灸，1934年10月，承淡安东渡日本学习和考察日本的针灸学，并带回针灸教学图具和在中国已经失传的

《十四经发挥》等医学专著。中国针灸学研究社培养出了邱茂良、罗兆琚、曾天治、赵尔康、杨甲三、程莘农等众多针灸名家，他们遍布全国各地，传道授业，对澄江针灸学派的传承与发展、对中医针灸学的传承与发展做出了重要贡献。

又如广西派针法的代表罗哲初游学办学，继承古法，以师传身授的教学方式在上海、南京、宁波、安庆等地先后举办了8期“针灸讲习班”，培养了一大批造诣颇深的针灸医家。这些人遍布大江南北，为传承和发扬广西派针法发挥了重要作用。罗氏弟子中如郑静侯、张治平、曹一鸣等积极研究学习针灸学术，对民国时期民间针灸学术的发展起到了重要的推动作用。

为适应时代变化和针灸学术的发展，民国时期的针灸教材在重视传统针灸理论的基础上，大都积极借鉴西方医学理论知识体系，重新诠释传统针灸理论。当时以西医学解剖部位及神经、肌肉等知识讲述腧穴的定位，以西医学神经、生理等知识阐释针灸现象已被广泛认可。针灸教材的内容渐趋规范化、科学化、实用化。

从民国时期针灸教材的内容中可以看到这一时期针灸学术研究的状况以及现代针灸教材的雏形。

但是需要注意的是，民国时期的针灸教材文献存量不多，大多已经失传。作者团队以《中国中医古籍总目》为主要线索，对以该时期为主的针灸文献进行地毯式搜集，经过10余年的努力，收集了1000余种针灸文献。此次，作者团队遴选了民国时期的针灸教材文献54种作为研究对象，以期保存和传承这些文献，为中医针灸的发展尽一份绵薄之力。以馆藏未见讲义为例，作者团队搜集到数种难得一见的针灸教材，如《（香港）广东中医药学校针灸学》（周仲房）、《针灸学讲义》（湖南国医专科学校）、《广西省立医药研究所针灸学讲义》、《广西省立南宁区医药研究所针灸学讲义》、《莆田国医专科学校针灸讲义》等，为民国时期全国各地的院校教育的研究提供了珍贵的一手材料。

另外，作者团队在关注学院教育的同时，也收集到数目可观的民间个人创办的私立学校的教学讲义，如《天津私立益三针灸传习所讲义》、《私立叔平针灸学社讲义》、《针灸菁华》（胡耀贞传习广西派针法使用的讲义）等。这些讲义在继承明清时期文献的基础上，以传承古法居多，使得一些家传针法及治疗经验得以较好地保存下来。私立办学在民国时期对针灸学术的发展也产生了举足轻重的影响。

此次对54种针灸教材文献的整理，以文献的内容题材进行分类，并参考编者或学术团体所在地域进行分册，体例清晰，便于使用。《中国近现代针灸文献研究集成·教材卷》按内容题材分为：①针灸基础分卷；②针灸技法分卷；③针灸临床分卷；④针灸综合分卷。其中，针灸基础分卷又按地域分为江浙闽篇、北方篇、两广篇；针灸综合分卷按地域分为江浙闽篇、北方篇、广东篇、广西篇、湖南篇。通过上述的分卷、分篇，可以方便读者学习与研究该地区的针灸学术特色。

以民国时期为主的近现代针灸教材文献承载了该时期针灸医家传承针灸学术及教学的宝贵经验，对整个近现代的针灸发展具有深远影响。本次对这一时期的针灸教材文献进行系统整理、深度挖掘和总结，对我国中医针灸的发展具有重要的历史意义和现实意义：不仅可以保护珍贵的文献资料、呈现针灸教育发展史，还将填补民国时期针灸教材文献研究的空白，为现代针灸教育的改革与发展提供参考和借鉴。

目　录

中国针灸学讲义
（承淡安）

提　要

一、作者小传

承淡安（1899—1957），字启桐，初名澹盦，一名澹庵、淡庵，江苏江阴（古称澄江）人。我国近现代著名的针灸学家、针灸教育家，澄江针灸学派创始人、中国近现代针灸学科奠基人、近现代中国针灸事业的宗师。承淡安出身于中医世家，其祖父承凤岗精于中医儿科，父亲承乃盈擅长针灸、儿科、外科。他自幼受父辈熏陶，立志学医，以解患者病痛，他曾说："既抱定鞠躬尽瘁于中医学术，死亦无恨矣。"承淡安青少年时期即随父学医，尽得真传；又师从同邑名医瞿简庄学习内科。

1925年，承淡安开始独立行医。1929年，"废止中医案"使中医的发展面临困境。承淡安不受环境影响，毅然坚持带徒授业，以实际行动继承和发扬中医针灸学。1931年，承淡安创办了我国近代中医教育史上第一个针灸研究、函授教育机构——中国针灸学研究社，并担任社长。

为了更好地推动针灸的函授教育，承淡安于1933年10月10日创办了中国医学史上最早的针灸专业刊物——《针灸杂志》。1934—1935年，承淡安游学日本，收获颇丰。归国后，他创立了中国针灸学讲习所（1937年2月扩建为中国针灸医学专门学校）以传授针灸技术，同时又创设中国针灸医学图书馆。1937年7月，承淡安因战乱被迫离开自己创办的学校，前往四川地区。1938年，他在成都创建中国针灸讲习所、成都国医学校和针灸函授学校，在德阳创办德阳国医讲习所。1941年，他编著了《伤寒针方浅解》一书；1942年，承淡安任四川医学院针灸科教授，并在四川广安县开办国医内科训练班；1948年，他于苏州创办怀安诊疗院；1951年初，他在苏州司前街复建了中国针灸学研究社，并复刊《针灸杂志》。1954年，他出版《中国针灸学讲义（新编本）》，并于同年10月30日被江苏省人民政府任命为江苏省中医进修学校（今南京中医药大学）的首任校长。

承淡安长期从事针灸理论和临床研究，著作甚丰。著有《中国针灸治疗学》《中国针灸学讲义》《子午流注针法》《伤寒论新注（附针灸治疗法）》等15部著作，编修针灸经络图多册。承淡安一生致力于针灸医术的复兴与普及，为促进针灸学发展和培养针灸人才付出了艰辛努力，在他的努力之下，承门弟子程莘农（中国工程院院士）、邓铁涛（国医大师）、邱茂良、杨甲三、陈应龙等人在海内外孜孜以求，引领针灸学科发展前沿，逐步形成了以融通中西医学为特色的现代针灸学术研究群体——澄江针灸学派。

二、版本说明

该书“编辑者言”下记载：“本书编辑时，适为编者所设之针灸讲习所轫办伊始，事务冗繁，乃将经穴讲义第二、三章与治疗讲义，指定蓝本与编制方式交与门人罗兆琚、邱茂良二君分担，编者则任增删之事，于此应表而出之，二君之力，未可据为己有也。”如上所述，可推知，《中国针灸学讲义》乃承淡安、罗兆琚、邱茂良三人合著。根据“编辑者言”推算，该书成书于1940年10月，底本是中国针灸学讲习所学员所用之内部课本，后应社会需要正式出版，命名为《中国针灸学讲义》。该书正式出版时间为1941年1月，1941年版的版权页书有“中华民国三十年一月再版”，至1954年5月该书已出至第九版。如上所述，该书应该还有更早的版本，至于这一更早的版本是什么样的，依然是个谜。据“编辑者言”载，该书底本为1941年前的油印本，与杨克卫自藏民国时期中国针灸学讲习所蓝色油印讲义八种（略残）有颇多相似之处，但没有足够证据证实其确为该书底本。考《中国中医古籍总目》，存1938年、1941年、1946年无锡中国针灸学研究社铅印本《中国针灸学讲义》，国家图书馆、中国中医科学院图书馆、北京中医药大学图书馆等多家图书馆有藏。到馆查阅，发现1938年铅印本《中国针灸学讲义》有两套：一套有版权信息，由成都启文印刷公司印行，全书分《针科学讲义》《灸科学讲义》《经穴学》《针灸治疗讲义》四册；另一套无版权信息。至此该书的版本问题基本梳理清楚。该书最早应为讲习所以油印印行的讲义，后于成都以铅印印行（这是初版初印本），后于1941年再版重印，至1951年5月再版（1941年铅印本再版，有删减），1951年12月印至第三版，1954年5月印至第九版，1954年7月又出版了《中国针灸学讲义（新编本）》。

三、内容与特色

该书分四编，现就主要内容介绍如下。

第一编为“针科学讲义”，论述针的铸造形式及种类、针术的起源及应用、古今针法、针术实施、针后的处置与生理变化。

第二编为“灸科学讲义”，阐述灸的起源、各种灸法、艾灸前后的处置、艾灸实施方法与宜忌及灸的生理影响。

第三编为“经穴学讲义”，阐述经穴的定义、骨度，并对341个经穴与20个经外奇穴按解剖、部位、主治、摘要、取法、针灸分条阐述。该编主要部分的内容以《中国针灸治疗学》为蓝本。

第四编为“针灸治疗讲义”，分正、续两编。正编分30门，将罗兆琚《实用针灸指要》关于“穴性穴义”之分门取穴内容收入，后阐述时令病、脏腑病等疾病的治法；续编分12门，妇女病、幼儿病、五官病、四肢躯体病等悉列于此。

该书反映了承淡安宗古涉今、参照中外、理论扎实、临床技术精湛的学术特色。承淡安以中医理论为指导，继承明清针灸古籍之理论，参考日本针灸学之研究，阐述针灸治病之理；又创新性地将明清古籍的经穴理论与西医之解剖学巧妙地结合起来，一方面使经穴便于查找，另一方面使经穴之定位、主治、刺灸法等更容易学习。该书是现代针灸学创新与发展的思想源泉，是现代针灸学著作中不可多得的佳作。

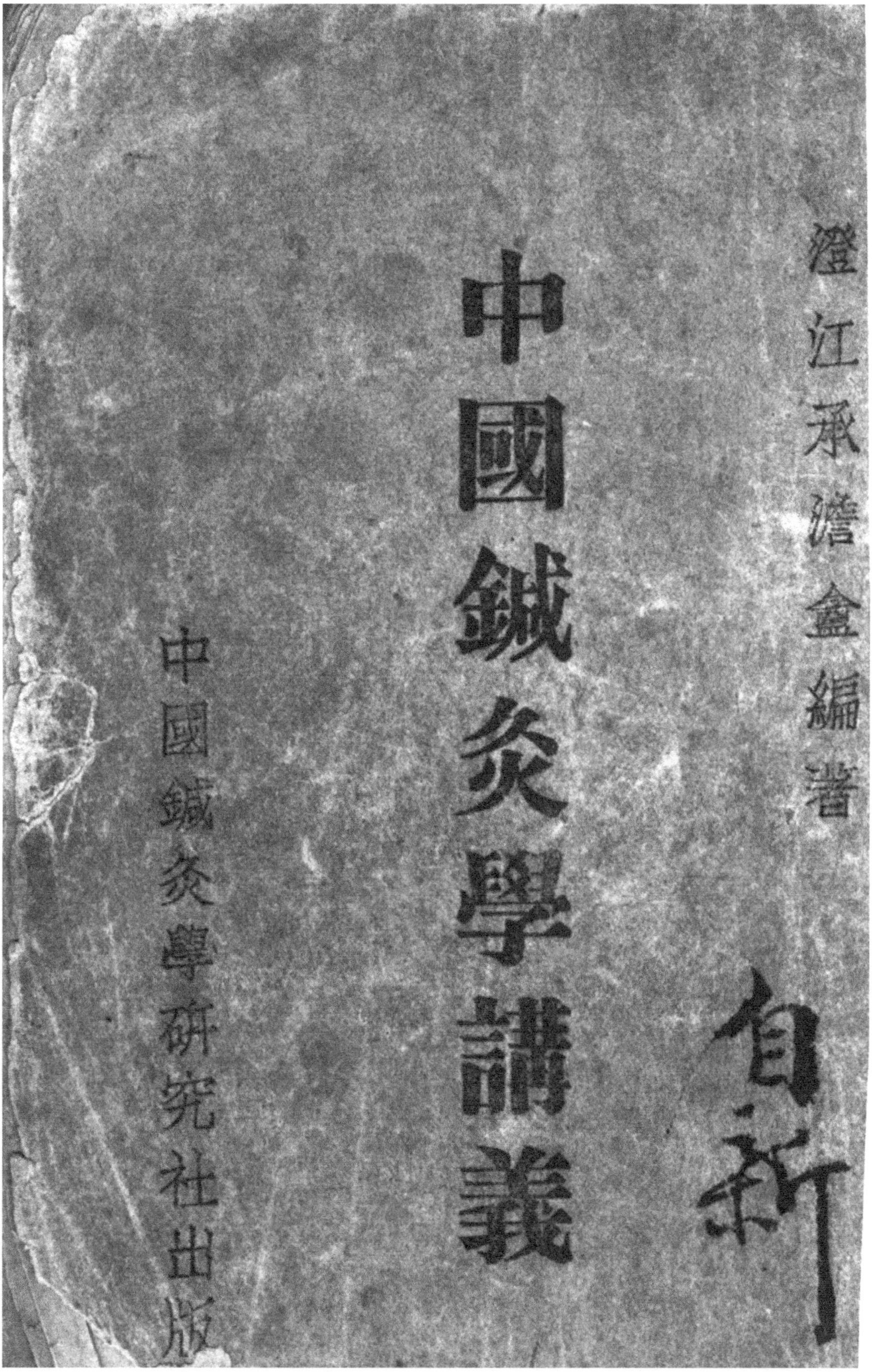

澄江承澹盦編著

自新

中國鍼灸學講義

中國鍼灸學研究社出版

中國鍼灸學講義

編輯者言

一、本書初編，原爲編者自辦之中國鍼灸學講習所學員作課本之用。（係用油墨自印）自廿六年交通被阻，講習所陷於停頓，編者因鑒愛好斯學者衆，與戰事期中，藥物來源困難，鍼灸術可代藥物療病，有過之無不及之偉效，亦亟應將斯學公開，以利民生，於是正式付印，定名曰中國鍼科學講義。

一、本書計分四編，第一編鍼科學講義，第二編灸科學講義、第三編經穴學講義，第四編鍼灸治療學講義。

一、鍼科學講義，計分二十六節，自第一節至十八節，述鍼術之起源與鑄造形勢及應用，十九二十兩節述古今各種鍼法與今後應取之途徑，二十節以下，述鍼後之處置與生理之變化，舉凡關於鍼術之實施，詳述靡遺。

一、灸科學講義，計三十節，自第一節至十六節，述灸之起源與各種灸法，第十七節至二十六節，述艾灸前後之處置，自二十七節以下，述灸之關於生理之種種影響，舉凡艾灸之實施方法與宜忌，無不詳述。

一、經穴學講義，計分三章，第一章總論十五節，詳述經穴之定義與經穴學上之一切術語，十二經奇經八脈之循行則繪圖附於後，第二章經穴編，全身之經穴部位主治取法應用，各穴分條臚列，以前著之中國鍼灸治療學爲藍本，第三章附錄篇，爲奇經八脈與外經奇穴之取法及應用方法，舉凡經穴之學識，悉盡於此。

一、鍼灸治療學講義，分正續兩編，正編首爲分門取穴，次則分三十門，關於時令病，臟腑病，悉入於內，續編分十二門，關於婦女病，幼兒病，五官病，四肢軀體病，悉列於此，其編制法，亦以中國鍼灸治療學爲藍本。

一、本書編輯時適爲編者所設之鍼灸講習所剏辦伊始，事務冗繁，乃將經穴講義第二三章與治療講義，指定藍本與編制方式交與門人羅兆琚邱茂良二君分任，編者則任增删之事，於此應表而出之，二君之力，未可據爲己有也。

中華民國二十九年十月　　編者識

針科學講義目錄

針科學講義目錄

灸科學講義目錄

經穴學講義目錄

第二章 經穴篇

經穴學講義目錄

鍼灸治療講義目錄

鍼灸治療講義目錄

鍼灸治療講義目錄

鍼灸治療講義目錄

鍼灸治療講義目錄

鍼灸治療講義目錄　一五

鍼灸治療講義目錄　一六

鍼科學講義

江蘇江陰承澹盦編

一、鍼術之由來

鍼學一科，夫人而皆知爲我中華最古之醫療學術，靈樞首篇九鍼十二原，「黃帝問於岐伯曰，余子萬民，養百姓，而收其租稅，余哀其不給，而屬有疾病，余欲勿使被毒藥，無用砭石，欲以微鍼，通其經脈，調其血氣，營其逆順出入之會，令可傳於後世……先立鍼經」一觀乎此，可知針學肇始於軒歧。

漢藝文志曰，黃帝內經一十八卷，後人卽爲靈樞九卷，素問九卷，夫內經爲黃帝與其臣屬岐伯等，相互問難，辨別臟腑陰陽時序攝生療治之法，爲中華醫學最早之著作，亦爲中華醫學之基礎，但稽乎實際，黃帝時代，文字單純，冶金術尚未大成，故劉向指內經爲諸韓公子所著，程子謂出戰國之末；是非無因，黃帝岐伯爲著者所假托，可以無疑，然則針術之發明，當在戰國時。

考之山海經有云，高氏之山，有石如玉，可以爲鍼，則古代之針，先爲石鍼，石針卽砭石，素問異法方宜論曰，其治宜砭石，閱上文勿使被毒藥，毋用砭石，則針爲砭石之遞變，由石製而改爲鐵製，漢服虔云，石砭石也，季世無復佳石，故以鐵針代之，則鐵製之針，至秦漢而運用，上文推想針術之發明，在戰國時期：或許無誤。

吾人必欲考據針學發明之時期，當先究靈樞素問之創作時代，漢志載黃帝內經十八篇，無素問之名，後漢張機，傷寒論序，始有撰用素問之語，晉皇甫謐甲乙經序，亦稱鍼經九卷，皆爲內經，與漢志十八篇之數合則素問之名起於漢晉之間，至於靈樞，漢隋唐志，皆無此書名，至宋紹興中錦官史崧，乃云家藏舊本靈樞九卷，是此書至宋中世而始見記載，又杭世駿道古堂，集靈樞經跋謂文義淺短與素問不類，其十二經水篇，乃王冰時之水名，黃帝時尙無此名，總此書乃王冰所輯而託名於古人者，觀乎此，素問靈樞之著，又在戰國時之後，鍼術或發明於戰國時，必先有鍼灸，而後乃記其法則，列爲章節，成最後之內經。

總之，鍼學爲砭石之遺法，由石鍼而改進，可以無疑，鍼學之有文可稽，有法可循，至千萬世而不泯滅者，皆爲內經之功也。

二、鍼術之定義

鍼術者，以一定之法則，用金屬所製之細鍼，於身體一定之部位，如關節之間，郄膕之處而刺入之，施一定之手法，以載刺其內部之各組織，各神經系統，整其生活機能之變調，以遂疾病治愈之目的之一種醫術也。

三、鍼之構造

古人以石之細緻而銳者爲鍼，卽高氏之山，有石如玉之石鍼，石砭石也，說文「砭」以石剌病也，素問異法方宜論曰，「東方之民，病皆爲癰瘍，其治宜砭石」是古昔之鍼以石製者，本草綱目中有曰「古昔以石爲鍼季世以鐵代石」是石鍼以後，改爲鐵製，觀楊繼洲鍼灸大成，製鍼法，以馬啣鐵爲之，或用金鍼更佳；則鐵鍼之外，在明時已有金製者，近百年來，科學昌明，百物改良，以馬啣鐵製鍼易於折損，遂利用純鋼化合物製針，銳而滑利，堅韌不折，又勝馬啣鐵製者多矣，然以其易銹，有以金銀爲之者，特無鋼鐵之滑利耳。

四、鍼之種類

古昔之針，分爲九種，名曰九針，九針之意，古人應九數，一曰鑱針，取法於巾針，去末寸半卒銳之，長一寸六分，主熱在頭身也，二曰圓針，取法於絮針，筩其身而卵其鋒，長一寸六分，主治分肉間氣，三曰鍉針，取法於黍粟之銳，長三寸五分，主按脈取氣令邪出，四曰鋒針，取法於絮針，筩其身鋒其末，長一寸六分，主癰熱出血，五曰鈹針，取法於劍鋒，廣二分半，長四寸，主大癰膿，兩熱爭者也，六曰圓利針，取法於氂尾，針微大其末，反小其身，令可深入也，長一寸六分，主取癰痺者也，七曰毫針，取法於毫毛，長一寸六分，主寒熱痛痺在絡者也，八曰長針，取法於綦針，長七寸，主取深邪遠痺者也，九曰大鍼，取法於鋒針，其鋒微圓，長四寸，主取大氣不出關節者也，此古人九針大小長短法也，在近代除鋒針毫針外，甚少用之者。

靈樞九針十二原篇，首有小針之要，易陳而難入之文，又第三篇爲小針解，是九針之外，又有小針，馬元臺註爲微針，殆即近代所用之毫針也。

附九鍼式

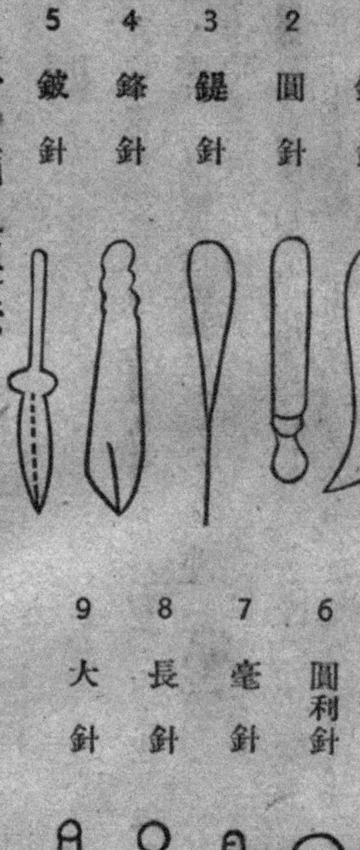

五、鍼之製法

鍼灸大成製針法，以馬啣鐵製，謂其無毒，鍛鐵成絲，分長短斷之？外塗蟾酥再鍛之，云可止痛，然後纏以銅絲以爲柄，磨其一端爲針尖，再入芳香運氣辛温和血之藥品煮之，謂藥可入於針質內，其意爲施針時，藉針內之藥氣，以取運血氣也，實則鐵質堅緻，吸收藥力極微，且煮後復須以瓦屑磨擦之，使之光潔滑利，即能吸收藥力，一經摩擦，亦已消失，古人之用心，亦有似是而非者矣。

近年工藝，突飛猛進，鋼鉄皆有細絲，勻而堅靱，針家以馬啣鐵製針，手續太煩，且脆而易折，故多以鐵絲或鋼絲爲之，惟仍入藥煑過，然後一端磨鋭成爲針尖，一端繞以銅絲，成爲鍼柄，繼以細沙，捻摩針尖，使其利而不鋭，圓而不鈍，再擦針身，務宜光滑細緻，於是應用於人身，自無痛澀之弊矣。

鋼絲之針，堅靱適中，有彈力而不易折，較之馬啣鐵製者，不可同日語矣，然易起養化作用而生銹，爲一大缺點，金銀絲製者，雖不生銹，而柔軟易曲，美中各有不足，今有一種不起養化作用之夾金絲，彈力亦不弱鋼絲，以之爲針，則甚相宜也。

六、鍼之長短大小與應用

人之肌肉肥瘦，部位有厚薄，下針亦有深淺，刺戟有強弱，爲適應其刺針之深淺，則針之長短，不可不分也，爲適應刺戟之強弱，則針之大小，不可不分也，就歴來經驗以定之，長者須三寸五分，短者爲七分，從七分與三寸五分之間，爲分配一寸，寸五，二寸，二寸五，三寸，共計七類，於臨症應用，深處如髀樞，淺處如指端，四肢腹背，厚薄淺深，無往而非宜矣，惟是針之長者，針絲宜稍大，便於刺也，且刺深者，大都刺激神經幹，針小則力不足而效不充也，短者宜小，利於皮下之輕刺，如以散瘀行氣爲目的，則非大者不宜矣。

七、針尖之形狀

用針之目的，在刺戟其神經，發揮其行氣行血之機能也，神經機能之活力，固在神經細胞，而傳導之功，乃在神經纖維，纖維細胞之柔嫩，不能受重大損傷，故針刺祇可刺戟神經，不能刺傷神經，針與神經之接觸，厥爲針尖，欲盡戟撥之功，而無刺傷之弊，則針鋒不宜銳而宜圓，前人謂針頭圓者，血管遇之可以避，蓋亦經驗之談，然針頭太圓者，其面積較大，肌膚之抗力亦強，下針較爲困難，病者感到痛苦亦重，故針鋒尖銳固不可，太圓亦非宜，當於尖銳之中，帶有圓形，於圓形之中，須存尖銳，總之能利而不銳，圓而不鈍，斯爲上品。

八、針之選擇修理與保存

我國針醫用針，大都爲鋼鐵所製，間有以金銀爲之，鋼鍼富於彈力，製鍼最宜，惟易生銹，因銹而發生斑痕，苟不注意，小之筋纖維纏繞針身，發生刺痛，不易脫出，大則爲之斷折，故針身之有無斑痕，爲選擇上應注意之一，金銀針雖不生銹，無蝕痕之可慮，惟質柔軟，針鋒易毛，且易成鉤形，「鋼鍼亦時有之」其弊同於鋼針，故針之良否，亦爲選擇上應注意之一，不論金銀鋼鐵針，愈用愈熟，熟則滑利而少痛苦，若一旦臨症應用，病家因體位移動，致針身屈曲，或針鋒成鈎，棄之似甚可惜，再用有所不能，如能善爲修理，屈者直之，鈎者正之，則仍不失爲一枝良針也。

鋼鐵易銹，宜每日拭擦，若貯而不用，則塗以油質，可久藏不變，金銀雖不生銹，用時亦必拭擦，貯藏之器，普通都用針管，但針鋒易受損傷，最宜用針包，使針固定不移，則針鋒針身，可無受損之慮矣。

九、刺針之練習

以如線如髮之針，運於二指之間，欲使之透膚入肌，直搗目的，非有充實之指力不可，指力之成也，則非熟練不成，善用針者，微捻即透入內層，患者似無感覺，其初學者，如切如鑽，令人難忍，每使患者，視爲畏途，裹足不前，不特此也，同一病而同一治，一收宏效，一無進退，何也，亦指力之有無，捻運之純熟否耳，故欲謀斯道之進展，受病者之樂就，指力上捻運之練習，未可忽視也。

練習法，其法亦有二，一用棉線球練習法，以棉花二四兩搓成球形，每晨用棉紗線緊繞十二轉，暇時以三四寸長之毫針，用右手大指食指及中指，時時捻進捻出，日復一日，而線日增一層，經年屢月，綫球大而結實，捻針乃施展自如，功力已至，用諸人身，不復感痛苦矣。

又法，以書一册，懸於壁間，高與肩齊，初取一頁，依次而捻刺之，日加一頁，五六頁後，二日加一頁，增至十頁，二日加一頁，如積至二十餘頁，能不費力而針透之者，可以應用自如矣，次述捻運之練習，捻運之主要技術，在乎提插捻撥，左旋右轉，進退疾徐，各有法度，彼手技燗熟者，與未經訓練者，於病之療治，其功效相去倍蓰，故初學者，應有相當之練習，練習之法，先以針插入棉被中，爲提插捻習運動之練習，繼爲左旋右轉之捻撥，再進爲進退疾徐之修習，能心有欲而手應之，圓轉自如，然後以之臨症，可謂得心應手，庶無往不利矣。

十、刺針之方式

刺針之方式，專言進針時應用之手法，就所知所見者有三法，一爲打入之法，二爲插入法，三爲捻入法，打入法今已不行，插入法兼有行之者，最流行而最普遍者，爲捻入法。

打入法，其針短而粗，針尖挾於左手拇指食指之間，按於穴上，尖着皮膚，二指保持其針尖與針體之角度，然後以右手食指扣打而入，入穴約二三分深，然後以左手之拇食中三指：扶持針柄，而捻運之，此法今已不行，聞陝北尚有行之者，日人亦有打針法，惟不用指打而用搥打，其技不及我國多矣。

插入法，今日有所謂達摩針法者，其針亦粗，類似九針中之圓利針，進針皆用插入法，先以左手拇食二指，固定穴位，右手持針，拇食二指挾持針尖，露出尖端約一二分，針柄則支於虎口，然後以針尖密接於穴上，準定入針角度，二指略行寬鬆，藉虎口掌腕之力，直插入穴一二分或三四分，針稍停，乃行爪括指循提插等法。

捻入法，爲普通之針法，亦爲下針法中之簡便法，手技分長針短針下法二種，先言短針下法，凡用短針之處，大都屬頭部支末，筋肉淺薄知覺神經末梢分佈最密之部。針捻入之時，先以左手拇指，爪切穴上，右手拇指中指，挾持針柄，無名指傍挾針身，針尖着穴，於是手持針柄之指，捻轉送下，至應入之目的而止，長針之挾持法，同於短針，針着穴之後，左手拇食二指，卽挾持針身，當右手捻動針柄送下之時，左手拇食二指，一方扶持，不使針身偏側，一方助針絲送下，至應深之目的而止，然後行捻運之手術。

又有管針法者，盛行於日本，以圓形或六角形之細針管，較針稍短二分，應用時，以針插入管內，針尖一端，按於穴上，左手拇食二指挾持之，右手之食指，扣打針柄，針卽入穴，然後將針管上提，挾管之二指則移挾針身，保持原有之角度，針管旣去，乃以右手捻動針柄而下，此法雖手術較煩，如術者指力不足，與婦女胆怯者用之，亦免痛之一法也。

十一、刺針之方向

刺針之方向者，言刺針入穴時所向對之角度也，約分之可列爲直，橫，斜，三種。

直針者，不論直下或平進，皆保持其九十度之直角，所謂直角，係皮膚面與針尖相接合，其兩方作成各個的直角是也，人體經穴大部分，皆從直角下針。

橫針者，卽沿皮下針，不入筋肉，針從銳角剌入之謂也，所謂銳角者，針尖與皮膚面相會，大約爲二十五度角是也，橫針之穴甚少，僅頭部與胸部數處。

斜針亦曰斜剌，針從斜角剌入之謂也，斜角者，針尖與皮膚成四十五度以上之角度也，如針風池太谿崐崙諸穴，應用亦甚少。

十二、剌針之目的

內經有曰，欲以微針通其經脈，調其血氣。又曰。虛則實之，滿則泄之，菀陳則除之，邪勝則虛之，此古人用針之目的也，從今日科學目光觀察之，通經脈，調氣血，卽爲剌戟其神經與血管，使血行流暢也，虛則實之，滿則泄之，卽近代針醫，謂之虛則補之，實則瀉之是也，所謂虛，乃某組織機能之減退也，所謂實，乃某組織機能之亢奮也，菀陳則除之，邪勝則虛之，無非散其鬱血充血而已。

再言之，與奮，制止，誘導，三種之作用與方法。

與奮法者。專應用於生活機能減弱之疾病。如肺萎。肝虛。脾弱。腎衰。筋骨麻木等。所謂虛則補之者。對於此類之疾病，與以輕微之剌戟，與奮其各組織之神經，鼓動其生活之機能。以達療治之法也。

制止法者。與興奮法絕然反對。對應用於生活機能之亢進所發生之疾病。如知覺神經過敏，發生疼痛。運動神經過興奮，發生痙攣，內臟神經太旺盛，發生某種分泌過多。宜與強力之刺戟，以制止之，鎮靜之，緩解之之法也。即內經所謂實則瀉之，邪勝則虛之之法也。

誘導法者，即頭有疾，取之足，於距離患部之處，與以刺戟，使其部血管擴張，導去其患部之充血鬱血，或病之產出物，以達療治之目的，所謂微者隨之之法也。

其他如暴者奪之，菀陳則除之，即今之放血法刺血法也。

十三、直接的刺戟、與間接的刺戟

上節述針治之目的，吾人已知不外施制止，誘導，興奮，三種作用。但刺戟點，須直接刺其患部之深層神經幹，或血管，使之發起作用，以達到其目的，然而在皮膚淺層，知覺神經之末端，利用反射作用，與以淺刺，亦能達到其目的，較之深刺戟，有時反覺爲優，良以末稍之反射，範圍較廣，惟此類之皮膚刺戟，藉其反射力而發揮作用，可名之曰間接刺戟，其直接刺其與患部有關之神經，筋肉或血管，可名之曰直接刺戟。

十四、針刺之感通作用

當針刺入身體之時，恰如電氣之感傳，而發生一種如麻痺樣之刺戟，亦有始終感如痠如痛者，皆名之曰針之感通，針醫名之曰得氣行氣，其感通之範圍不一，有在一部者，有沿其神經，所經過之區域，而發感通者，如針腰部，能感傳至下肢與足趾，如針指部，能波及上膊與肩胛，亦有不循神經之徑路感傳者，如針足部，而感傳至頭，針胸部，而感傳至足，良由神經交綜錯節：無處不通，自某部之刺戟，神經發生興奮，傳與中樞，起反射之興奮作用，使間接之神經細胞，亦起興奮，從而波及其他之知覺神經，發生感通，亦未可知。

從麻痺痿痛之感通，亦能推知其病之輕重，下針即發感通者，其病輕。久而始發者。其病重。感傳遠者其病輕。限於一部者，其病重。

術者指覺之敏銳者，亦能知其感感之有無與輕重，針書有曰，針下得氣，如魚吞鈎餌之狀。邪氣之來也，緊而急。穀氣之至也，和而緩。是皆術者之指覺也。指覺非人人所能，非熟練不可，亦非細心體會不可，斷非筆墨可以形容者也。

十五、刺鍼時之準備

吾人臨床施術之時，宜如何作準備。曰，第一步清潔術者之手掌手指，與其診察上之用具，然後診察病人，審明症狀，以定治療之方針，確定應取之經穴，乃出其耀目之針，檢取適於經穴深淺之長度，即以淨紙勒擦之，如用棉花醮酒精拭之亦佳。針旣檢定，乃使被術者整其體位，安其心志，毋移動，朋餒。針穴部位，爲之充分消毒。於是徐徐爲之下鍼，行種種之手技焉。

十六、刺針時之注意要項

臨床施術，不特逃如上節之先與消毒而已也，於針身，針鋒之是否無損，應有詳細之審察，苟發現疑點，宜以薄紙試之，全針剌過，絕無聲息，則針身不損，退出無音，悉無阻礙，則針鋒亦良，以之應用，可以無憂。

針既良矣，而患者面無血色，目瞳少神，仍未可以猝然下針也，必詢其有無受針之經驗，如其未也，宜緩辭之，必欲針治，必先告其暈針之狀，與不可胆餒，然後徐徐下針，微運卽退，長時之強剌哉，則絕對禁忌之，當下針捻運之時，必十分注意其面部之顏色，徵有變動，立卽停針，且也二三穴外，雖不發生暈針，亦宜停止，使其翌日再針：萬不可以其不妨而多針之，惹起極度之腦貧血，則悔已晚矣。

於普通病者，雖不慮暈針之發生，然於下針之時，若發生筋肉痙攣，切不可強力剌下，宜立卽停止，切之循之，待其攣急緩解，然後徐徐下針，否則未有不發生屈針者也。

皮膚過於緊張者，剌下每感劇烈疼痛，皮膚十分弛緩者，易於移動，且以堅韌而不易剌入，故痛感每較常人爲重凡遇此等患者，如緊張者，必先施強烈之按摩，弛緩者，以左手拇食二指，緊張其肌膚，然後爲之進針，可免若干之痛苦矣，皮膚之不易移動，亦端賴乎此。

其他關於小兒婦女之針刺，尤宜注意其移動，下針宜淺而速，不能久留，否則折針屈針，未有不演出者也。

至若病勢衰弱已極，脈微神散，氣短欲絕，當此之時，萬不能輕易下針，妄思救治。靈樞經亦曰，用針者，觀察病人之態，以知精神魂魄之存在得失之意，五者已傷，針不可以治之也，蓋精氣己衰弱者，根本不存，油乾燈熄，針雖萬能，亦難挽再造之功也。

雖然，急性病症，而形似虛脫，若與以強刺戟之反射，每有因此而慶更生者，是不能恐受誹謗之嫌而袖手旁觀也。

十七、刺針時醫與病者之體位

凡將施術之先，醫者與患者，須有一定之體位，苟患者之體位不正，則取穴不確，且神經筋肉骨骼之位置，微有不同，欲其舒經行氣，不可得矣，即醫者之體位不正，而草率施術，往往亦能發生偏側，難於進針，或屈針之弊，此體位所宜注意也。

考各經穴條下，關於取穴之法，皆有證明，如仰臥，俯伏，拱伸，蹲跪，各有定法，然病有輕重，力有盛衰，未可執而不化，坐臥側伏，宜隨機權變也，玆定二者之體位式如左。

甲、患者之體位

患者之體位，以舒適與筋肉弛張之程度，成自然為標準，如是在施術之中，不致十分移動，若其姿勢屬於勉強，必中途轉側，發生折針屈針之弊，關於各部施術方面，如採取左之方式，則大致不誤。

在頭部側面施術之時，用坐式，仰臥式，或側臥式，如屬頭之後面，則取坐式，伏臥式，或側臥式。

在顏面部，取正坐式，或仰式，側臥式均可。

頸部及胸部，腹部之前面，則使之仰臥而施之，正坐亦可。

在刺側胸部，側腹部時，取側臥爲善。

後頸部，及肩胛部，背部，則用坐式，或伏臥式。

四肢及臀部，取坐式，或側臥式，患部向上方以施之。

乙、醫者之體位

醫者之體位無定，必隨患者之體位如何，而採取適當之位置，總以易於施術，易於發揮腕力與指力爲原則。

十八、進針時之程序

進針之時，其先決條件爲消毒，於刺針時之準備一節，已言之矣，準備已畢，即爲刺針之實施，其程序有三，一曰爪切，二曰持針，三曰進針，爲分述之。

爪切　難經有曰，知爲針者信其左，不知爲針者信其右，當刺之時，必先以左手，壓按其所針榮腧之處，彈而努之，爪而下之，其氣之來，如動脈之狀，順針而刺之云云，此卽言進針之時，宜先彈努爪下而後進針也，彈努爪下，卽按摩爪切，非維使其皮下知覺之神經麻木，進針減少痛感已也，主要在探尋穴位，切準穴門，下針不致傷筋傷骨也，按摩爪切之法奈何，初於其應刺之部位，以左食指或拇指，微着力按摩，探尋骨隙，穴位既得，以爪切下，成十字紋，或一字紋，然後以針尖，着紋之中央而下，直達應刺之目的，可無阻礙矣，若操切從事，持針卽刺，雖依其分寸而不按切，則未有能中的者，故用針者信其左也。

持鍼　持針之道，亦甚重要，內經有曰，持針之道，堅者爲實，正指直刺，無針左右，神在秋毫，屬意病者，審視血脈，刺之無殆，又曰，持針之道，欲端以正，安以靜，明季針家楊繼洲氏曰，持針者，手如握虎，勢若擒龍，心無外慕，若待貴人，此皆言持針必端正而心靜，要聚精會神，屬意於指端針端，直刺橫刺斜刺，保持其角度而後下針，斯克盡持針之法也。

進針　古人於進針之時，先定補瀉之要，後行進針之法，靈樞經水篇曰，凡瀉者必先吸入針，凡補者，必先呼入針，後之醫者，令咳嗽一聲以代呼，或曰口中收氣以代吸乘患者呼氣或吸氣之中而下針，其規則謹嚴，審愼從事，亦成一派。自今日人體生理剖解之學明，知古人之所謂營衛氣血者，一爲血液之流行，一爲神經生理之現象，針之補虛瀉實，不越乎興奮，制止，等之作用，對於補瀉之手技，僅屬於一種刺戟法之強度，進針時對於呼吸上，實無注意之必要，而心之靜，手之穩，徐徐捻撚而下，一方視其面部之表情，爲進針捻撚之緩急，而色不變，口眼不皺引者，進針可速下。反之宜輕微漸進，此乃進針之要訣也。

十九、進針後之手技

針既進矣，即爲捻運，就古法言，目的在乎補瀉，以新理論，則不越乎制止，興奮，誘導。三者目的不同，手技遂異，考之內經，徵之近賢，名目繁多，心目爲眩，大都標新立異，不切實際，在作者，不外示其廣博，且閃爍其詞，不肯明言，以顯其神祕，而後之學者，以其玄奧莫測，索解無從，遂視爲畏途矣，針道之不明，實斯輩爲厲階，毋怪有人目針家爲草澤鈴醫之流也，編者不才，於古人手技之神祕處，未敢悉皆附從，如內經針法，尚有可取之處，特錄其要者，爲之註釋，以供同志之參考焉，從科學立場，吾人對於針法，應取之途徑，臚列於后。

甲、內經之針法

「九針十二原」小針之要，易陳而難入，粗守形，上守神，神乎神，客在門，未覩其疾，惡知其原，刺之微在遲速，粗守關，上守機，機之動，不離其空，空中之機，清靜而微，其來不可逢，其往不可追，知機之道者，不可掛以法，不知機者，扣之不發：知其往來，要與之期，粗之闇乎，妙哉工獨有之，往者爲逆，來者爲順，明知逆順，正行無間，迎而奪之，惡得無虛，隨而濟之，惡得無實，迎之隨之，以意和之，針道畢矣。

編者按曰，本節首言小針之不易施，故曰易陳而難入也，繼分粗工上工之所守，一徒守跡象；不諳妙機，一知守神，能覩病原，而知其虛實，故曰粗守形，而上守神也，其得神之妙者，知病之在何經，如客之在門，了然其出入之道也，不覩其疾，不知其原，言施針不可不先審其疾也，次言剌針之眞諦，在乎遲速，守穴中之妙機，以適應病體之虛實，卽上守機，機之動，不離其空也，夫空者，關節之空間也，卽神經出入之處也，神經因受剌戟，而發生反射，與局部筋肉收縮，是卽機之動也，粗工不知，僅按其關節而剌之，以爲盡針之能事矣，此其所以名下工也，神經之機能微妙，不可思議，因神經細胞之活潑與否，發生反射機能，有強弱之分，如其強也，不能使之更強，如其弱也，不能使其再弱，故曰，其來不可逢，其往不可追也，欲知反射強弱之妙機，乃在指端，非可得聞，而得可見也，惟有熟練之上工乃能之，乘其反射力之如何，而應以適當之手技，所謂知機之道也，粗工不知此妙機，卽不知其往來，故曰闇也，所謂往來者，指神經反射，感應之起止也，當其起也謂之來，當其止也爲之去，粗工不知其起止，坐失時機，己止矣，而猶擊之，故曰，往者爲逆，上工能乘其起，而應用其手技，故曰來者爲順，能明往來，卽知順逆，所謂應其衰而彰之，因其實而虛之，調正其機能之盛衰，達疾病之驅除，迎而奪之，卽實而虛之也，追而濟之，卽衰而彰之也，迎，奪，追，濟，能隨己意而和之，所謂得心應手，盡用針之能事矣。

凡用針者，虛則實之，滿則泄之，菀陳則除之，邪勝則虛之，大要曰，徐而疾則實，疾而徐則虛，言實與虛，若有若無，察後與先，若存若亡，爲虛爲實，若得若失。

編者按曰，本節言用針之大綱，經曰，凡欲用針，先必按脈，脈之虛而無力者，氣之弱也，當補之，卽虛則實之之謂也，脈之盛者，氣之盛也，當瀉之，卽滿則泄之之謂也，見其靑絡怒張。乃鬱血也，則刺而放之，卽菀陳則除之之謂也，病痛甚而起之暴者，則解散之制止之，卽邪勝則虛之之謂也，徐而疾則實，此言手技，徐入其針，而疾出也，謂之實，疾而徐則虛，言疾入其針，而徐出也，謂之虛，謂之瀉是也，所謂實與虛者，一爲使神經興奮，謂之有氣，一爲神經安靜，謂之無氣，此若有若無之釋也，察後與先，若存若亡者，殆初因其氣虛而實之，乃謂若亡若存，初因其氣實而瀉之，乃謂若存若亡也，爲虛爲實，若得若失者，言瀉之而虛，若有所失，補之而實，若有所得也，本節不肯定曰，有無存亡得失，而曰若有若無，若存若亡，若得若失者，愚深佩古人之卓見，而體會入微，何也，蓋本節之補瀉虛實，指氣之虛實言也，古人之所謂氣，固有多端，如本節之所指，乃神經之活力也，神經興奮太盛，而使之安靜，即古人謂實則瀉之，意爲瀉者，瀉其氣也，氣已瀉而不曰氣已無，氣已亡，氣已失，而曰若無，若亡若失，神經因活力衰弱，而使之興奮，即虛則補之之義也，但不曰已有已存已得，而曰若有若存若得此非古人之卓識，曷克臻此。

虛實之要，九針最妙，補瀉之時，以針爲之，瀉曰必持內之，放而出之，排陽得針，邪氣得泄，按而引針，是謂內溫，血不得散，氣不得出也，補曰隨之，隨之意若妄之，若行若按，如蚊虻止，如留而還，去如弦絕，令左屬右，其氣故止，外門已閉，中氣乃實，必無留血，急取誅之。

編者按曰，本節首言，補虛瀉實，以九針爲最妙，繼言補虛瀉實之法，瀉曰必持內之，言必持針以入之也，放而出之，言提針以放邪氣也，排陽得針者，得以針搖大其孔，排散衛陽，使邪氣可得泄也，按而引針，是謂內溫，此言補之法也，按而引針者，亦即引針而按入之，名曰內溫，內溫者，和其內部之氣血也，故曰血不得散，氣不得出也，自補曰隨之以下，專言補之手技，隨者意若妄之，若行若按，如蚊虻止，如留而還，去如弦絕，誠形容補法之絕妙好詞，吾今爲之分解之，一語道破，不如其含意深長，耐人尋味矣，隨之意若妄之者，隨順也，妄無也，言針之捻撥，順手所至，若有意若無意也，若行若按，行動也，按下也，言針似動而似按也，如蚊虻止，如留而還者，以蚊虻之吸血情狀爲譬也；去如弦絕者，言緩緩出針，以弦絕情狀爲譬也，自令左屬而下，乃言出針後之手技，令左屬右者，屬從也，隨也，言令左手從右手，出針之時，按其孔穴，則內之氣止，外門閉，而氣不泄，於是中氣實矣，如有留血，急除去之，是即必無留血，急取誅之之意也。

編者復不嫌詞費，而重申其義，補者，使神經活潑興奮也，瀉者，排除神經障礙，或制止其興奮，使之安靜也。

編者屢言之，使神經興奮之手技，必須用輕微之剌戟，欲制止而使之安靜，必用強之剌戟，學者試一思之，本節言補瀉之技，雖寥寥數字，深合今之新理，己無遺義，誰謂古人之學識，不科學也耶？

剌之而氣不至，無問其數，剌之而氣至，乃去之，勿復鍼。

編者按，本節示人以針貴得氣，氣至即己，不至則捻之運之，不問其數，誠開宗明義，如何明且盡也，不知後人，爲何復演出六陰，九陽，子午，搗臼等，種種眩人名目，殆未覩內經針法之眞義也歟。

徐入徐出，謂之導氣，補瀉無形，謂之同精，是非有餘不足也，亂氣之相逆也。

編者按，本節之針法，不分補瀉手技，但徐入徐出，以鼓動其氣，所謂不虛不實，以經取之之法也，補瀉無形者，不分補瀉之手技，形式，但徐入徐出以和其氣血，故謂之同精，精指榮衛氣血也，榮衛同生於水穀之精氣，故本節簡稱爲之精，清者爲榮，濁爲衛，清濁相干，乃生亂氣而爲病，非氣血之有餘或不足也，故以針徐出徐入以導之者。

病之始起也，可刺而已，其盛可待衰而已，因其輕而揚之，因其重而減之，因其衰而彰之。

編者按，本節言刺法之因病制宜也，病之始起也，輕而微，刺入即可出針，故曰可刺而已，病之盛者，宜久留其針，以待其病勢衰而後出針也，故曰，其盛可待衰而已，因其輕而揚之三句，乃言因病施技之法也，病之輕者，所謂徐出徐入，揚其氣而已，蓋輕刺法也，病之重而屬實者，所謂用實則瀉之之法，而減之也，即重刺載法也，因其衰而彰之者，補法也，亦即輕刺法也。

刺虛者，須其實，刺實者，須其虛，經氣已至，愼守弗失，深淺在志，遠近若一，如臨深淵，手如握虎，神無營於衆物。

編者按，本節言刺虛刺實之必要條件，刺虛者，須實而後已，所謂必待其陽氣隆至，針下覺熱，而後去針也，刺實者，所謂陰氣隆至，針下覺寒，而後去針也，經氣已至以下，言運針之宜專心一意，始終不懈，即如臨深淵，手如握虎，神無營於衆物也，深淺在志，遠近若一者，乃言運針淺深，氣行遠近，一如其志也。

瀉必用方，方者，以氣方盛也，以月方滿也，以日方溫也，以身方定也，以息方吸而納針，乃復其方吸而轉針，乃復候其方呼而徐引針，故曰瀉必用方，其氣而至焉，補必用員，員者行也，行者移也，刺必中其榮，復以吸排針也，故員與方非針也。

編者按，本節言補瀉之貴乎適中其度也，瀉必用方，方者適當也，以氣方盛者，所謂適當者氣盛而瀉之，以月方滿，以日方溫者，古人用針，每擇日擇時擇人之精神充滿之時也，以身方定者，擇其氣血和平之時也，以息方吸而納針以下，至其氣而行焉，則言針之出入，必當其吸或呼之時而爲之，於是其邪氣出，而正氣行也，補必用員，員者行也，行者移也，其意頗費解，吾推其大意，補者補虛也，古人之所謂虛，每指氣虛言，氣虛者，氣不行也，今之所謂神經不活潑，而無力以動也，補之使其氣行，使其移動，故曰員者行也，行者移也，則補必用員者，即補必須使氣圓轉活動而流行也，刺必中其榮者，針必達於內也，張隱庵曰，必中榮者，刺血脈則出血，出血之針屬針瀉，補而出其血，理不可通，古人以衞主乎外，榮主乎內，此刺必中榮者，殆刺必達於榮之部分也，復以吸排針者，隨其吸氣而出針也，故員與方非針也，乃取其意也。

吸則納針，無令氣忤，靜以久留，無令邪布，吸則轉針，以得氣爲故，候呼引針，呼盡乃去，大氣皆出，故名曰瀉。

編者按，本節專言瀉針之手技，下針必乘其吸氣之時，不與其氣逆，下針之後，仍乘其吸而轉針，靜留若干時，待其氣至，於是乘其呼而出針，邪氣皆出，故名曰瀉，夫所謂靜以久留者，有二解，孰是孰非，不能起古人而問之，但求理之可通，驗之有徵耳，所謂二解者，一針入穴中，留置不動，以壓制其神經之興奮，可收止痛止痙之效果，一爲靜其心意，針留穴中，而捻撥運之，對於因充血鬱血而發之疼痛，痙攣，有絕大之效果，張馬二家，依其字義而解，僅知其一耳。

必先捫而循之，切而散之，推而按之，彈而怒之，抓而下之，通而取之，外引其門，以閉其神，呼盡內針，靜以久留，以氣至爲故，如待所貴，不知日暮，其氣自至，適而自護，候吸引針，氣不得出，各在其處，推闔其門，令神氣存，大氣留止，故命曰補。

編者按，本節專言補針之手技，馬玄臺之註疏，隨文解釋頗明，摘錄如左。

此言補虛之法也，言未用針之時，必先捫而循之，謂以指捫循其穴，使氣以舒緩也，切而散之，謂以指切按其穴，使氣之布散也，推而按之，謂以指推其穴，，即排蹙其穴也，彈而怒之，謂以指屢屢彈之，使病者覺有經脈怒張之意，使之脈氣塡滿也，抓而下之，謂以左手之爪甲，搯其正穴，而右手方下針也，斯時也，針始入矣，必通而取之，以取其氣，候氣已至，外引其針，以至於門，門者穴也，即推合以閉其神，此乃始終用針之法，而其間尤有節要，不可不知也，方以爪而下之之時，使病人呼以出氣，而吾納其針，必靜以久留，候正氣已至，爲復其舊，無慢心如待所貴，無躁心不知日暮，其氣已至，又必調提而護守之，又候病人，吸入其氣，而吾方引針，正氣不得與針皆出，正氣在內而針在外，各在其處，遂推闔穴門，令神氣內存，正氣之大者，爲之留止，故名曰補。

編者再按，本節之靜之久留，與瀉之靜以久留，有不同焉，以編者之推測，上節靜以久留，可爲二解，一爲留針法，一爲刺戟法，就其收效言，甚合瀉之本義，今移之於補之手技中，則似有不合，以其效用言，不合補之本義也，故本節之靜以久留，當另有一種手技，所謂法於往古，驗於來今，從補字之義推之。必屬徐徐捻運之一種輕微刺戟，是耶非耶，倘待考徵。

乙、科學觀點之鍼法

單刺術

單刺術者，針之目的，刺達筋層間，立即以針拔去之法屬，於極輕微之刺戟，此法應用於小兒，或婦女之無受針經驗者，或身體衰弱極度之症候。

旋撚術

旋撚術者，針在身體刺入中，或刺入後，或拔針之際，右手之拇指食指，以針左右撚旋之一種稍強刺戟之手技，適用於制止，以興奮爲目的之針法。

雀啄術

雀啄術者，針尖到達其一定目的後，鍼體恰如雀之啄食，頻頻急速上下運動之，專用於以刺戟爲目的之一種手技，然而其緩急強弱，不僅爲制止作用，亦能應用於以興奮爲目的之一種針法。

屋漏術

屋漏術者，與雀啄術之行用，少有些微不同，即針體之三分之一，刺入後行雀啄術，再行三分之一，仍行雀啄術，更以所剩之三分之一進之，仍行雀啄術，在退針之際，亦如刺入時，每回行雀啄術而出針，此爲專用於一種強刺戟爲目的之手技，適用於制止誘導二種目的。

置針術

置針術者，爲以一針乃至數針，刺入身體各穴，靜留不動，放置五分鐘，乃至十分鐘，然後拔針之一種手技，適用於制止，或鎮靜爲目的之針法。

間歇術

間歇術者，爲針刺入一定度數之後，於此中間，任意引拔放置，更數回反復，行同一之手術，應用於血管擴張，或筋肉弛緩時，爲興奮目的之針法。

振顫術

振顫術者，針刺之後，行一種輕微上下振顫手技，或於針柄上以爪搔數回，或以食指伏於針柄之上端，頻頻輕打之，搖撼之，專應用於血管筋肉神經之弛緩不振者，卽所謂之興奮法補法者是也。

亂針術

亂針術者，針刺一定之度，立卽拔至皮部，再行刺入，或快或遲，或向前向後，向左向右而運用之，此亂針法，專應用於強刺戟，適用於誘導，解放充血鬱血之針法。

上述八法，爲手技中之簡單明瞭，而易於實施之手法，無內經針法之繁複而有功效，凡百病症，悉可以此八法應付之。

丙、近代諸賢補瀉之針法

四明陳會之針法，隨咳進針，至適度後，微停少止，由右手大指，食指持針，細細動搖，進退搓捻，其針如手顫之狀，謂之催氣，約行五六次，覺針下氣緊，乃行補瀉之法，如針左邊而用瀉法，以右手大指食指持針，以大指向前，食指向後，以針頭輕提往右轉，食指連搓三下，略退出半分許，謂之三飛一退，行五六次，如覺針下沉緊，是氣至極矣，再輕提左轉一二次，令人咳嗽一聲，隨聲出針，如針瀉右邊，則以左手持針捻運，大指向前，食指向後，針頭轉向右邊，依前法行之，若爲補法，隨病人吸氣轉針，其手技却與瀉法相反，針左邊之補法，以左手大指食指持針，食指向前，大指向後，捻針頭轉向右邊，針穿入一二分，停少時，以指輕彈三下，連行三次，於是以大指連搓三下，針頭轉向左，深進一二分，謂之一進二飛，連行五六次，覺針下沉緊，或針下氣熱，是氣已至足，令病人吸氣一口，隨吸出針，急以手按其穴，如針右邊，，則以手捻撥，食指向前，大指向後，依前法行之，如背上中行，在男子則左轉爲補，右轉爲瀉，腹上中行，則右轉爲補，左轉爲瀉，女人反之，背中行右轉爲補，左轉爲瀉，腹中行左轉爲補，右轉爲瀉。

南豐李梴之補瀉法，針男病者，左手陽經，以醫者，右手大指進前，呼之爲隨，退後吸之爲迎，左手陰經，大指退後，吸之爲隨，進前呼之爲迎，右手陽經，以大指退後，吸之爲隨，進前呼之爲迎，右手陰經，以大指進前，呼之爲隨，退後吸之爲迎，病者左足陽經，以醫者右手大指進前，呼之爲隨，退後吸之爲迎，右足陰經，以大指退後，吸之爲隨，進前呼之爲迎，右足陽經，以大指退後吸之爲隨，進前呼之爲迎，右足陰經，以大指進前，呼之爲隨，退後吸之爲迎，男子午前皆然，午後反之，女人與男子又反之。

三衢楊繼洲氏、行鍼八法

1. 曰揣，　揣而循之，凡點穴以手揣摩其處，在陽部筋骨之間側，陷者爲眞，在陰部郄膕之間，動脈相應，其肉厚薄，或伸或屈，或平或直，以法取之，按而正之，以大指爪切陷其穴，於中庶得進退，難經曰，刺榮毋傷衞，刺衞毋傷榮，又曰，刺榮毋傷衞者，乃陷按其穴，令氣散，以針直刺，是不傷其衞氣也，刺衞毋傷榮者，乃撮取其穴，以針臥而刺之，是不傷其榮血也，此乃陰陽補瀉之法也。

2. 曰爪，　爪而下之，此則針賦曰，左手重而切按，欲令氣血得以宣散，是不傷於榮衞也　右手輕而徐入，欲不痛之因，此乃下針之祕法也。

3. 曰搓，　搓而轉者，如搓線之貌，勿轉太緊，轉者左補右瀉，以大指次指相合，大指往上進爲之左，大指往下退爲之右，此則隨迎之法也，故經曰，迎奪右而瀉涼，隨濟左而補暖，此則補瀉之大法也。

4. 曰彈，　彈而努之，此則先彈針頭，待氣至却進一豆許，先淺而後深，自外推內，補針之法也。

5. 曰搖，　搖而伸之，此乃先搖動針頭，待氣至却退一豆許，乃先深而後淺，自內引外，瀉針之法也。

6. 曰捫，　捫而閉之，經曰，凡補必捫而閉之，故補欲出針時，就捫閉其穴，不令氣出，使氣血不泄，乃爲眞補。

7.曰循，　循而通之，經曰，凡瀉針必用手指，於穴上四旁循之，令氣血宣散，方可下針，故出針時不閉其穴，乃有眞瀉，此提按補瀉之法，男女補瀉，左右反向。

8.曰撚，　撚者，治上大指向外撚，治下大指向內撚，外撚者，令氣向上而治病。內撚者，令氣向下而治病，如出針，內撚者，令氣行至病所，外撚者，令邪氣至針下而出也，此下手八法口訣也。

燒山火

治久患癱瘓，頑麻冷痺，遍身走痛，及瘓風寒瘧，一切冷症，用針之時，撚運入五分之中，行九陽之數，其一寸者，即先淺後深也，若得氣，便行針之道，運者男左女右，漸漸運入一寸之內，「三進一退」，三出三入，慢提緊按，若感針頭沉緊，其針插之時，熱氣復生，冷氣自除，未效依前再施。

透天涼

治風痰壅盛，中風喉風，癲狂瘧疾瘴熱，一切熱症，凡用針時，進一寸內，行六陰之數，其五分者，即先深後淺也，若得氣，便退而伸之，退至五分之中，三入三出，緊提慢按，若覺針頭沉緊，徐徐舉之，則涼氣自生，熱病自除，如不效，依前法再施。

陽中隱陰

治瘧疾先寒後熱，一切上盛下虛等症，用針之時，先運入五分。行九陽之數之半，「四九三六數」如覺微熱，便運入一寸之內，却行六陰之數之半，「三六一十八數」以得氣，此乃先淺後深，先補後瀉之法也。

陰中隱陽

治先熱後寒，一切半虛半實等症，凡用針之時，先運一寸，乃行六陰之數，如覺微涼，卽退至五分之中，却行九陽之數以得氣，此乃先深後淺，先瀉後補之法也。

留氣法

治癥癖癥瘕氣塊，用針之時，先運入七分之中，行純陽之數，若得氣，便深刺一寸中，微伸提之，却退至原處。若未得氣，依前法再行。

運氣法

治疼痛之病，用針之時，先行純陰之數，若覺針下氣滿，便倒其針，令患者吸氣五口、使針力至病所，此乃運氣之法，可治疼痛之病。

提氣法

治冷麻症，用針之時，先從陽數微撚似覺氣至，微撚輕提其針，使針下經絡氣聚，可治冷麻之症。

中氣法

治積，用針之時，先行運氣之法，或陽或陰，便臥其針向外，至疼痛處，立起其針，不與內氣同也，若關節阻澀，氣不通者，以龍虎交戰之法，通經接氣，驅而行之，仍以循攝切摩，無不應矣，又按捫循摩導引之法而行。

蒼龍擺尾手法

下針之時，飛氣至關節去處，便使回撥者，兩指扳倒針頭，將針慢慢扶之，如船之舵，左右隨其氣而撥之，其氣自然交感，左右慢慢撥動，九數，或三九二十七數，其氣遍體交流矣。

赤鳳搖頭法

凡下針得氣，如要使之上，須關其下，要下須關其上，連連進針，從辰至巳，退針從巳至午，撥左而左點，撥右而右點，其實只在左右動，似手搖鈴，退方進圓，兼之左右搖而振之。

附白虎搖頭法

以兩指扶起針尾，以肉內鍼頭輕轉，如下水船中之櫓，振搖六數，或三六一十八數，如欲氣前行　按之在後，欲氣後行，按之在前。

龍虎交戰手法

用針時，先行左龍則左撚，凡得九數，陽奇零也，却行右虎則右撚，凡得六數，陰偶對也，乃先龍後虎而戰之，以得氣補之，三部俱一補一瀉，故陽中隱陰，陰中隱陽，左捻九而右捻六，是亦住痛之法，乃得陰陽反復之道，號曰龍虎交戰。

龍虎升降手法

用針之法，先以右手大指向前撚之，入穴後，以左手大指向前撚，經絡得氣行，轉其針，向左向右，引起陽氣，按而提之，其氣自行，如氣未滿，更以前法再施。

五臟交經

下針之時，氣行至溢，須要候氣血宣散，乃使蒼龍左右撥之，氣血自然縱橫。

通關交經

先用蒼龍擺尾，後用赤鳳搖頭，運入關節之中後，以補則用補中手法，瀉則用瀉中手法，使氣於其經便交。

膈角交經

凡用針之時，欲得氣，相生相尅者，或先補後瀉，或先瀉後補，隨其疾之虛實，病之寒熱，其邪氣自瀉除，眞氣自補生。

關節交經

凡下針之時，走氣至關節處，立起針，與施中氣法納之。

子午搗臼

治水蠱膈氣，下針之時，調氣得均，以針行上下，九入六出，左右轉之不已，必按陰陽之道，其症卽愈。

編者按，本節諸法，錄自針灸大成，爲明代諸針家之運針手技，其源固不脫於內經，惟惑於陰陽男女之說，附會於針法之中，於是淺顯易明者，轉而爲神祕玄奧矣，處現代革新之秋，神奇玄說，本宜刪節，惟研究斯學者，莫不知有此法，故錄出以供參考。

二十、暈針之處置

神經質之患者，或身體衰弱者，下針之後，往往神經因受刺戟，起劇烈反射，發生急性腦貧血症，「名曰暈針」危險殊甚，故下針前後，應有深切之注意，於十六節剌針時之注意要項中，已述之，如不愼而發生暈針，則宜急速與之救治，萬不可驚惶失措，忽於處置也。

於言處置法前，略述暈針之病理與情狀，即可知處置挽救之途徑矣。

先言病理，神經衰弱者，與貧血者，下針捻撥，神經猝受剌戟，直射腦部，全身微血管猝縮，尤以頭部爲甚，血壓急速下降，腦部遂形成急性貧血，於是腦之機能猝退，甚至全失心臟機能，亦急速減退，或竟停止搏動矣。

言其暈針之情狀，輕者頭暈眼花，噁心欲嘔，心悸亢進，重者面色陡白，四肢厥冷，汗出淋漓，甚至脉伏心停，知覺全失，呈驚人之危狀。

以言救治，則不外重複剌激其知覺神經，喚醒腦神經，而復其機能，總樞一開，百機皆動矣，其法維何，即發覺患者已呈暈針狀態，立即停針退出，如坐者，將其臥倒，一方掐其中衝，或人中不釋，使其感受劇痛，一手按其脉搏，如脉搏尚有者，但掐中衝，並飮以熱水，或葡萄酒，若脉搏已伏，心臟欲停者，則以針剌人中中衝，並行人工呼吸法，至脉出而止，靜臥片時，頻飮熱湯，不久即可恢復常態矣。

二十一、出針困難之處置

施術中，時有發生出針困難之事，其理由不外三點，一爲體位移動，致針絲屈曲，二爲針身有傷痕，筋纖維纏繞不脫，三爲內部運動神經，俄然興奮，起筋肉攣急，吸住針身，吾人欲解決出針困難，必先識別其屬何種原因而致，於是與以適宜之處置，苟不問其因，而欲強力拔出，徒使病者，感受劇痛，非惟仍不能出，且有折針之慮。

識別及處置之法如何，曰針難捻動，深進不能，退出亦不能，屬第一之針身屈曲，急矯正其體位，再探求其曲度與方向，如針柄角度未變，乃爲小屈，以左手拇食二指，重按針下肌肉，右手持針柄，輕微用力提出之，若針柄偏側者，則屈度較甚，左手二指，不可重按，右手起針，須順其偏側之方向，輕提輕按，一起一伏，兩手相互呼應，則針可得而出矣，用力強拔，是乃大忌。

針身可以捻轉，而提起或深下覺痛者，屬第二點之針有傷痕，宜反其方向而捻動之，於捻轉之中，上提下插，反復行之，覺針下疏鬆，即可出針，若較前僅可多退，猶不能全部提出者，再依前法施之，如引出時，痛感較前大減者，可如第一點法，微用力提出之。

如覺針下沉緊，捻動困難，按其肌肉結硬者，屬第三點之筋肉痙攣所致，當將針再深入二三分，行強雀啄術，如仍攣急不散者，則另以一針或數針，於其附近下之，行中等度之刺戟，則出針之困難，可立卽解決矣，如病者不願從旁再下針者，則以爪切其四圍，或揉撚之，使異常興奮之運動神經鎭靜，，緩解其強直之筋肉，其針自易出矣。

二十二、折針之處置

折針之事不常有，以其針絲堅韌，不易折也，偶或有之，必針絲已有傷痕，醫者疏忽未檢出，病者復不守醫戒，而移動體位，或醫者用強刺戟時，病者之筋肉，突起痙攣強直，遂至針折於中，此際醫者之態度宜鎮靜，並告病家不必心慌，堅守其體位不稍移，醫者左手，重壓針孔之周圍，使折針外透，如見折針於皮膚面發現時，以箝或爪摘出之，如在皮下，可按得而不外露者，以指按準針端，以刀消毒，微剖開其皮，檢視針端，以箝攝出之，若折在深層者，則任其自消，不必攝取，雖有在一二日中發生疼痛，大約經過三四日即平安無事矣，就日人之實地研究，謂針在筋肉中，經過相當時日，自然消滅，或行移別部，其消滅與移行之說如左。

1. 酸化說，　由體溫之關係，針起酸化，而自行消滅。
2. 移動說，　折針由筋肉之運動而避走，其比較運動稍鈍之部，則久久停留，而後消滅。

又三浦博士，與大久保醫學士，曾以動物試驗之，得結果如左。

三浦博士，在洋鼠之腹腔內，以六號針刺三分深，而切斷之，另以一枝刺入臀筋，而切斷之，經三週間，其部呈紫色，雖炎症之徵象顯着，細胞浸潤，俱無化膿之傾向，於飲食運動，交尾不見障礙，八閱月之後，解剖檢視，刺針部之針不得，從各臟器及筋肉，以精密之檢查，亦始終不得發見，此由腸之蠕動而脫出體之外耶，抑由酸化而消耶，不能下確切之評定。
大久保醫學士，以七個月之雌兔，在左側胸末之橫突起，與第一腰椎之橫突起之中間，用大號針刺入八分左右，折斷之，其第一日運動仍活潑，奔走跳躍如前，第二日漸覺舉動靜肅，刺處若觸動之則跳躍，第三日觸其刺處，如無事然，重壓之，稍呈驚惕之狀，第四日亦然，第五日後，雖重壓之，似無異感，後仍壯健，交尾，且受胎分娩，初生小兔，亦健全，此後經六個月解剖之，在針入之處，針皮裏面，及皮下結締組織，呈長三分闊三厘之青藍色素，其下層之筋鞘亦然，在鞘內之筋質，及腹腔壁面之漿液膜處，不見刺點之踪跡，在筋層間，亦不見折針通過之踪跡，因此在內臟，各各精密檢查，又折斷筋肉檢之，亦不見折針之踪跡。

又別在雌兔之左側，第二腰椎，與第三腰椎之橫突起間，以六分餘長之針折入之，經八個月後之剖驗，亦不見折針之踪跡，因此假想針端銳利，在運動之際，因筋肉之移轉而脫出，於是以鈍之鍼絲，在雄兔之右側，在第一腰椎，與第二腰椎，橫突起間，刺入而切斷之，經十四月後剖驗之，在刺入局部，不見異狀，折針轉入至肝臟之左葉，從後方轉入前方，平而潛在，而其周圍亦無見存之炎症，其折針現存之狀，如新刺入之狀相同，而針體已呈酸化爲黑色矣，針之重量，初爲〇，〇三五瓦，己減輕〇，〇二瓦，因思所減之量，不外爲酸化溶解，更且，恐爲針體之容易移轉，因此以針爲二屈曲，在皮下結締組織，與筋鞘之間，平刺入而切斷之，至第八日檢剖之，針之周圍微呈炎症狀，卽毛細管怒張，靜脉鬱血，漿液發生滲漏，由第一屈曲，至第二屈曲之中間，與結締組織緊密纏絡，不易拔出。

由上試驗結果，針尖之銳鈍，與運動之緊閑，似有異趣，針尖銳利，刺入局部運動之劇烈部位，則移轉迅速，不留踪跡，其針尖鈍，而所刺之部位，在運動遲緩之處，則經年之久，因酸化而溶解消滅，又不移動，不消滅者，則新生結締組織以包裹之，而無損於身體之健全與運動。

雖然，折針固無害於健全，但在有理智及多疑之人身，患者終不能釋然於懷，每因疑慮而發生精神病症，學者毋因無礙而忽視可也。

二十三、出針後之遺感覺之處置

通常針刺之中，發生痠痛感應，卽十四節，刺針之感通作用，出針後立卽消失，然有時依舊痠痛，持續一二日始失者，此謂之針之遺感覺，此由於醫者手術拙劣，與以極強之刺戟，或以施術中患者發生動搖，知覺神經纖維，受過度之刺戟，該部神經發生異狀之興奮所致，其遺感往往經一二日後，得消失，於斯場合，於施術後，在局部或附近，與以按摩輕擦，或於其相距尺許處針之，其遺感卽消。

二十四、出針後、皮膚變色及高腫之處置法

出針之後，時有小紅赤點，在針孔部位發現，或皮膚呈青色而高腫，患者感覺痠重不舒，此乃針傷血管之所致，在十數小時後，自然平復，但吾人欲促其速愈時，可與輕擦按揉，在數小時後，可消散無形。

二十五、鍼尖刺達骨節時之處置

在刺針時，覺針尖刺達骨節時，宜急速提起數分，或提至皮下處，轉其方向而入之，否則針尖蜷曲，不能出針，且傷骨膜，有發生骨膜炎之虞，施針時，不可不細心注意也。

二十六、針治之禁忌

古針家，於針治上有時日之禁忌，甲不治頭，乙不治喉，子踝丑腰，一臍，二心等時日之禁忌，謂有人神相值，犯之不利云，編者以其涉於迷信，未與研究，故略而不述，經穴之禁忌，頗有合於現代解剖觀點上之重要部位，故附錄於后。

腦戶　顖會　神庭　玉枕　絡却　承靈　顱息

角孫　承泣　神道　靈台　膻中　水分　神闕

會陰　橫骨　氣衝　箕門　承筋　手五里　三陽絡

青靈諸穴禁止針刺　其他　雲門　鳩尾　客主人　肩井

血海等穴不能過深　合谷　三陰交　石門　姙婦婦人亦宜避忌

就臨床之經驗而言，今日針家所用之針，細幾如髮，古人之所謂禁針穴，每有行之，反得良好之效果者，亦有不發生惡影響者，故日本有若干醫家，謂今日之針絲細，不論如何之部位，皆可刺云，雖然，古人之認爲禁穴，悉從經驗而來，決非向壁虛造，吾人苟手技不精，經驗未宏，終宜愼重；以避免爲是，其他關於身體之重要器官部分，如延髓部，顖門，眼珠，心臟，肺臟，睪丸，陰核，乳頭等部，雖手術嫺熟者，亦宜禁針，深刺，毋冒險以蹈危機也可。

結論

本編講義，編者憑數年之臨床觀察，復參酌日人針學講義而着手。所得共二十六節，凡關於針學方面之學識，古今之異同，今而後應趨之途徑，已臚列條陳。讀者能因此而銳求精進，使針道前途　日趨光明，則編者所望爲不虛矣，今得日針師，板本貢氏，針刺之關於健體病體之作用一文，述針刺與神經之影響，特譯出作針刺之學理研究，爲本編之結論。

針者，爲一種之器械刺戟，行種種手術，發生制止，興奮，誘導三種作用，卽神經細胞，由一定之刺戟起興奮，或以強刺戟之太過而減衰其機能，且引起神經因受刺戟，而發生傳導於中樞，或由中樞傳導於末梢之作用，故健體與病體，由針刺神經之種類，與刺戟之強弱，而呈不同之作用，茲分別述之。

一、健體之剌戟影響

1. 感覺神經枝　在剌針時，發生如通電之感覺，針枝拔除，其感覺立即消失，若與短時間，輕剌之剌戟，從求心性傳之中樞，從此中樞之細胞，起興奮活潑，因其興奮向遠心性末稍傳佈，於此謂之起反射運動，使其部之筋肉，起收縮或弛緩，而血管，則初爲收縮，繼仍擴張，俾血液循環之旺盛，然而若以長時間之剌戟，神經之興奮性反形減衰，甚至完全消滅，遂至傳導機能亦消矣。

2. 運動神經枝　於此剌針之時，其部之筋，發生痙攣，若即去針，痙攣立止，此種現象，與知覺神經之發現，著明之作用相同，與以短時間之輕剌，起興奮作用，長時間之強剌，則興奮性完全消失，反陷於筋肉，起麻痺狀態。

3. 交感神經枝　剌針之時，其部神經所分佈之臟器，起索引樣之感覺，去針後，臟器之機能，有若干時之旺盛，故雖爲健體，常行此種針剌，於體內益能使抵抗力增加，以達養生之目的。

二、病體之剌戟影響

1. 知覺神經枝　知覺神經枝，起有異狀之興奮，其結果處爲神經痛，或知覺過敏，如斯變態，欲使其調節時，宜以針爲持續之強剌戟以制止之，如對於機能減弱之疾患，與以輕而且短之剌戟，使其興奮，可回復其固有之機能。

2. 運動神經枝　運動神經枝，有異狀興奮之時，其神經所分佈之領域內之筋肉，致發生痙攣或強直，若與強烈之刺戟，可發揮鎮靜緩解之作用，如運動神經，因機能減弱，而發生之麻痺性疾病，若與以輕之刺戟可引起其興奮，而回復常態。

3. 交感神經枝　此神經枝之異常亢進，則引起心運動之急速，呼吸促迫，胃腸蠕動增進，各臟器分泌機能亢進等，對於此類以強刺戟之制止，可使之復歸常道，反之在交感神經，機能減弱之疾病，則以輕刺之興奮作用，可調整其生理的機能。

鍼科學講義

[illegible]

灸科學講義

江蘇江陰承澹盦編

一、灸法之起源

灸法之起源，渺不可攷，在文字上之可稽者，厥爲內經。異法方論曰，『北方者，天地所閉藏之域也，其地高陵居，風寒凜冽，其民樂野處而乳食，藏寒生滿病？其治宜灸焫』，艾炷，卽灸法，按內經之文，灸法之發源，當在北方宜，究其發明之時期，則不可得矣。

以推想之目光測之，當在鍼灸之前，發明取火後，與砭石之應用，或在同時，何以言之，石器時代，民皆穴居野處，病多創傷，風雨薦侵，病多筋攣痺痛，治宜灸焫，蓋得溫則舒，得熱則和也，當其發明砭石鍼焫之法，殆皆出於自然，人爲最靈動之物，有天然自衞自治本能，如身體痠麻疼痛，自然以手按壓，或取石片以杵擊，或就火熱以薰灼，或置燃燒物於皮膚，爲種種之嘗試，求病痛之免除，或在無意識之中，獲得療治之發見，其中有不少天才者，積甚多之經驗，知何種病苦，宜砭石杵擊，且知何部爲良，何種疾患宜用火熱薰灼，施何處爲愈，流傳而下，於是成爲砭石之法，灸焫之方，及有文字，乃記之爲文，藏之於簡，傳之數千百年而至今，成爲重要之科學。

二、灸術之定義

何爲灸術，曰，以特製之艾，在身體表皮一定之部位，所謂一定之經穴點上，燃燒之，發生艾特有之氣味，與溫熱之刺戟，調整生活機能之變調，且增進身體之抵抗，而與病之治療，及預防之一種醫術也。

三、施灸之原料

灸必用術，以其性溫而降，能通經絡，治百病也，然則古人早知艾之功用，始以之作艾炷耶，曰，是又不然，艾蒿遍地皆有，可爲燃料，引火最易，且氣味芬芳，聞之可清心醒腦，古人取火不易，嘗必以之爲火種，因其芬芳易燃，於是用作灸炷，試之久而驗之效，乃爲灸治之要品，後之學者，乃就其功效，而推測其性狀如上也。

就學者之推測與研究，艾屬菊科植物，爲多年生草，我國全部皆產生，春日生苗，高二三尺，葉形似菊，表面深綠色，背面爲灰白色，有絨毛，葉與莖中有數個之細胞，具有油腺，發特有之香氣，夏秋之候，於梢上開淡褐色花，爲筒狀花冠，作小頭狀，花序排列，微有氣息，但不入藥用，入藥或作灸炷者，乃爲艾葉，每於舊曆五月中採之，

關於艾之性能，唐甄權藥性本草，謂止崩血痔血，止腹痛安胎，明繆希雍本草經疏，謂味苦微溫，熟則大熱，可升可降，其氣芳烈，純陽之草也，故無毒，入足太陰，厥陰，少陰三經，燒則熱氣內灶，通經入骨，灸百病，和漢藥攷曰，熟艾，灸之能透諸經，治百病云，今之分別，內服則爲溫中逐冷，安胎止血，外用則通經絡而治百病，其效用較內服多矣，故

本草別錄稱爲醫草，日人稱爲神草，亦以能灸百病，而獲此名也。

四、艾之製法

艾雖遍地皆有，而以蘄縣產者更良，以其得土之宜，葉厚而絨毛多，性質濃厚，功力最大，稱爲蘄艾，於五月中採其葉而晒之，充分乾燥，於石臼中反復篩搗，去其粗雜塵屑，存其灰白色之纖維，如棉花者用之，稱爲艾絨，亦稱熟絨，爲灸之無上妙品。

艾絨愈陳愈佳，孟子曰，七年之病，必求三年之艾，識者謂艾愈陳久，其氣味愈厚，灸病亦愈見效，則似是而非矣，艾葉中含有一種帶黃綠色之揮發性油，新製艾絨，其油質尚存，灸之其火力強而經燃，病者之痛苦較多，苟久經日晒，油質揮發已淨，質更柔輭，灸之則火力柔和，痛苦較少，反覺快感，精神爲之一振，病魔自退避三舍矣。

五、艾絨之保存法

艾絨易吸收空中之溼氣，灸時不易着火而痛增，故取得艾絨之後，置於乾燥箱中而密蓋之，於風和日麗之天，取出晒之，約二三時，晒過復密蓋之，日常施用者，取出一部份，置於緊密之小匣中，用罄再取，則大部份不致有受潮溼之慮矣。

六、艾灸之特殊作用

日本東京鍼灸學院，院長板本貢氏曰，在人體與以溫熱之刺激，其最適宜之燃料，莫如艾葉，因其有種種特長也，玆就施灸言之，艾葉燒燃將終，在瞬息間，艾之溫熱直入深部，感覺上似有一種物質直刺之狀，且發生暢快之感覺，若試以燃熱之火著，或烟草，祇覺表面熱痛而無此等感覺，且灸點在同一點上，不論何壯，皆有快感，其灸跡與以極強按壓，或水浸，或熱蒸，皆不變若何異狀，如斯妙處，實爲灸時特有之作用，發明用艾灸治，誠古人之卓見也云，按氏之說，與中國本草，所謂性溫而下降之說相合，編者以爲灸艾之特殊作用，不在熱而在其特具之芳香氣味，中國對於芳香性之藥，每謂其行氣散氣，夫行氣散氣，乃神經之一種興奮，傳達現象，與神經細胞之活潑現象，艾灸後之得覺快感，即艾之芳香氣味，由皮下淋巴液之吸收，而滲透皮下諸組織，於是神經因熱與芳香之兩種刺戟，起特殊興奮，活力爲之增加之所致，因而發揮其固有之作用而病邪解決。

七、艾炷之大小

艾炷大小，稽之靑册，各從灸之部位而定，頭部支末宜小，胸部腹背部宜大，小者如雀糞，如麥粒，大者如筋頭，如棗核，明堂下經云，凡灸欲炷下廣三分，若不三分則火氣不達，病不能愈，是灸之欲其大也，其上經則曰，艾炷以小筋頭作，其病脈粗細，狀如細線，但令當脈灸之，雀糞大者，亦能愈矣，是炷之小者也，皆古灸法也。

有淸末葉，艾灸法不講久矣，機乎失傳，甲戌之秋，攷查扶桑鍼灸，彼灸炷之大小，大者如米，小者如粞，如飯粒大者，甚少見矣，大如棗核者，間亦有之，但須病家許可，而後行之。

予以爲灸炷大小，不但以其部位而有不同，大人小兒，壯體羸軀，當各有別，大者壯者，炷如蓑豆，小則如鼠糞，幼或弱者，如麥粒，如雀糞足矣，灸炷過大，不免焦骨傷筋，效益雖有，而害亦隨之，古法灸之不能盛傳於今，雖因火灼苦痛人所畏避，更以炷大，則利害兼有，不爲人信，亦主因也。

八、艾炷之壯數

燃燒艾炷一枚，謂之一壯，凡灸，少則三壯，多則至數百壯，如千金有灸至三百壯者，扁鵲灸法有三五百壯至千壯者，未免用火太過，吾人施灸，固宜遵循古人遺規，然氣候有變遷，人體有偏勝，體格有大小強弱，疾病有輕重久新，旣有不同，壯數宜殊。若泥一說而不與變通，則有太過或不及矣，不及不足以去病，太過則體有所不勝也。

九、灸刺戟之強弱與溫度

灸術原屬溫熱性剌戟療法，病有輕重，體有強弱，則治療時所與之剌戟，當分別剌戟之強弱，以適應其症狀，此炷之所以分大小，與數之多寡也，從大體之標準，可分強中弱三種之剌戟。

強剌戟之標準，其艾炷如蓁豆大，捻爲硬丸，自十五壯至十二壯。

中剌戟之標準，炷如鼠糞大，捻成中等硬，自七壯至十壯。

弱剌戟之標準，炷如麥粒大，宜鬆軟而不宜緊結。

因艾炷之大小與軟硬，其燃燒之熱度，亦有高低，日人樫田，原田，在東京帝國大學醫學部，就動物屍體及患者，行學理之試驗，以各種大小之艾炷，測計其溫度量，結果得下列之報告。

在空氣中，以寒暑表之水銀柱，裹以鳩卵大乃至雞卵大之艾絨，從周圍燃燒之，發生「攝氏」上六百四十度之高熱，且送以風，助之燃燒，則遞至六百七十度，又以電溫計測算之，巨大艾「棗核大」之熱度，在三百五十度上下，大切艾「蓁豆大」爲百三十度，中切艾「大米粒大」爲百度，小切艾「麥粒大」爲六十度，嘗於家兔之腹壁上，以寒暖計測之，巨大艾平均爲一百度，大切艾爲九十三度半，中切艾爲八十二度半，中小切艾爲六十二度半，小切艾爲六十一度。

於生體之灸，其溫度較低，以血液不絕流行，奪去其熱也。

十、灸法之種類

以艾灼肉，爲達療病或防病之目的，是謂灸法，後人以其灼膚傷肌，痛苦難堪 改變其法，下襯薑蒜，附子鹽泥，以冀減少痛楚，名曰隔姜灸法，或隔蒜灸法，在中國有五六種之多，如隔薑灸，隔蒜灸，附子灸，麥餅灸，鹽灸，黃土灸等，日本灸法尤多，有二十餘種之多，爲我國古昔所流入，但在我國如上述數種外，已失傳矣。

又有名雷火鍼，及太乙神鍼者，以艾絨與其他藥料捲成紙卷，着火隔布按於肌肉以治病，爲灸法中之特致者，通經舒絡效果頗佳。

近年日人後藤道雄，發明溫灸，灸不着肉，隔器溫蒸，以無灸痕爲標榜，但費時費藥，既不經濟，而效力極微，較之雷火鍼，太乙神鍼。相去不可以道里計矣。

十一、灸術之現象

不論何種之灸術，於皮膚上必現火傷狀態，是謂灸術現象，但火傷狀態，因灸法輕重之不同，其發現之狀態，亦有不同，關於輕度之施灸，其局部發現赤暈，且感熱痛，停灸後其赤暈漸消失，經數小時後，留一黃色之瘢痕，如稍強之灸，則表皮浮起，成一水泡，經數日結痂而愈，其最強度之灸，皮下肌肉成壞死狀態，表皮起大水泡，即陷於化膿潰爛，周圍擴大，經若干之時日。新肌生長，表面結成痂皮而愈，但留一黑色之斑痕，經一二年後，黑色漸退，惟灸痕永不消滅。

十二、灸術之應用

不論何種灸法，當應用於臨床之時，然病者必先有一番考察，男女年齡體質，疾病輕重，及受灸之有無經驗等，然後定灸炷之大小軟硬壯數，與以適度之刺戟，不使太過，不致不及，若太過失度，不特效果不奏，疾病亦成惡化，茲為便於初學計，定其適度之標準如下。

一、小兒與衰弱者　炷如雀糞，十歲前後之小兒，以五壯至十壯為度，大人灸炷如米，以五壯至十壯為度，灸穴以五穴或七穴為適當，多則灸多，反令發生疲勞。

二、男女之分別　男子灸炷無壯數，可以稍多，普通男子勝任力較女子為大也。

三、肥瘦之不同　肥人脂肪較多，肌厚膚臃，傳熱不易，感艾氣不足，壯炷宜較瘦者為多，炷大如米粒足矣。

四、敏感性者與遲鈍性者　對於感受性之敏感者，當灸炷燃至中途時，即移去之，重更一枚。待燃近皮膚，即去之，反覆更換，至着膚為止。灸小兒亦須如此，遲鈍性者，炷宜稍大。

五、施灸經驗之有無　關於未經施灸，初起亦宜小炷，壯數亦宜少，以後逐日增加。

六、病症之狀況　凡病屬亢進性疾患，如疼痛痙攣搐搦等，炷宜稍大，壯數宜多，虛弱症候，機能減退，麻痺不仁，痿弛無力，宜小炷而壯多。

七、筋肉勞動者　筋肉勞動者，比精神勞動者，其炷宜大，壯數亦多。

八、營養不良者　壯炷宜小而數適中，大炷則絕對禁忌之。

上列八條，係參攷日人所定者，不能云爲詳盡，灸炷大小，施灸壯數，還須視病之種類，與病者之環境，及精神而變通之。

十三、灸術之醫治工作

靈樞經曰，陷下則灸之，是灸可以起陽之陷也，醫學入門，虛者灸之，使火氣以助陽也，實者灸之，使實邪隨火氣而發散也，寒者灸之，使其氣之復溫也，熱者灸之，引鬱熱之氣外發也，此皆言灸之醫治作用也，寥寥數語，雖簡略不詳，已括盡灸法，在醫治上之功能矣。但吾人欲明其如何能助元陽，復溫氣，散實邪，發鬱熱，則須研究灸之作用安在，然以醫學上之儀器不備，亦無從入手作研究，惟借助他山，引日人之研究，作參攷焉。

日本櫻田原田兩學士之研究，謂施灸後，白血球顯著增加，幾達平時二倍，時枝博士研究白血球之增加，至第九日達最高度。以後能持續一個月，原博士之研究，謂施灸之初期。エオジン嗜好性白血球增加，後淋巴腺白血球亦增加，同時赤血球赤血素亦增加，旺盛最良之營養，宮入氏之研究。謂與紫外線有共通作用。

從諸氏研究之結論，施灸後有害物，及細菌之殖食作用與免疫體血液之新陳代謝一致旺盛，因此關於生活機能之諸種症變，如疼痛痙攣，能使之鎮靜緩解，屬於生活機能之衰弱不振，能使之鼓舞興奮，關於充血鬱血，能使之解散與調節，其他營養增加，能抵抗一切病變，而恢復健康。

復綜合日人研究，證明灸有消炎，鎮痛，鼓舞營養諸作用，深合古人之散熱解鬱，起陷復溫之理，誠古人之卓識，後之人不能昌明而光大之，實有愧焉。

十四、灸術之健體作用

語云，若要安三里常不乾，是言常灸足三里，可免除一切疾病也，千金方云，宦游吳蜀，體上常須三兩處灸之，勿令瘡暫瘥，則瘴癘瘟瘧毒不能着，是灸之能預防毒癘也，預防疾病，亦是健康作用，觀乎上節灸能增加血球，活潑機能，旺盛榮養，則其有健體作用，可毋待研究，深佩古人之卓見，用艾灸治之外，又能利用防病，今人誠不如古人多矣，讀日本帝國文庫，名家漫筆載，灸足三里，壽長三百四十餘歲，則艾灸又能益壽延年矣，記中有灸足三里之法則，可供吾人之參攷，因錄其全文如下。

三河之百姓名滿平者，慶長「壬寅」七年生，至寬政「丙辰」八年，年百九十四歲，享保年間，因某某之慶賀，徵往江府，令其獻白髮，賜御米若干石，「一說賜月俸」，今茲丙辰，又復逢如享保之故事，惟前後之日期則已忘，吏人問滿平，汝家有何術，得如此長生，曰無他技，惟從先祖經傳之足三里灸，其灸法，每月由朔日，至八日不斷，年中月別，從不間斷，其數不同如左。

男 朔日九壯 二日十壯 三日十一壯 四日十一壯 五日十壯 六日九壯 七日九壯 八日八壯

女 朔日八壯 二日九壯 三日十一壯 四日十一壯 五日九壯 六日九壯 七日八壯 八日八壯

寬政八年，滿平百九十四歲 妻佚名 百七十三歲，子名佚 百五十三歲，孫名佚 百五歲，曾孫以下，不滿百歲者甚多云。

又元保十五年九月十一日，永代橋梁改築。工竣，滿平之一門三夫婦，行初渡式，其時彼等之年齡巳可驚，每人之高齡錄於後。

滿平二百四十二歲，「慶長七年生」

妻夕ツ二百二十一歲，「元和九年生」

子滿吉百九十六歲，「慶安二年生」

妻テル百九十三歲，「承慶元年生」

孫萬藏百五十一歲，「元祿八年生」

妻七八百三十八歲，「寶永四年生」

以上之虛實，雖不能證，然世之尊重長壽，爲無可疑之事，而每月不間斷爲三里之灸，定有相當之成效，蓋既能防病，則病不生而壽必長也。

十五、施灸之目的

灸術應用於臨床時，關於所取之部位，必從疾病之狀態而定治療法之目的，內經有病在上取之下，病在下取之上，病在中傍取之，深合今日所謂誘導法，反射法，醫學入門，謂吳人多行灸法，當病痛之處取穴？名曰阿是穴而灸之，即得快，此所謂直接灸法是也，茲將直接灸，誘導灸，反射灸，其學理如何，分述於後。

一、直接灸　直接灸者，於病苦之局部，直接施灸，以刺戟其內部之知覺神經，使其傳達中樞，更於中樞移動於運動神經，使之興奮，使其部之血管擴張，血流暢行，促進產物滲出物之吸收，以達浮腫痙攣疼痛，知覺異常之治愈。

二、誘導灸　誘導灸者，關於患部充血或鬱血，而起之炎症，疼痛等疾患，從其有關係之遠隔部位施灸，刺激其部之血管神經，而誘導其血液流散，以調整其神經之變調，達治療之目的，之一種方法也。

三、反射灸　其病變屬於臟內諸器官在深層時，非直接刺激，所能達其目的者，於是擇神經幹，或神經枝之相當要穴，利用生理反射機能，為簡接之刺戟，以達治療之目的，是曰反射灸法。

十六、各種灸法

隔薑灸法　以薑切片，約三分厚，鍼刺數孔，置於應灸之穴上，上置艾丸，如豆大燃之，覺甚灼痛，則以薑片微稍提起，待稍和仍放置之，或持薑片往復移之，視其膚上汗溼紅潤，按之灼熱，即可止灸，如不知火熱之輕重，任其灸燃，亦能發生水泡，處置水泡之方法，以微鍼在水泡邊，刺入貫透之，壓去其水液，以脫脂綿拭乾，外以生肌紅玉膏，敷於紗布蓋之，外襯棉花，爲之包紮，每日更換，至愈而已。

隔蒜灸法　與薑灸相同，惟覺灼痛時，不與移動爲異，薑灸通用於經絡凝塞，血滯氣阻之疾，蒜灸則適用癰瘍初起之症，醫學入門，謂隔蒜灸法，治癰疽腫大痛，或不痛，痲木，先以溼紙覆其上，候先乾處爲瘡，以獨頭大蒜，切片三分厚，按瘡頭上，艾炷灸之，每五炷換蒜片，如瘡大有十餘頭，作一處生者，以蒜搗爛，攤患處，舖艾灸之，若痛灸至不痛，不痛灸至痛，若瘡色白不起發，不作膿，不問日期，最宜多灸云。

豉餅灸法　治疽瘡不起，以豆豉和椒，薑，鹽，葱，搗爛作成餅，厚三分，置瘡上灸之，覺太熱，稍起復置於上，灸至內部覺熱，外肌紅活爲止，如膿已成者，不可灸。

附子灸法　治諸瘡瘻，以附子研粉，微加白芨粉，以口唾和之成餅，約厚三分，覆瘻孔上以艾灸之，使熱氣入內，附餅乾，復易一餅，至內部覺熱爲止。

雷火鍼灸法　以沉香，木香，乳香，茵陳，羌活，乾薑，穿山甲、各三錢，麝香少許，蘄艾二兩，以棉紙二方，一薄一厚，重覆几上，先舖艾茵於其上，然後以藥末摻匀，乃捲之如爆竹，外以鷄子淸塗之，　糊一層薄紙，防其散開，應用時，一端着火燃紅，另以紅布一尺，摺成六層或八層，墊於穴上，燃紅之艾鍼，即按於布上隨離隨按，如鍼端火息，即另換一枚繼之，當按時熱氣藥氣，俱從布孔中直透肌膚，每穴按數十次，內部覺熱而後止，另按他穴，治筋骨瘋痛，經絡不舒，沉寒積冷，厥功甚偉。

太乙神鍼法　是爲雷火鍼藥方，加味所製者，製法用法俱相同，效亦無甚上下，其藥方如后。

艾絨三兩　硫黃二錢　麝香一錢　乳香一錢　沒藥一錢　丁香一錢　檀香一錢　桂枝一錢　雄黃一錢　白芷一錢　杜仲一錢　枳殼一錢　皂角刺一錢　獨活一錢　細辛一錢　穿山甲一錢

按此方，與原方已更動，原方有人參，千年健，鑽地風，山羊血等，立方者，取參與血，無非爲補氣補血，千年健，鑽地風，不識爲何藥，顧名思義，無非取其健筋骨，通筋絡之意，安知血參二藥，力在貫地，宜乎內服，斷非薰其氣味，能得功效者，因去之，餘二藥，普通藥舖不備，亦爲删去。

溫鍼灸法　鍼留穴內，外以艾絨，繞於鍼柄上燃之，爲今日蘇省之最盛行者，俗稱熱鍼，以艾火之熱，從鍼絲之媒介，傳達於內，亦有大效。

溫灸法　以金屬所製之圓筒，下置木製之圈，圓筒中另有小圓筒內裝藥物與艾絨燒之，筒外置一木柄，手持之而按於穴上；艾之燃燒熱，即傳於皮膚，發生療治之功能。

艾炷灸法　以艾作炷，直接燃灼皮膚，一炷爲一壯，爲中國最古之灸法，亦爲灸術之正統，本編所講之灸，即本灸法立論，上述數種灸法，僅錄供參攷，惟雷火鍼，太乙神鍼灸，的有偉大之價值，較之今日流行之溫灸，相去不可以道里計矣。

十七、施灸之方法

灸法與鍼法，手術不同，灸必先以墨點穴，然後行灸，坐點則坐灸，立點則立灸，取穴既正，萬不能移動委式，明堂云，坐則毋令俯仰，立則毋令傾側，千金方云，若傾側穴不正，徒破好肉耳，余謂好肉雖傷，於體亦有小益；惟與灸之目的，不能直接達到耳，灸與鍼，雖方法不同，手術互異，而目的則殊途同歸也。

十八、施灸之前後

十九世紀之前，顯微鏡未發明，細菌未發見，不甚注意消毒，近年醫學進步甚速，凡百病症，幾無不有病原菌所感染而成，消毒之學，清潔之法，乃爲世所注意，鍼灸之術，可謂屬於創傷治療，苟不嚴密消毒難免細菌不乘機進攻，故當施灸之前，應有二種之預備。

甲、施灸用具之預備，坐則須椅，臥則須床，點穴之筆，燃燒之艾，引火之香，皆不能有所缺一。

乙、消毒之預備，從簡單之方面言，棉花、石炭酸水，爲必具之品，預備既竟，術者手指，應先自消毒，然後爲之點穴施灸，灸畢之後，以棉花拭去其灰燼，復以棉花蘸石炭酸水於灸點上，及其周圍拭之，可防止細菌，從創傷之處侵入也。

十九、施灸上之注意

施灸之際，患者之姿式既正，而醫者爲施術上之便利，亦須採取適當之位置，且施灸直接著於肉體，不若鍼之尚可隔衣施術，故醫者之態度，亦宜謹嚴沉着，乃爲最要，施灸之時，初灸二三壯，艾炷宜小，當火將着肉時，按壓其周圍，以減少其灼熱痛感，後數壯，以右手中指，輕撫其周圍即可。

施灸室之選擇上，亦有注意者二，一爲光線充足，窗明几淨，與室外有障隔，避免外人之窺視，非有所祕密，不可宣洩也，我國重視禮貌，以袒裼裸裎爲可羞，爲病者設想計，不能不如是也，二爲室內之溫度，夏秋之間，氣候溫暖，裸呈受灸，原無感受風寒之弊，若在春冬，氣候寒冷，解衣不愼，即患感冒，若爲長時間之裸背袒胸，則一病未去，一病又起矣，故宜有火爐，以調節室內之溫度，決不可草率爲之也。

二十、灸痕化膿之理由

直接施灸，不論壯數之多寡，必起一水泡，不論水泡之大小，苟以其痒感而抓破之，化膿菌因而潛入，遂起化膿作用，此爲化膿理由之一，如灸後水泡之大者，雖不抓破，亦必化膿，乃以其內部組織，爲灸火所傷，惹起炎症，產許多之分泌物，貯留於泡皮之下，一時不易乾滲，吾人以行動上之關係，易使其破壞，引起化膿之症狀也，此爲化膿理由之二，水泡之小者，似乎不皆化膿，蓋以其範圍小，而炎性產出物甚少，容易乾燥而結痂，肉芽之形成，可以迅迅也。

二十一、灸後處置法

因灸而起之水泡，如爲米粒大，或蔴實大者，苟注意不與擦破，則不易化膿，自然乾燥而愈，若水泡飯粒大，或指頭大者當以微鍼沿肌貫透之，使水液外流，然後以硼酸軟膏，敷於紗布上蓋之，若水泡之大者，內部起糜腐之狀當剪去其泡皮，而後蓋藥，每日更換二次見其炎性已退，水液之分泌已無，乃以鋅養粉軟膏蓋之，至愈爲止。

如因火傷過度，發生化膿潰爛時，先去其泡皮，以黃碘軟膏蓋之，待膿腐已盡，呈露粉紅色之肉芽時，換以鋅養粉軟膏，以竟其功。

二十二、灸痕化膿之防止法

灸痕之所以化膿，於二十節已言之，吾人既知其原因，爲抓擦破後所感染化膿菌之關係，與火傷範圍過大，易於擦破之關係，苟就其原因而加以防範，則化膿潰爛之事，使之不發生，亦甚易易。

一、避免大炷，凡宜以強刺戟爲目的者，則不妨加多其壯數，注意灸痕之不使擴大，則火傷之範圍小而水泡亦小，炎症性分泌之液汁亦少，痂皮易於乾燥，而成硬蓋。

二、於灸後，注意消毒，發生癢感時，絕對不與抓擦，偶因不慎而擦破時，即重行嚴密消毒裹紮，如是決無化膿潰爛之事發生矣。

二十三、灸瘡之洗滌法

直接施灸，不論灸炷大小，皆有灸痕，如灸炷大者，則灸痕大而皮之組織傷，往往發生潰爛疼痛，不易收功，善後之法，古人有藥湯淋洗法，略述於后。

大炷灸後，以赤皮葱薄荷等分煎湯，淋洗瘡之周圍，約一時之久，謂可使風邪從瘡口出

：更令經脈往來不澀，自然疾愈，若灶瘡愈後，新肌黑色不退，可以取東南向之桃枝嫩皮煎湯，溫洗之，若灸瘡黑色而爛，用桃枝，柳枝，胡荽等分煎湯洗之，如灸瘡發生疼痛者，再加黃連煎湯洗之，立可止痛，此皆古之法也，惟施治嫌不便利，簡單而有效之法，宜從二十一節之灸後處置法，惟於天熱之時，灸瘡之分泌液較多，宜常以淨紙，或棉花紗布拭乾之，不宜用涼水洗滌，天寒時，肉芽不易生長，宜常以葱湯淋洗其周圍，以助藥膏之不及，如是瘡痕之收效甚速矣。

二十四、於灸痕上續行施灸之方法

灸，大都屬於慢性病症，宜連續施灸，方收功效，施灸之後，必有灸痕水泡，續行施灸之時，宜以微鍼貫透之，去其水後痂皮塗以墨汁，然後置灸，如灸痕之痂皮，已不慎擦去，亦可以墨汁塗上而後灸之，不但不再化膿，且結痂甚速，雖然，此指灸灶小者而言，若大灶而已成如龍眼大之灸痕，則不宜再灸矣。

二十五、灸與攝生

古人對施灸，異常慎重，于施灸之前三日，止房事避勞役，節飲食，戒憂愁忿怒，灸後戒立刻飲茶進食，宜入靜室，臥片刻，遠人事，忌色慾，平心靜氣，凡百寬解，尤忌大怒大勞，大飢大飽，受熱冒寒，飲食務宜清淡，而禁厚味生冷，蓋所以養氣和胃也，實則飲食無制，房事不節，爲致病之總因，固不必因灸而宜如是也，今之人每不能如古人之所戒，惟節飲食，愼房事，則不可再忽也。

二十六、施灸之禁忌

古法施灸，關於月日，每多禁忌，千金方言之最詳，不能以科學解釋，似未可以置信，故略而不述，其他關於風雨雷電，大霧大雪，祈寒尚暑，亦在禁忌之例，此由於氣候暴變，氣壓猝起變化，不適於病體，而禁施灸，理有可通，吾人可以參酌採擇之，而對於病症上應否禁忌，。甚少涉及，今採日人之研究，以補古人之未及，今舉其大要如后。

腸窒扶斯『傷寒之一種』赤痢，痧疹，鼠疫，天花，白喉，腦脊髓膜炎『驚風剛痙之類』猩紅熱『喉痧』丹毒，惡性腫瘍『疔疽癌腫之類』急性盲腸炎「縮脚小腸癰」心藏瓣膜病『心悸怔忡』急性纖維素性肺炎『肺風痰喘』急性腹膜炎『臍腹絞痛拒按』傳染性皮膚症『疥瘡之類』肺結核之末期『肺癆』：血壓高度症，高度貧血症『失血症』

上述各症，俱不適用灸治，吾人遇此類病症，當愼重警戒，未可昧然嘗試，關於病症之禁忌者如彼，而於部位上亦有不適合施灸者，古法有禁灸之穴如下。

啞門，風府，天柱，承光，臨泣，頭維，攢竹，睛明，素髎，禾髎，迎香，顴髎，下關人迎，天牖，天府，周榮，淵腋，乳中，鳩尾，腹哀，肩貞，陽池，中衝，少商，魚際，經渠，陽關，脊中，隱白，漏谷，條口，犢鼻，陰市，伏兔，髀關，申脈，委中，殷門，心俞，承泣，承扶，瘈脈，耳門，石門，腦戶，絲竹空，地五會，白環俞。

以上諸穴，雖未說明灸之必發生何種危害，然經古人之經驗：未可忽視，吾人嘗從生理解剖之學上推測之，確有可信之處，不能與以全非，即捨去禁灸穴而言，凡顏面有關美觀，絕對禁止大炷，而眼球與近眼之部，亦在禁止施灸之列，其他如心臟部，睾丸，婦人局部，姙娠後之腹部，血管神經之淺在部，亦應列入禁止施灸之例，而酒醉之後，身必極度衰疲時，皆絕對禁忌者也，學者三注意焉。

二十七、灸之科學的研究

灸法發明於我國周秦之前，迄今五千餘年，關於灸之應用於疾病，如明堂灸經，千金方，扁鵲新書等，可謂詳盡矣，於學理方面，僅從其治療之成績，而推測之，謂能助元陽，通經絡，溫中逐冷，補虛瀉實，發鬱散邪，歷數千百年傳統一貫未嘗有進一步之新理發見，斯道乃不為今世所重視，幾將湮沒而無聞，距今二十餘年前，日本明治三十五年，醫學博士三浦謹之助氏，并醫學士大久保適若氏等，出而為鍼灸醫學術之科學化的原理之研究，其成績發表之後，世界醫者，為之震動，日醫界之起而繼續研究者甚多，屢有新發見發表，於是一般人士，咸大覺悟，不再以學識陳腐而輕視之，灸術之在今日，彼歐美醫者一致推崇，日人以科學的研究，實開其端，回顧我國醫家，幾不知有灸法，人則視爲珍寶，我則敝屣棄之，無他未識其眞理，不知其學之可貴也，今摘錄日人之研究，以爲借鑑；若謂日人已洞明灸之眞理，則猶未也，吾人當更努力，爲進一步之研究乃可。

二十八、樫田、原田、兩博士之灸之研究

樫田，原田，兩博士，關於灸治研究之題，如艾炷之大小，艾之重量，艾之燃燒溫度，各種艾炷之皮下深達作用；灸關於血液之影響，疲勞曲線之影響，及組織學的關係等，爲斯法研究之先驅問題，今舉兩氏研究之成績概要如后。

一、灸之皮下深達作用　由施灸之溫熱，達至皮下之深度，以普通切艾〇四釐，在局體上灸之，於皮下僅將寒暖計上一度以下之上昇爲止，及以蠶豆大之巨大艾，在家兎身上灸之，以寒暖計，在其皮下〇四釐測之，有二八，七度之上昇，以電溫計測定法，在皮下二，三釐，見五度以下上昇，而在二，七釐相近處，可認出有若干熱量之深達。

二、灸之關於血液之影響　施灸後，雖多立卽增加赤血球，有時反而減少，然而白血球之在施灸後，多至二倍以上，雖在至少之時，亦有百分之三四增加。

三、灸之關於血管之影響　在身體上之一部份施灸時，當初爲反射的，使動脈管縮小，後則擴大，尤其在施灸部之近旁，有顯著之影響。

四、施灸關於血壓之影響　兩氏欲確知灸之關於血壓之影響，先以五頭之家兔實驗，不拘施灸之部位，在施灸後，其感溫痛時，血壓急速上昇，刺戟之感去後，即漸次下降，而恢復常態。

且於以上之實驗中，上昇最高時，爲一〇粍，最低爲一一粍之水銀壓，在血壓上昇中，呼吸深而心之搏動緩。

其次欲確知灸之在人之血壓，從十二名之患者，應用ㄨワ々川川氏血壓計檢查，每見多少之上昇，其最高爲三二粍，最低爲五粍。

五、灸之關於腸蠕動之影響　剃去家兔腹部之毛，可見其部之蠕動狀態，在腹部中央置一點之灸，而注意之，大都多一個之引續蠕動，其蠕動小時，同時可見其腹部昇高，呼吸數增加，而施灸後之蠕動，間隔一二回，概須長時間，其後平均每十分鐘，間歇十八回半「施灸前」之蠕動，在施灸後，減少至十五回半。

又攝取食餌後，明知蠕動增加，若施灸之，與同樣施灸後，多一回之蠕動，而施灸後一二回之間隔，須經長時間，其後亦蠕動減少，故灸在家兔食後之蠕動，須通常爲增高，亦能見多少之減少，不但如此，其已比通常高之蠕動，當然能一定可以減少，然而在後藤博士之研究，則反對之，其發表爲前者減少，後者增加云。

六、施灸之關於疲勞曲線之影響　其試驗在蛙之皮下，注射クラーレ或機械固定之，於一面脚之卩ヒリス腱之皮膚，切開一部，用感傳電氣刺戟其筋肉，使其疲勞，於是以小小切艾施灸時，其疲勞迅速回復。

右兩者之報告，與原博士之實地研究，結果相同

七、灸之於皮膚組織學之影響　施灸之局部皮膚初呈赤色，後乾燥成爲黑色，且少隆起，於是成爲痂皮，且數日之後，痂皮剝離，形成肉芽，營成治愈之瘢痕，然而有時起成水泡，此係由溫度之關係，今以其火熱之度，及皮膚變化之狀況，示之如左

1.火熱四十五度時，不過致一時性之充血。

2.火熱在五十度，：起水泡。

3.火熱五十五度，皮膚陷於壞死。

4.火熱六十度時，壞死及於深部。

以上之瘢痕，初期呈赤褐色，從時日之經過，漸次成爲灰白色，或變爲白瘢，而其部之皮膚，切取成片，以鏡驗之，表皮完全失其固有之構造，單成平滑之表面，被覆之乳頭毛囊，及汗腺排泄管等，已破壞消失，厚度減少，又施灸局部之知覺神經末稍，一時完全消失，知覺麻鈍，或知覺稍失，雖然，從時日之經過，神經纖維再新生而恢復知覺，且比較纖維，

（指新生的）富於新生之血管。

二十九、逸智博士之灸之研究

日本大正七年，逸智眞逸氏在「京大」發表其關於灸治之於腎臟機能，利尿之影響一題，其大要如左。

以古來稱爲與腎臟有關係之經穴，即胃俞，三焦俞，腎俞，氣海俞，關元俞，小腸俞，膀胱俞，育門，志室等之一點，各施十壯於家兔之身，試察其實驗，有瘢痕，灸於利尿作用無變化，惟有蛋白尿之發見，其結論，於腎臟疾患之施灸，不但無效，且爲有害，然而據原博士之實驗，如左表所列，其結果正得相反，即腎臟疾患施灸時，亢進腎臟之利尿作用甚顯明，有良好之結果，決無不效與有害之理由

	第一例小白家兎重一二〇〇瓦			第二例中黑白家兎重一五七五瓦			第三例中茶色家兎重一三三五瓦			第四例中白家兎重一五〇〇瓦		
實驗日	尿量	尿之性質	摘要	尿量	尿之性質	摘要	尿量	尿之性質	摘要	尿量	尿之性質	摘要
第一日	三〇〇CC	正常		二八〇CC	正常		一三〇CC	正常		一二〇CC	正常	
第二日	三〇〇	正常		二八〇CC	正常	个灸	一三〇CC	正常	个灸	一二〇CC	正常	胸背及後肢外側灸十壯
第三日	二七〇	正常	正午灸十壯	二五〇	正常		二〇〇	正常		二六〇	正常	
第四日	二〇〇	不變		二〇〇	蛋白微量	个灸	二一〇	蛋白微量	个灸	二五五	正常	

第五日	二九〇	正常 ↑灸	二七〇	蛋白微量	二五〇	蛋白微量	一七〇	正常	胸背及後肢外側灸十壯
第六日	二七〇	正常	二九〇	蛋白微量	二八〇	蛋白微量	一八〇	正常	
第七日	二五〇	蛋白微量 ↑灸	三二〇	蛋白消失 ↑灸	三六〇	蛋白微量	三一〇	正常	胸背及後肢外側灸十壯
第八日	二五〇	蛋白微量 元氣增加	三三〇	正常	三二〇	正常	二〇〇	正常	
第九日	二〇〇	蛋白微量 元氣增加	三三〇	正常	三二〇	正常	二二〇	正常	
第十日	三四〇	蛋白消化 ↑灸	三〇〇	正常	二八〇	正常	二三〇	蛋白微量	
第十一日	三二〇	正常	三〇〇		二八〇		二三〇		
第二十日	三二〇	正常	三〇〇		二八〇		二三〇		
第三十日	三二〇	正常	三〇〇		二八〇		二三〇		

本表爲原博士之灸與利尿之實驗例第二，四，有顯著之利尿作用與逸智氏之研究成績大遠

要確知兩氏之研究成績，板本氏曾有實驗，對於三十八名之腎臟患者之施灸成績，與原博士之實驗，確有利尿作用之說甚符合，惟對於急性慢性之腎臟患者，其灸法與取穴，微有不同，板本氏對於急性腎臟患者，『風水病』取下焦之三陰交，水泉，及腰部之腎兪，大腸兪，及下腹之關元等，施機械之放射温灸，認利尿作用有著效，其對於慢性腎臟炎『水腫』用有瘢灸痕，在胃兪，三焦兪，腎兪，氣海兪，大腸兪，關元兪，小腸兪，膀胱兪，肓門，志室，三陰交，等施灸之，大收其效果焉，從以上之實驗觀之，彼逸智氏研究謂僅有蛋白尿出現，其時間或猶未熟。

三十五、博士之灸之研究總括

五博士爲　樫田，原田，青地，時枝，原博士。

第一、灸之關於赤血球，及血色素之影響。

1. 樫田，原田，兩博士之研究，已述如前，赤血球之增減，爲不能必定之報告。
2. 青地博士之研究，謂施灸後，從十五分至三日間，觀驗其赤血球與赤血素，斷定皆無大影響。
3. 時枝博士之研究，與青地之說，大致相同。
4. 原田博士之研究，其發表之結果，與青地時枝兩氏之結論適反對，卽原氏以赤血球，與白血球共同研究，爲六週間之長期施灸，行每日檢查，在施灸中，赤血球，赤血素，雖不起著明之變化，而施灸中止後，從第一週中漸漸增加，平均至第八週而達頂點，是後有持續至十週間之效果，以後乃復舊狀，原博士之由實驗七名『男子四名女子三名』之人體中，其結果，平均血色素，凡百分之十六內外，赤血球在一立方粍中，有五十萬個，乃至百萬個之增加云。

第二、灸之關於白血球之影響

1. 樫田，原田，兩博士之研究報告，在家兎之施灸，於二分鐘內，採其血而驗之，白血球常見增多，最多時，約爲平常時之二倍，少時，亦有百分之三十四之增加。

2. 青地博士，更以兩氏之說，爲詳細之觀察，從時間上計算之，在家兎之實驗，從施灸後十五分鐘，漸漸著明，在一二時間，達平常之二倍，至四五時間，略感稍稍減少，至八時間乃至十二時間，重復增加，其多時達二，五倍以上，其持續之時間，短者三日，長者一週間平均爲四五日，對於人體，亦行同樣之實驗，所得成績，與家兎之試驗相同，施灸後，白血球立卽增加，在一二時間，已達平常之二倍，在二十四，五時間後，尙可認出其在增多中云。

3. 時枝博士之實驗，白血球之增多，在施灸後，二至四時間爲最多，平常約達二倍乃至三倍，其後卽漸次減少，在二十四時復舊狀云。

4.原博士之報告，與以上四氏之報告，有若干異趣之點，卽博士在施灸後，要確知白血球之增加，或減，對於家兔，一囘施行十點七壯之灸，灸後立卽在一定時間採血，繼續一週間，檢索其數之消長，由施灸之後，多少增加，在八時間前後，遂至最高，滿二十四時間，持續其高値，雖在第三日，認有多少減少，但數日間，又繼續增加，更在同點，同壯數，每日反復，在四日外各七壯，在六週間連續施灸之動物，施灸中止後，約十三週間，持續的白血球增多，而在人體，大略亦爲同一之成績，於茲要注意者，在連續施灸之場合，有多少之相差，施術後，假性エオシン嗜好白血球之增加，雖比一囘施灸時，其程度低，而淋巴細胞則著明增加，爲白血球增數之主因，而大單核細胞及移行型，施灸後一時減少，於一定時間後，復舊，而鹽基性嗜好細胞則不定。

以上由施灸，關於白血球之增加，三者之意見，大略一致，在時間的關係，亦大致相同，惟關於白血球之種類，時伎，青地，兩博士，斷定其增多之主因，爲中性多核白血球之增加，原博士則逓爲中性多核，白血球增多，後爲淋巴細胞之增多云。

第三、灸之關於喰盡作用

白血球之作用，爲喰盡作用，所謂喰盡作用者，存在血漿中之血球，與調理素共同協力吸食，從體外侵入之細菌，或異物而殺滅之，或移運至無害之場所之現象也，故喰盡作用，乃爲人體之自然抵抗力，甚爲重要，據青地博士之實驗，喰盡作用，在施灸後十五分開始亢進，二至三時間，平常增達至二倍，乃至三倍，而其持續之時間，約爲一週間，以上試驗，專從家兎之胸腹背腰等部，隨意選定左右各二個，合計四點，各點三囘，乃至四囘施灸之，後在種種之時間「三十分乃至六日」採血，分離其血清，而後測知之，又博士在人體爲同樣之實驗，其結果與前者之場合略同，平常增進一，五倍，乃至二倍，在最近受灸之人體，亦認爲有亢進效果。

第四、灸之關於補體影響

所謂補體者，存在血漿中之殺菌性物質，有溶菌性補體與溶血性補體之二種。青地博士關於溶血性補血體，欲檢索灸之影響，爲多數實驗之結果，報告認爲補體量之增加爲適確。時枝博士，亦爲與青地同樣之實驗補體量，在施灸後第二天，開始增加，至第一日至遂最高度，以後漸次減少，約至一個月後，恢復舊狀云。

第五、灸之關於免疫體發生之影響

免疫體者，從其他之免疫處置，而血清中新產生之抗體是也，時枝博士研究，灸之關於免疫產生，有良好之呈現，以傷寒桿菌，免疫家兔第一囘注射後，爲四，〇〇倍，以對照之普通家兔爲一，二〇〇倍，表示四分之一之凝集價，於此可知免疫家兔，從施灸之影響，所產生之凝集素，比普通家兔有顯明增加。

第六、施灸之關於血液凝固時間

就時枝博士之實驗，施灸之家兔，於三十分鐘後，認爲有顯明之血液，凝固時間遲緩，至六時間候，尚不能復其常態，二十四時間後，漸復常態，但有一例，尚認爲有多少短縮，要之依灸之作用，已明瞭血之凝固時間遲緩，且其經過，與血糖量之變化平衡。

第七、施灸關於血糖之影響

時枝博士，更以研究灸之關於血糖量之影響，發表其成績，謂以家兔施灸後，血糖量立卽增加，在多數之場合，於二十分鐘間，達至高度，其量約二倍，或至二倍半，從此漸成減少之傾向，至翌日較施灸前減少，或反形增加，再至翌日而復舊，亦有不復舊者，共得三種之結果，要之家兔之血糖量，由施灸而得確實著明之增量，可以無疑。

第八、灸法之本態

原博士欲研究灸之本態，觀察施灸後之皮膚組織，灸痕之狀態，不但爲一種熱刺戟之反應或許爲何種物質，溶入血液中，爲第二次之時間，發揮其作用，於是轉眼從內科諸學者之研究，被闡明爲火傷之關係，從古來諸說紛紛之火傷死之眞原因，察知其局部所發生加熱，蛋白體之異常分解，產物「火傷毒素」之毒素，爲其起因，原博士研究，灸作用之本態以後，檢索火傷，及火傷毒素，關於血球之影響，即以火傷家兎，及施灸之家兎，血色數量，關於赤白血球之影響，不單純爲熱刺戟之結果，且得推斷爲血清中，火傷毒素，特別刺戟造血器之作用爲起因，更從灸之分量察之，過度施灸之動物，徐徐憔悴，食慾減少，體重減輕而不活潑，其狀態，恰與誤用蛋白體之分量時之副作用，現蛋白體憔悴相似，若即終止施灸，或減少回數與壯數，即漸漸恢復其元氣，於此點察知灸法之本態，得歸到爲一種之蛋白體之作用。

結論

本編自第一節灸法之起源，至二十六節施灸之禁忌止，凡關於灸法之應用設施，雖未敢云爲詳盡，然已括其大概，苟皆印入心腦，以之應付臨床，或不致有所僨事矣，二十七節以下，介紹日人之以科學方法，研究所得之學理，亦皆舉其概要，以其於灸之普通一般之學說，不適合於臨床研究，吾人知其梗概，蓋亦足矣，灸科學理之眞面目，僅窺見豹之一斑耳，如百會之脫肛，肘尖之治腸癰，彼日人均認爲有特殊效果，然未能以前者之研究，可得而解釋之也，灸之於疾病，有成效者，何止數百種，治脫肛腸癰，僅其一端，如能以一一釋其眞理之安在，庶可云已識得廬山之眞相矣，然而千百年流傳之學術，欲一旦而盡抉其蘊，夫豈易言，一人之學識有限，即兀兀窮年以赴之，恐亦未必能盡，是希望有志者之共襄進行，引爲已任，庶眞理明，而道長存矣。

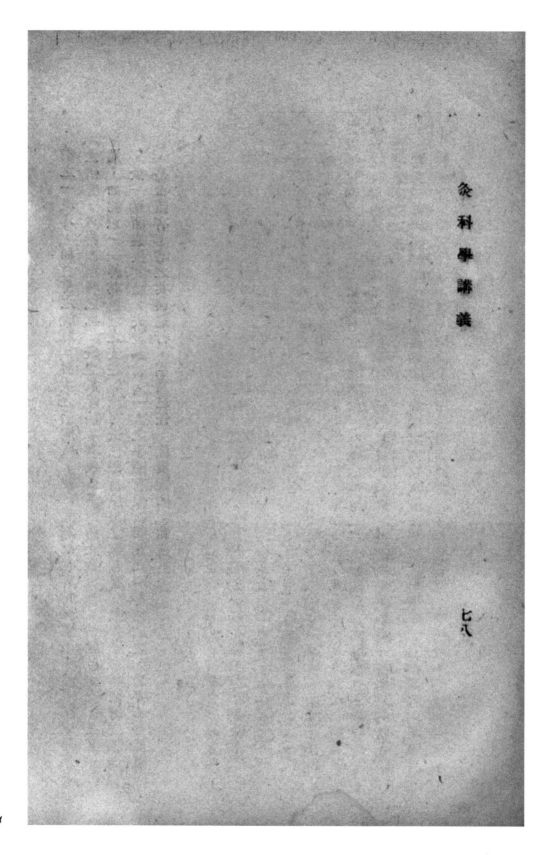

經穴學

江陰　承澹盦編述

第一章　總論

一　何謂經穴

研究鍼灸療病。必須熟諳經穴。經穴云者。凡研究中醫學家。無不知爲人身之十二經絡與三百六十五穴也。其發明經穴學之源。出於內經。直行者謂之經。支出者謂之絡。穴爲孔穴。則隸於經絡之中。內經言之甚詳。似有跡象可循可信而依據者。故歷四五千年。其學識不稍變。亦未有敢爲之更動者。自歐風東漸。科學昌明。以生理解剖學之眼光觀察。實無如內經所謂之十二經絡與孔穴也。有謂經即神經。絡即血絡。穴爲神經之支節處。其說頗近似。淡安初亦作如是觀。但以內經所云之循行路徑考之。絕少得相符也。則此說亦似是而實非矣。然則經穴究爲何物。必須得一澈底之解釋。方足以盡吾儕研究者之責。顧此事匪易。非一人一時可得而解決者。必經數十百人。經若干年月。相互推測。實驗考證。方得一定論也。茲就管見釋之。穴者。爲調整或預防臟腑百骸各種組織。發生變態時之刺激點耳。經者。刺激點之反射線耳。以刺激點與反射線。暫爲經穴之解釋。讀者苟另有特見。吾儕以研究立場。悉可得而詳論之。

二　經穴之分類

何謂經穴一節。內經所定經穴之名稱。既不能如現代以科學方法。用解剖手術。實地徵尋可得。則其所定之名稱循行。似可不必採用矣。然又未也。反射線如聲如光。一過即滅。原無實質可求。既認穴爲調整或預防臟腑筋骨各種組織之刺激點。經爲刺激點之反射線。其無實質可尋也可知矣。祇求其驗之確而效之符。其名稱之如何。固可不必更張也。因是數年來。教學立說。仍本內經所定名稱。玆錄其定名如下列。

經分十二。一曰手太陰肺經。穴凡十一。二曰手陽明大腸經。穴凡二十。三曰足陽明胃經。穴凡四十五。四曰足太陰脾經。穴凡二十一。五曰手少陰心經。穴凡九。六曰手太陽小腸經。穴凡十九。七曰足太陽膀胱經。穴凡六十七。八曰足少陰腎經。穴凡二十七。九曰手厥陰心包絡經。穴凡九。十曰手少陽三焦經。穴凡二十三。十一曰足少陽胆經。穴凡四十四。十二曰足厥陰肝經。穴凡四十。共計十二經。穴爲數三百〇九。左右統計六百十八。分佈於頭身左右四肢。

上述之十二經。名曰正經。此外又有曰奇經者。其數八。一曰任脈。穴凡二十四。二曰督脈。穴凡二十八。三曰衝脈。穴凡二十二。四曰帶脈。穴凡六。五曰陽蹻。穴凡二十。六曰陰蹻。穴凡四。七曰陽維。穴凡三十二。八曰陰維。穴凡十四。八脈中除任督二脈所有穴獨立之外。其他六脈之穴。俱附於正經之中。

三 正經奇經之定義

正經十二其名稱乃如上述。如爲之歸類而言之。不外曰太陰。少陰。厥陰。太陽。少陽。陽明。太者初也。大也。如日月之初升。其形倍大。人身以背側屬陽。腹側屬陰。循行之經綫。或穴位爲最廣。或最多。即以太稱之。在背側者。稱之曰太陽經。在腹側者。稱之曰太陰經。行於手者曰手太陽。行於足者曰足太陽。少者衰也。微也。如日月之將西。其光漸衰而微也。四肢背腹兩側循行之經。其範圍不及其他各經之廣泛。（指正經）乃以少陰少陽名之。其以手足稱者。亦依在手在足而言也。陽明爲陽之盛。厥陰爲陰之極。適當夜半日中。亦即介乎日夜之中。四肢腹背兩側循行之經。其範圍之廣狹。亦即介乎其中者。即以陽明厥陰稱之。冠以手足者。正如上條所述。以其行於手部或足也。

所謂奇經者。則別正經而言之也。奇者倚也。寄也。其大部之經穴。悉寄於正經之中也。有謂奇。奇數也。對耦而言之。正經有臟腑表裏爲之配。奇經則無臟腑等爲之配。因名之曰奇。此說亦可通。其曰任督衝帶蹻維者亦有說。任者負也。其經行於腹側之中央。總負諸陰之經而任之督者理也其經行於背側之中央。總統諸陽之經而理之也。衝者以其經脈之氣能上衝。故名其脈曰衝。帶者其脈環腹一週。如束帶然。因名其脈曰帶。維者繫也。陽經由諸穴而連繫之。名其脈曰陽維。陰經由諸穴而連繫之。名其脈曰陰維。蹻者捷也。言其脉自足直上而至頭也。亦正如登橋之級級上升也。在外側者。則曰陽蹻。在內側者。則曰陰蹻。

凡此諸說即古人定名之義。吾人應作爲醫學上之術語觀。作假定名詞觀。若泥之而謂必有是經有是脈。必如是循行。則大誤矣。

彼泥古者。以十二經八脈定陰配陽。劃表分裏。義理深奧。視爲中醫學之精粹。莫與倫比。維新者。則目爲空談虛妄。不值一顧。甚且執此以爲攻擊之目的。此皆過遍之見也。學術隨時代而演進。吾人不能執四五千年前之學理。以指摘古人之錯誤。當推測古人之立意。而修之删之。去其蕪而存其精。使其成爲完善之學術。始不負古人創學之深意。徒尊攻擊。是爲無理。若膠執古人之學識。奉爲金科玉律。不敢稍微更易。甚且爲之刻意解釋。愈解愈奥。愈釋愈玄。有識之士。欲將經文稍稍更易者。則目爲離經叛道。是欲揚其學。而反閉其門也。吾儕當以溫古知新之精神。爲改進中醫學術之方針。泥古不化。固爲時代所不許。舍本務新。勢必使國粹盡亡而後己。亦非研究者之所應有也。編者釋上文。因感泥古與務新者之成見太深。故不嫌辭費而申述之。

四　周身名位解

研究經穴之入手。必先明經之循行。明經之循行。必先知周身之名位。然後讀各經循行之分野。可了然於胸中也。醫宗金鑑。駐周身名位。淺顯易記。因採用之。

頭　頭者。人之首也。凡物獨出之首。皆名曰頭。

腦　腦者。頭骨髓也。俗名腦子。

顛　顛者。頭頂也。頭頂之骨。俗名天靈蓋、

顖　顖亦作囟。顖前頭骨也。小兒初生未闔名曰囟門。已闔名曰囟骨。卽天靈蓋後合之骨。

面　凡前曰面。凡后曰背。居頭之前。故曰面也。

顔　顔者。眉目間名也。

額顱　額前髮際之下。兩眉之上名曰額。一曰顙者。亦額之謂也。

頭角　額兩旁稜處之骨也。

鬢骨　卽兩太陽之骨也。

目　目者。司視之竅也。

目胞　目胞者。一名曰窠。一名目裹。卽上下兩目外衛之胞也。

目綱　目綱者。卽上下目胞之兩瞼邊。又名曰睫。司目之開闔也。

目內眥　目內眥者。乃近鼻之內眼角。以其大而圓。故又名大眥也。

目外眥　目外眥者。乃近鬢前之眼角也。以其小而尖。故稱目銳眥也。

目珠　目珠者。目睛之俗名也。

目系　目系者。目睛入腦之系也。

目眶骨　目眶者。目窠四圍之骨也。上曰眉稜骨。下卽䪼骨。䪼骨之外。卽顴骨。

頞　頞者鼻梁。卽山根也。

鼻　鼻者。司臭之竅也。兩孔之界骨。名曰鼻柱。下至鼻之盡處。名曰準頭。

䪼　目之下眶骨。顴骨內下連上牙床者也。

鳩　鳩者。䪼內鼻旁間近生門牙之骨也。

顴　顴者。兩旁之高起大骨也。

顑　顑者。俗呼爲腮。口旁頰前。內之空軟處也。

耳　耳者。司聽之竅也。

蔽　蔽者。耳門也。

耳郭　耳郭者耳輪也

頰　頰。耳前顴側面兩旁之稱也。

曲頰　曲頰者。頰之骨也。曲如環形。受頰車骨尾之鈎者也。

頰車　頰車者。下牙床骨也。總載諸齒。能咀食物。故名頰車。

人中　人中者。鼻柱之下。脣之上。穴名水溝。

口　口者。司言食之竅也。

脣　脣者。口端也。

吻　吻者。口之四週也。

頤　頤者。口角後顑後下也。

頦　頦者。口之下脣之末之處。俗名下把殼也。

頷　頷者。頷下結喉上兩側內空軟處也。

齒　齒者。口齦所生之骨也。俗名牙。有門牙。虎牙。槽牙。上下牙盡根之別。

舌　舌者。司味之竅也。

舌本　舌本者。舌之根也。

頏顙　頏顙者。口內之上二孔。司分氣之竅也。

懸壅垂　懸壅垂者。張口視喉上似乳頭之小舌也。

會厭　會厭者。覆喉管之上竅。似皮似膜。發聲則開。嚥食則閉。故爲聲音之戶也。

咽　咽者飲食之路也。居喉之後。

喉　喉者。通聲氣之路也。居咽之前。

喉嚨　喉嚨者。喉也。肺之系也。

嗌　嗌者。咽也。胃之系也。

結喉　結喉者。喉之管頭也。其人瘦者。多外見頸前。肥人則隱於肉內多不見也。

胸膺　胸者。缺盆下腹之上有骨之處也。膺者。胸前兩旁高處也。一名曰臆胸骨也。俗名胸膛。

𩩲骬　𩩲骬者。胸之衆骨名也。

乳　乳者。膺上突起兩肉有頭。婦人以乳兒者也。

鳩尾　鳩尾者。即蔽心骨也。其質係脆骨。在胸骨之下。歧骨之間。

膈　膈者。胸下腹上之界內之膜也。名曰羅膈。

腹　腹者。膈之下曰腹俗名曰肚。臍之下曰少腹。亦名小腹。

臍　臍者。人之初生胞蒂之處也。

毛際　毛際者。小腹下橫骨間叢毛之間際也。

篡　篡者。橫骨之下。兩股之前。相共結之凹也。前後兩陰之間。名下極穴。又名屏翳穴。會陰穴。即男女陰器之所也。

睾丸　睾丸者。男子前陰兩丸也。

上橫骨　上橫骨在喉前宛宛中。天突穴之外小灣。橫骨旁拄骨之骨也。

拄骨　拄骨者。膺上缺盆之外。俗名鎖子骨也。內接橫骨。外接肩解也。

肩解　肩解者。肩端之骨節解處也。

髃骨　髃骨者。肩端之骨也。即肩胛骨頭臼之上稜骨也。其臼接臑骨上端。俗曰肩頭。其外曲卷翅骨肩後之稜骨也。其下稜骨在背肉內。

肩胛　肩胛者。即髃骨末成片骨也。亦名肩膊。俗名鍬板子骨。

臂　臂者。上身兩大支之通稱也。一名曰肱。俗名肌膊中節。上下骨交接處。名曰肘。

肘上之骨曰臑骨。肘下之骨曰臂骨。臂骨有正輔二骨。輔骨在上。短細偏外。骨正居下。長大偏內。俱下接腕骨也。

腕 腕者。臂掌骨交接處。以其宛曲故名也。當外側之骨名曰高骨。一名銳骨。亦名踝骨。

掌骨 掌骨者。手之衆指之本也。掌之衆骨。名壅骨。合湊成掌。非塊然一骨也。

魚 魚者。在掌外側之上隴起。其形如魚。故謂之魚也。

手 手者。上體所以持物也。

手心 手心者。即掌之中也。

指骨 指骨者。手指之骨也。第一大指名巨指。在外二節。本節在掌。第二名食指。又名大指之次指。三節在外。本節在掌。第三中指名將指。三節在外。本節在掌。第四指名無名指。又名小指之次指。三節在外。本節在掌。第五指爲小指。三節在外。本節在掌。各節之交接處。皆有碎骨筋膜聯絡。

爪甲 爪甲者。指之甲也。足趾同。

歧骨 歧骨者。凡骨之兩叉者。皆名歧骨。手足同。

臑 臑者。肩髆下內側對腋處高起耎白肉也，

腋 腋者。肩之下脅之上際。俗名 肢窩。

脅肋　脅者。脅下至肋骨盡處之統名也。曰肋者。腋之單條骨之謂也。統脅肋之總。又名曰胠。

季脅　季脅者。肋之下。小肋骨也。俗名軟骨。

眇　眇者。脅下無肋骨空軟處也。

腦後骨　腦後骨者。俗呼腦杓。

枕骨　枕骨者。腦後骨之下隴起者是也。其稜或平或長。或圓不一。

完骨　耳後之稜骨。名曰完骨。在枕骨下兩旁之稜骨也。

頸項　頸項者。頸之莖也。又曰頸之側也。項者。莖之後也。俗名脖項。

頸骨　頸者。頭之莖也。肩骨上際之骨。俗名天柱骨也。

項骨　項骨者。頭後莖骨之上三節圓骨也。

背　背者。後身大椎以下腰以上之通稱也。

膂　膂者。夾脊骨兩旁肉也。

脊骨　脊骨者。脊膂骨也。俗名脊樑骨。

腰骨　腰骨者。卽脊骨十四椎下十五十六椎間尻上之骨也。其形中凹上寬下窄。方圓二三寸許。（兩旁四孔）下接尻骨上際也。

胂　胂者。腰下兩旁髁骨上之肉也。

臀 臀者。髀下尻旁大肉也。

尻骨 尻骨者。腰骨下十七椎。十八椎。十九椎。二十椎。二十一椎。五節之骨也。上四節紋之旁。左右各四孔。骨形內凹如瓦。長四五寸許。上寬下窄。末節更小。如人參蘆形。名尾閭。一名骶端。一名橛骨。一名窮骨。在肛門後。其骨上外兩旁。形如馬蹄。附着兩髁骨上端。俗名髈骨。

肛 肛者。大腸下口也。

下橫骨髁骨楗骨 下橫骨在少腹下。其形如蓋。故名蓋骨也。其骨左右二大孔。上兩分出向後之骨。骨如張扇。下寸許附着於尻骨之上。形如馬蹄之處。名曰髁骨。下分出向前之骨。末如楗柱。在於臀內。名曰楗骨。與尻骨成鼎足之勢。爲坐之主骨也。婦人俗名交骨。其骨面名曰髖。俠髖之細骨名曰機。又名髀樞。外接股之髀骨也。即環跳穴處。此一骨五名也。

股 股者。下身兩大支之通稱也。俗名大腿小腿。中節上下交接處名曰膝。膝上之骨曰髀骨。股之大骨也。膝下之骨。曰骱骨。脛之大骨也。

髀骨 髀者。膝上之大骨也。上端如杵。接柱髀樞。下端如鎚。接於骱骨。

骱骨 骱骨者。俗名臁䯒骨也。其骨兩根。在前者名成骨。又名骭骨。形粗膝外突出之骨也。在後者名輔骨。形細膝內側之小骨也。

伏兎　伏兎者。髀骨前之上起肉。似俯兎故曰伏兎。

膝解　膝解者。膝之節解也。

臏骨　臏骨者。膝上蓋骨也。

連骸　連骸者。膝外側二高骨也。

膕　膕者。膝後屈處。俗名腿凹也。

腨　腨者。下腿肚也。一名腓腸。俗云小腿肚。

髁骨　髁者。䯒骨之下。足跗之上。兩旁突出之高骨。在外爲外髁。在內爲內髁也。

足　足者。下體所以趨走也。俗名脚。

跗骨　跗者。足背也。一足名趺。俗稱脚面。跗骨者。足跗本節之衆骨也。

足心　足心者。即踵之中也。

跟骨　跟骨者。足後跟之骨也。

趾　趾者。足之指也。其數五。名爲趾者。別於手也。居內之大者名大趾。第二趾名大指之次指。第三趾名中趾。第四趾名小趾之次趾。第五居外之小者。名小指。足之指節與手指節同。其大趾之本節後內側圓骨形突者。名曰核骨。

三毛　足大趾爪甲後爲三毛。毛後横紋爲聚毛。

踵　踵者。足下面著於地之謂也。俗名脚底板。

五、骨度

欲準確經穴之部位。必知骨之計數。如匠之有規矩繩墨。方可以測量而計數之也。茲舉骨度法之尺度如下。所舉尺度。卽以其所舉之尺度爲尺度。非另有一種計尺也。名此尺曰同身寸。其尺寸必須同其身也。今之鍼家。但以中指中節角度爲一寸者。僅遺法之一耳。未可以測全身之穴位也。

六、全身

人身自頭頂至足踵。共長七尺五寸。

七、頭部

頭之大骨。（頭蓋骨）周圍長二尺六寸。（作頭部橫寸之標準）

（今以目內眥至內眥作一寸，爲頭部橫寸之標準。尚有少許相差也）

前髮際至後髮際長一尺二寸。（作頭部直寸之標準）

（如髮際不明，以眉心至大椎作一尺八寸計算，眉心上三寸爲前髮際，大椎骨上三寸爲後髮際。）

八、胸腹部

結喉以下盆缺盆中長四寸。（此條應屬頸部）

（結喉爲喉頭之隆起處，缺盆爲鎖骨部分非穴名也）

缺盆以下。髑骬之中長九寸。（作胸部直寸之標準）

此指天突以下至胸骨端之長度，今以天突至膻中七寸四分計之，

胸圍四尺五寸。（以當乳頭處測量）

兩乳之間廣九寸五分。（折作八寸。爲胸部橫寸之標準），

髑骬中下至天樞長八寸。（爲上腹部直寸之標準），

（卽歧骨下至臍中之長度八寸），

天樞以下至橫骨長六寸半。（折作五寸爲下腹之直寸標準）

（卽臍中至橫骨之長度，今以臍中至橫骨上邊毛際部分作五寸計算，）

腰圍四尺二寸。（作腰腹橫寸之標準）

橫骨橫長六寸五分。（作下腹部之橫寸標準），

九、背部

脊骨以下至尾骶二十一節。長三尺。

（背部標準，以脊椎爲最準，但稍肥者，不易按摸，惟有依照背部折算法取之，其折法自大椎至尾閭通折三尺，上七節各長一寸四分一厘，共九寸八分七厘，中七節各長一寸六分一厘，共一尺一寸二分七厘，第十四節與臍平，下七節各長一寸二分六厘：共八寸八分二厘，統長二尺九寸九分六厘，不足四厘者，有零未盡也，）

十、側部

自柱骨下行腋中。不見者長四寸。柱骨頸項根骨也。
腋以下至季脅長一尺二寸。
季脅以下至髀樞長六寸。
髀樞下至膝中長一尺九寸。
橫骨上廉。下至內輔之上廉。長一尺八寸。
內輔之上廉以下至下廉長三寸五分。
內輔下廉下至內髁長一尺二寸。
內髁以下至地長三寸。

十一、四肢部

肩至肘長一尺七寸。
肘至腕長一尺二寸五分。
腕至中指本節長四寸。
本節至末長四寸五分。
膝以下至外髁長一尺六寸。
膝膕以下至跗屬長一尺二寸。

附屬至地長三寸。

手指寸式

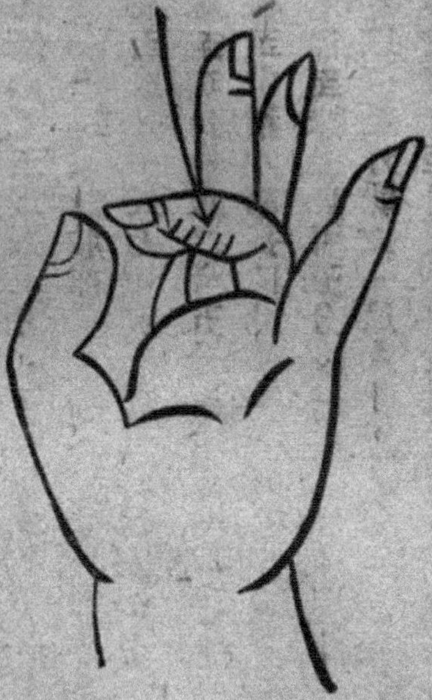

按四肢之取寸法，雖可以其長度而推之，今人爲簡便計。每以指寸法推算，其法使本人之中指屈曲，取其中節兩端之横紋尖，相去作一寸計算之，於實驗上，頗感便利與確效也，有以此法比量全身，則大誤矣。

十一、十二經氣血多少

素問血氣形志篇。太陽常多血少氣。少陽常少血多氣。陽明常多氣多血。少陰常少血多氣。厥陰多血少氣。太陰常多氣少血。

靈樞五音五味篇。謂少陰常多血少氣。厥陰常多氣少血。

靈樞九鍼篇。謂太陰常多血少氣。

素問靈樞合稱黃帝內經。而其立說。乃不同如此。後世稱謂諸韓公子所作。黃帝爲假托之詞。實有見地。就今日解剖學眼光觀之。氣爲神經之機能。總統於腦。血爲循環液實總統於心。每經氣血多少。實爲古人推測之辭。於今之治療上。無關宏旨。以研究經穴上。常有此類術語。故表而出之。

十三、經脈之長度

靈樞脈度篇。手之六陽。從手走頭。長五尺，五六三丈。手之六陰。從手至胸中長三尺五寸。三六一丈八尺。五六三尺。合二丈一尺。足之六陽。從足上至頭八尺。六八四丈八尺足之六陰從足至胸中。六尺五寸。六六三丈六尺。五六三尺。合三九尺。蹻脈從足至目。長七尺五寸。二七一丈四尺。二五一尺。合一丈五尺。督脈任脈各四尺五寸。二四八尺。二五一尺。合九尺。凡都合一十六丈二尺。此氣之大經隧也。肺經以至肝經及兩蹻任督。共計一十六丈二尺之脈。為氣血循行之路。一呼脈行三寸•一吸脈行三寸。呼吸定息。脈行六寸。漏水下一刻。計一百三十五息。脈行八丈一尺。二刻計二百七十息。脈行一十六丈二尺。為一週身。漏水下百刻。計一萬三千五百息。脈行八百一十丈。晝夜共行五十度。寅時大會於手太陰。古代鍼家依之而推測氣血之流注。行迎隨之補瀉。就生理上觀察。血之流行。二十七秒。即可周遍全身。脈度與氣血流注之說。與上節氣血多少。作同樣觀。

十四、十二經流注之時刻

肺寅大卯胃辰通。脾己心午小未中。申胱酉腎心包戌。亥焦子膽丑肝通。此為後人根據平旦脈大會於手太陰。而測人身氣血依時流注之韻文也。析言之。謂寅時氣血注於手太陰肺。卯時注於太腸。辰時注於胃。己時注於脾。午時注於心。未時注於小腸。申時注於膀胱。酉時注於肝。戌時注於心包。亥時注於三焦。子時注於膽。丑時注於肝。後世之子午流注八法開闔。悉本於此。而推演所得。鍼家奉爲治療之捷徑。古聖之心傳。試就內經之脈度長短。穴之多寡言之。手少陰脈長三尺五寸。穴僅九位。足太陽脈長八尺。穴位六十有七。長短多寡。相去甚遠。如何得平勻分配一時一經耶。即就上節經文言一呼一吸脈行三寸。一日夜五十周於身。亦不能定其一時常注於某經。以彼之茅。攻彼之盾。不擊而自破矣。子午流注八法開闔。其根據既不成立。實無苦研之必要。淡安治症十餘年。未嘗及此。雖曾一度研究。以其理不可通。旋卽棄置。有好古者。可於鍼灸大成求之。

十五、經穴學上之術語

「井」「滎」「兪」「原」「經」「合」「絡」「郄」其他「兪」「募」

五臟六腑，合心包絡配十二經，分佈四肢，每經則各配上列各名稱之穴於四肢之端。屬臟經者。爲井滎兪經合。稱之爲五腧穴。以五臟合五腧也。屬腑經者，爲井滎兪原經合。多一原穴，以六腑合六腧也。絡穴郄穴則臟腑各經皆有之。兪募則在背在腹。

何謂井，靈樞經曰。二十七氣之所出爲井。井者，泉也。水源之所自出也。言經絡之氣。由此而出。古人以人比一小天地。臟腑經絡。各配陰陽五行。以說明生長病痛之演變。以臟爲陰。以乙木配井。稱爲井木。以腑爲陽。以庚金配井。陰陽必相合。陰經之井配乙木。陽經之井必配庚金爲之合。陽經之井配庚金。必以陰經之井配乙木爲之合也。因此陰經之井稱井木。陽經之井稱井金。

何謂滎　經言，二十七氣之所溜爲滎。滎小水也。溜流也。嘗經絡之氣。由井而出。由此而流過也。滎經之經配火。陽經之經配水。

何謂俞，經言二十七氣之所注爲俞。俞者輸也。如水之注也。言其氣由井由滎而輸注於此也。以陰經之俞配土，陽經之經配水。

何謂原，所過爲原。言氣由此而過也。陽經有原穴。配五行爲火。陰經無原穴。以俞穴代之。陰經無原穴。在井條已簡略言之。玆再推廣其義。古人以五臟配地之五行。以應四時之生長化收藏。故在經祇立五穴。以六腑應六氣。六氣有二火。故其經配六穴。多一原穴配以火也。

何謂經，二十七氣之所行爲經。如經行之道路。言氣由此而經行過也。以陰經之經配金。陽經之經配火。

何謂合，二十七氣之所入爲合。合者，如水之會也。言臟腑經脈之氣。由此而會合。而循環啣接也。陰經之合配水。陽經之合配土。

何謂絡，直行者曰經。支而橫出者曰絡。十二經各有別絡。絡，聯絡也。支路也。卽此經與彼經連繫之支路也。脾經除原有絡穴之外。多一大絡。謂大絡之血氣。散於周身之孫絡也。以脾主爲胃行其津液。灌漑於五臟四旁。從大絡而布於周身也。其他加任督二脈之絡。共合十五絡穴。

何謂郄，郄者閉也。亦還也。言氣由此而下陷復還出也。

何謂俞，穴之在背者曰俞。

何謂募，募者，聚也。言臟腑氣之結聚處也。募穴在胸腹部。難經曰。募在陰而俞在陽者是也。

各經中皆有上列各穴名稱。古人立意。大率如此。五臟之經絡原穴。考千金外臺則有原穴。可見立法本無定則。淡安素不注意此類玄空之談。惟求治療上之確效是務。而以現代學理。推求其所以。謀闢一新途徑也。試觀井之所治皆主心下滿。而鍼療中。治心下滿。未嘗皆取井穴也。滎之所治。皆主身熱。觀刺熱論治大熱。最多有五十九刺。亦未嘗及滎穴。有其說而無其用。最易令後之學者。走入迷途。故在研習針灸治療之始。特提此數則而說明古人之立意。再明其不適於現代學理與治效。取法既不足。而阻礙鍼學之改進則實大。故特提出數則而闢之。

十二經循行經文

手太陰肺經循行經文

肺，手太陰之脈。手太陰之脈，自足厥陰之期門穴內行循中胱，故起於中焦。中焦當中胱之分，手之三陰，從臟走手，皆自內而出也，下絡大腸。由中焦下繞大腸，還循胃口。自大腸腹上行還循胃口，上胱賁門分也，上膈屬肺。經膈膜而會屬於肺，從肺系。即肺管也，橫出腋下。膊之上，脅之上，曰腋，腋下即中府之旁，故謂從肺系而橫出腋下也，下循臑內。由中府處下行，而至上臂之臑內，即天府穴分，行少陰心主之前。經心經脈之前側，下肘中。過尺澤穴，循臂內上骨下廉。上骨節臂骨之上側一骨，上骨下廉，即上側，骨之下側也，即沿孔最列缺之分，入寸口。手腕後太淵穴分，上魚。腕上魚肉，循魚際。經魚際穴，出大指之端。至大指端少商穴，其支者。從腕後。其本經之分支從腕後列缺穴分出，直出次指內廉出其端。直至次指之端商陽穴分，與，與大腸經脈相啣接，

按手太陰肺經穴。凡一十一穴。左右共二十二穴。起於中府。止於少商。絡在列

肺經行循圖

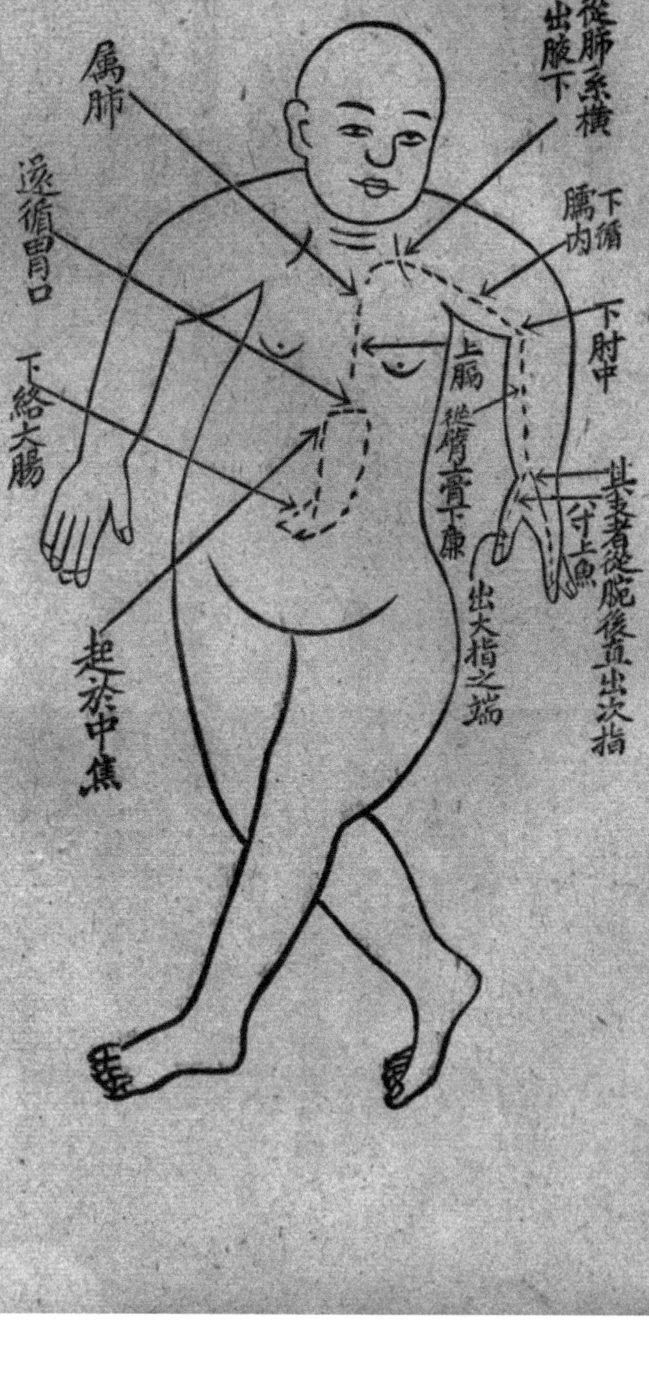
從肺系橫出腋下
屬肺
下循臑內
還循胃口
下肘中
上膈
從臂上骨下廉
下絡大腸
其支者從腕後直出次指
入寸上魚
出大指之端
起於中焦

缺。募在中府。井在少商。滎在魚際。俞在太淵。經在經渠。合在尺澤。郄在孔最。

爲便於記憶其循行經文與穴位多寡。特於各經之下附錄歌括。初學應宜熟記。

手太陰肺經脈歌

手太陰肺出中府。下絡大陽還賁門。上膈屬肺從肺系。橫外腋下臑中行。肘臂寸口上魚際。大指內側爪甲根。支絡還從腕後出。接次指屬陽明經。

手太陰肺經總穴歌

手太陰肺十一穴。中府雲門天府訣。俠白尺澤孔最存。列缺經渠太淵涉。魚際少商如韭葉。

手太陰肺經穴分寸歌

太陰中府三肋間。上行雲門寸六許。雲在璇璣旁六寸。天府腋三動脈求。俠曰肘上五寸主。尺澤肘中約紋是。孔最腕側七寸擬。列缺腕上一寸半。經渠寸口陷中取。太淵掌後橫紋頭。魚際節後散脈裏。少商大指內側端。鼻衄喉痺刺可已。

二、手陽明大腸經循行經文

大腸手陽明之脈。起於大指次指之端食指，商陽穴也，手之三陽，從手走頭，循指上廉。上側二三間穴分也，出合谷兩骨之間。大指次指岐骨間，上入兩筋之中。腕中上側兩筋之陷中陽谿穴也，循臂上廉。經上下廉穴，入肘外廉。曲池穴分、上臑前廉。經五里臂臑穴分，上肩出髃骨之前廉。肩髃穴分，上出於柱骨之會上。柱骨，乃天柱骨也，在肩骨之上，頸項之根，本經由肩髃上出膀胱之天柱穴，會於督脈之大椎穴，陽經會於督脈之大椎，故內經以此爲會上，下入缺盆。自大椎而前行下缺盆，絡肺。絡纔於肺，下膈屬大腸。由肺而下膈屬會於大腸，其支者。支而出者，從缺盆上頸。經天鼎扶突，貫頰入下齒中。貫頰入齒縫中，還出挾口。由齒還出，沿口吻旁，交人中。左之右。右之左。經人中左右交，貫上挾鼻孔。自禾髎以至迎香，

按手陽明大腸穴。凡二十穴。左右共四十穴。起於商陽。止於迎香。絡在偏歷。募在天樞。郄在溫溜。井在商陽。滎在二間。原在合谷。經在陽谿。合在曲池。

大腸經循行圖

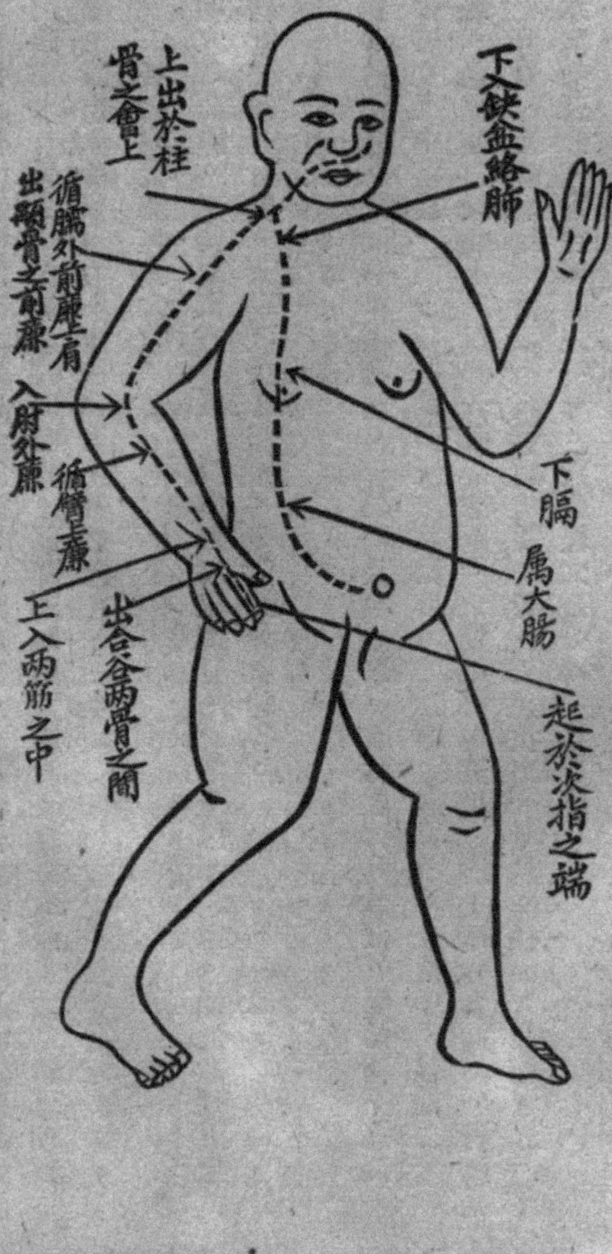
上出於柱骨之會上
下入缺盆絡肺
循臑外前廉上肩
出髃骨之前廉
入肘外廉
循臂上廉
下膈
屬大腸
上入兩筋之中
出合谷兩骨之間
起於次指之端

手陽明大腸經脉歌

陽明之脉手大腸。次指內側起商陽。循指上廉出合谷。兩筋歧骨循臂長。入肘外廉循臑外。肩端前廉巨骨旁。從肩下入缺盆內。絡肺下膈屬大腸。支從缺盆直上頸。斜貫頰前下齒當。環出人中交左右。上挾鼻孔上迎香。

手陽明大腸經總穴歌

手陽明穴起商陽。二間三間合谷藏。陽谿偏歷溫溜長。下廉上廉手三里。曲池肘髎五里近。臂臑肩髃巨骨當。天鼎扶突禾窌接。鼻旁五分號迎香。

手陽明大腸經穴分寸歌

商陽食指內側邊。二間尋來本節前。三間節後陷中取。合谷虎口歧骨間。陽谿腕上筋間是。偏歷交叉中指端。溫溜腕後去五寸。池前四寸下廉看。池前三寸上廉中。池前二寸三里逢。曲池曲肘紋頭盡。肘髎大骨外廉近。大筋中央尋五里。肘上三寸行向裏。臂臑肘上七寸量。肩髃肩端舉臂取。巨骨肩尖端上行。天鼎扶下一寸眞。扶突人迎後寸五。禾髎水溝旁五分。迎香禾髎上一寸。大腸經穴是分明。

三　足陽明胃經循行經文

胃。足陽明之脈。起於鼻之交頞中。其經由大腸經迎香穴，上行啣接於足陽明經，旁納太陽之脈。納入也，足太陽起睛明穴，與頞相近，陽明由頞中互交而下行，下循鼻外。承泣四白之分，入上齒中。行上顎齒中，還出挾口。由上齒還出挾口吻地倉分，環唇。繞唇，下交承漿。交於承漿分，卻循頤後下廉。循頤後下側大迎分上行，出大迎。循頰車。過頰車，上耳前。下關分，過客主人。上關，循髮際。行懸厘頷厭之分，經頭維，至額顱。會於督脈之神庭，其支別出者。從大迎前下人迎。循喉嚨。歷水突氣舍之分，入缺盆。行少陰俞之外，下膈。屬胃絡脾。當上中脘分屬會脾胃，其直行而下者。從缺盆下乳內廉。由直者由缺盆直下而至乳間之穴分，下挾臍。入氣街中。由乳而下過臍之天樞穴分，而直下至氣街中，其支而別出者。起於胃口。幽門下脘穴分，下循腹裏。由幽門循腹裏，過足少陰肓俞之外，下至氣街而合。與缺盆直下者，會合於氣街之分以下髀關。會合而下抵髀關，抵伏兔。至伏兔，下膝臏中。經犢鼻穴分，下循脛外廉。經三里巨虛等穴，下足跗。下至衝陽陷谷等穴部分，入中指間。內庭厲兌穴分，其支者。下廉三寸而別。由膝下三寸而別，下過豐隆分，入中指外間。抵中趾之外側，其支者。又一別名，別跗上。由跗上別出，入大指間。出其端。自衝陽別行斜入大趾，啣接手足太陰脾經，

按足陽明胃經穴凡四十五。左右共九十穴。起於頭維。終於厲兌。絡在豐隆。郄在巨虛。募在中脘。并在厲兌。滎在內庭。俞在陷谷。原在衝陽。經在解谿。合在三里。

胃經循行圖

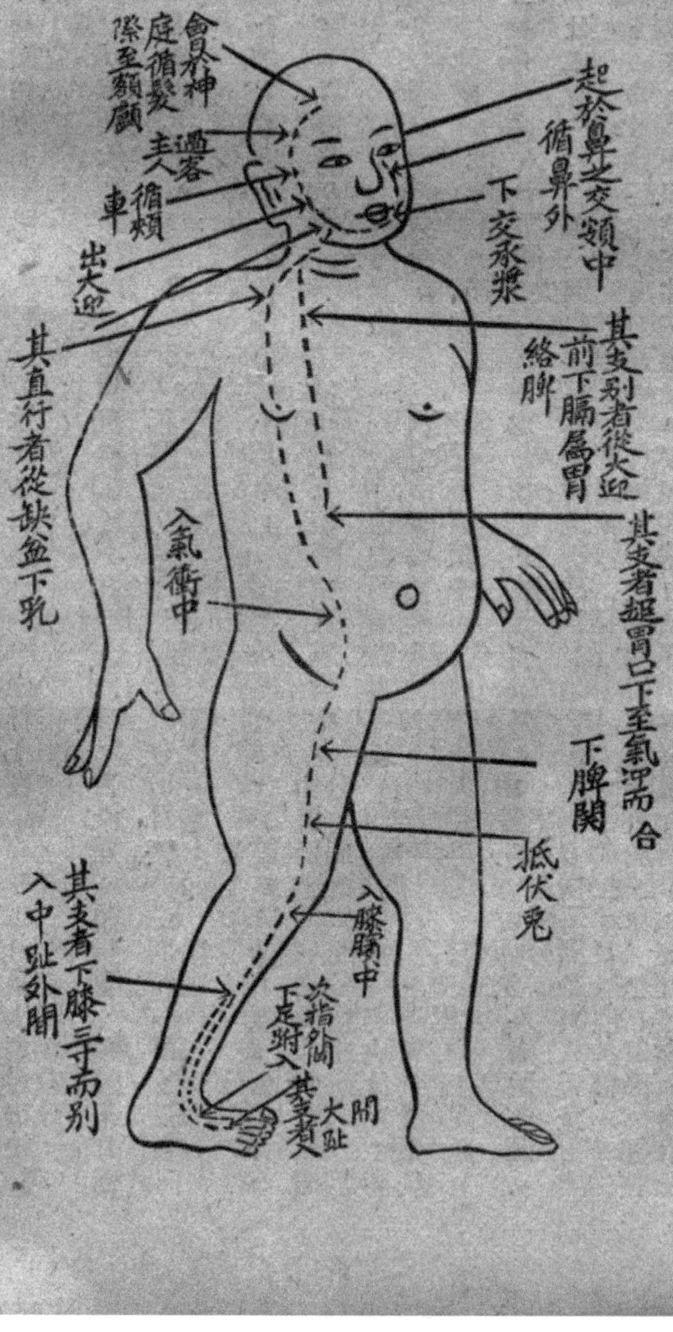
起於鼻之交頞中
循鼻外
下交承漿
會於神庭循髮際至額顱
過客主人
循頰車
出大迎
其直行者從缺盆下乳
其支別者從大迎前下膈屬胃絡脾
其支者起胃口下至氣沖而合
入氣衝中
下髀關
抵伏兔
入膝臏中
其支者下膝三寸而別入中趾外間
下足跗入次指外間
其支者入大趾間

足陽明胃經脈歌

足陽明胃交鼻起。下循鼻外下入齒。還出挾口繞承漿。頤後大迎頰車裏。耳前髮際至額顱。支下人迎缺盆底。下膈入胃絡脾宮。直者缺盆下乳內。一支幽門循腹中。下行直合氣相逢。遂由髀關抵膝臏。胻跗中指內間同。一支下膝注三里。前出中指之外間。支者別走足跗上。次指之端經已終。

足陽明胃經穴總歌

四十五穴足陽明。頭維下關頰車停。承泣四白巨髎經。地倉大迎對人迎。水突氣舍連缺盆。氣戶庫房屋翳屯。膺窗乳中延乳根。不容承滿梁門起。關門太乙滑肉穴。天樞外陵大巨存。水道歸來氣衝次。髀關伏兔走陰市。梁邱犢鼻足三里。上巨虛連條口位。下巨虛跳上豐隆。解谿衝陽陷谷中。內庭厲兌經穴終。

足陽明胃經穴分寸歌

胃之經兮足陽明。承泣目下七分尋。四白目下方一寸。巨髎鼻孔旁八分。地倉俠吻四分近。大迎頷前寸三分。頰車耳下曲頰陷。下關耳前動脈行。頭維神庭旁四五。人迎喉旁寸五眞。水突筋前迎下在。氣舍突外穴相乘。缺盆舍外橫骨內。相去中行四寸明。氣戶璇璣旁四寸。至乳六寸又分明。庫房屋翳膺窗近。乳中正在乳頭心。次有乳根出乳下。各一寸六不相侵，却去中行須四寸。以前穴道為君陳。不容巨闕旁二寸。却近幽門寸五新。其下承滿與梁門。關門太乙滑肉門。上下一寸無多少。共去中行二寸尋。天樞臍旁二寸間。樞下一寸外陵安。樞下二寸大巨穴。樞下三寸水道全。水下一寸歸來好。共去中行二寸邊。氣衝鼠鼷上一寸。又在曲骨二寸間。髀關膝上有尺二。伏兔膝上六寸是。陰市膝上方三寸。梁邱膝上二寸記。膝臏陷中犢鼻存。膝下三寸三里至。膝下六寸上廉穴。膝下七寸條口位。膝下八寸下廉看。下廉之旁豐隆係。却是踝上八寸量。解谿跗上繫鞋處。衝陽跗上五寸喚。陷谷庭後二寸間。內庭次指外間陷。厲兌大次指外端。

四　足太陰脾經循行經文

脾足太陰之脈。起於大趾之端。隱白穴，循趾內側白肉際。沿趾內側赤白肉際而上，過核骨後。足大趾本節後起核骨，又名圖骨，上內踝前廉。上內踝微前，商邱穴分，上腨內。走上足肚，循脛骨後。由三陰上腨內，循跗骨後漏谷，交出厥陰之前。至地機之分，上膝股內前廉。經膝之內側血海，而至上箕門，入腹。過衝門，入腹內行，屬脾絡胃。行於中下脘之分，會於脾而絡於胃，上膈挾咽。由胃部腹哀處上膈由周榮外，曲折向上至大包外折向上，會中府行經人迎，連舌本接於舌根，散舌下。轉散舌下而終。其支者。復從胃別上膈。由腹哀別行，經中脘。之分上膈，注於心。行膻中之裏注於心之分，以交於手少陰，

按足太陰脾經穴凡二十一。左右共四十二。起於隱白。止於大包。絡在公孫與大包

脾經循行圖

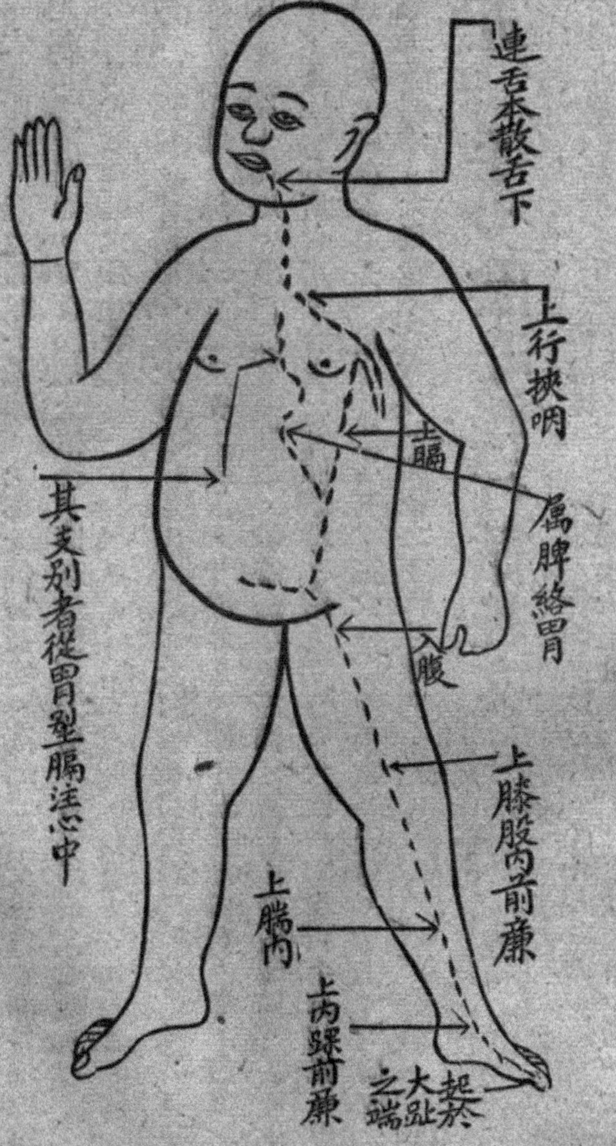

。郄在地機。井在隱白。滎在大都。俞在太白。經在商邱。合在陰陵泉。

足太陰脾經脈歌

太陰脾起大指端。土循內側白肉際，核骨之後內踝前，上腨循行經膝裏。股內前廉入腹中。屬脾絡胃與膈通。俠喉連舌散舌下。支絡從胃注心中。

足太陰脾經穴總歌

二十一穴脾中州。隱白在足大指頭。大都太白公孫盛。商邱三陰交可求。漏谷地機陰陵穴。血海箕門衝門開。府舍腹結大橫排。腹哀食竇連天谿。胸鄉周榮大包隨。

足太陰脾經穴分寸歌

大趾內側端隱白。節前陷中求大都。（原作節後），太白核後白肉際。節後二寸公孫呼。商邱踝前陷中遭。踝上三寸三陰交，踝上六寸漏谷是。膝下五寸地機朝。膝下內側陰陵泉。血海膝臏上內廉。箕門穴在魚腹取。動脈應手越筋間。衝門橫骨兩端同。去腹中行三寸半。衝上七分府舍求。舍上三寸腹結算。結上寸三是大橫。却與臍平莫胡亂。中脘之旁四寸取。便是腹哀分一段。中庭旁五食竇穴。膻中去六是天谿。上寸六胸鄉穴。周榮相去亦同然。大包腋下有六寸。淵腋之下三寸絆。

五　手少陰心經行循經文

心手少陰之脈。起於心中。由脾經而來，出屬心系。附着脊骨之系也，下膈。當臍上二寸之分，絡小腸。絡繞於小腸，

心脈循行圖

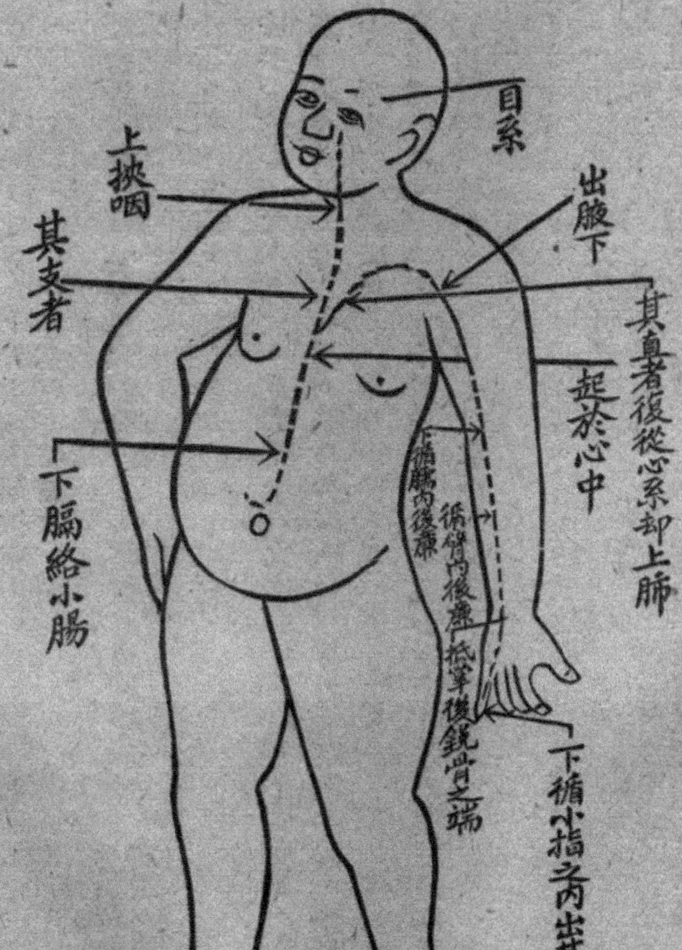
目系
上挾咽
出腋下
其支者
其直者復從心系却上肺
起於心中
下膈絡小腸
下循臑內後廉
循臂內後廉
抵掌後銳骨之端
下循小指之內出其端

其支者。從心系。（心肺連接之系，）上挾咽。（出任脈之外而挾咽，）繫目系。（遂目球通腦之系，而合於內眥，）其直者。復從心系。却上肺出腋下。（從心系直上肺臟之分，出循腋下而抵極泉，）下循臑內後廉。（自極泉而至臑之內側，）行厥陰心主之後。（經青靈穴，）下肘內廉。（少海穴分，）循臂後廉。（經靈道通里等穴，）抵掌後兌骨之端。入掌內後廉。（過少府穴，）循小指之內出其端。（抵少衝。而與小腸經接，）

按手少陰心經穴凡九穴。左右共十八穴。起於極泉。止於少衝。絡在通里。郄在陰郄。募在巨闕。井在少衝。滎在少府。俞在神門。經在靈道。合在少海。

手少陰心經脈歌

手少陰脈起心中。下膈直與小腸通。支者還從心系走。直上喉嚨繫目瞳。直者上肺出腋下。臑後肘內少海從。臂內後廉抵掌中。銳骨之端注少衝。

手少陰心經總穴歌

九穴午時手少陰。極泉青靈少海深。靈道通里陰郄後。神門少府少衝尋。

手少陰心經穴分寸歌

少陰心起極泉中。腋寸筋間動引胸。青靈肘上三寸覓。少海肘後五分充。靈道掌後一寸半。通里腕後一寸同。陰郄去腕五分的。神門掌後銳骨逢。少府小指本節末。小指內側是少衝。

六　手太陽小腸經循行經文

小腸手太陽之脈。由小指內側端心經少衝穴而來，起於小指之端。少澤穴，循手外側。經後谿穴，上腕出踝中。腕骨穴，直上。經養老等穴，循臂骨下廉。支正穴分，出肘內側兩骨之間。兩骨尖中，少海穴分，上循臑外後廉。行手陽明少陽之外，出肩解。肩後骨縫肩貞穴分也，繞肩胛。繞肩胛下天宗等分穴，交肩上。曲垣穴分左右交於兩肩之上會於督脈之大椎，入缺盆。由交肩上入缺盆，絡心。當膻中之分，而絡於心，循咽下膈抵胃屬小腸。自缺盆循咽下膈，經上中脘抵胃下行任脈之外，當臍上二寸之分屬小腸，其支者。從缺盆循頸上頰。經天窗等穴而上過耳抵顴髎，至目銳眥。由目外眥下抵耳中之聽宮，其支者。別頰上顳。由頰至目下睛明穴以交於足太陽經，抵鼻至目內眥。

按手太陽經穴凡十九。左右共三十八穴。起於少澤。止於聽宮。絡在支正。郄在養老。募在關元。井在少澤。滎在前谷。俞在後谿。原在腕骨。經在陽谷。合在小海。

小腸經循行圖

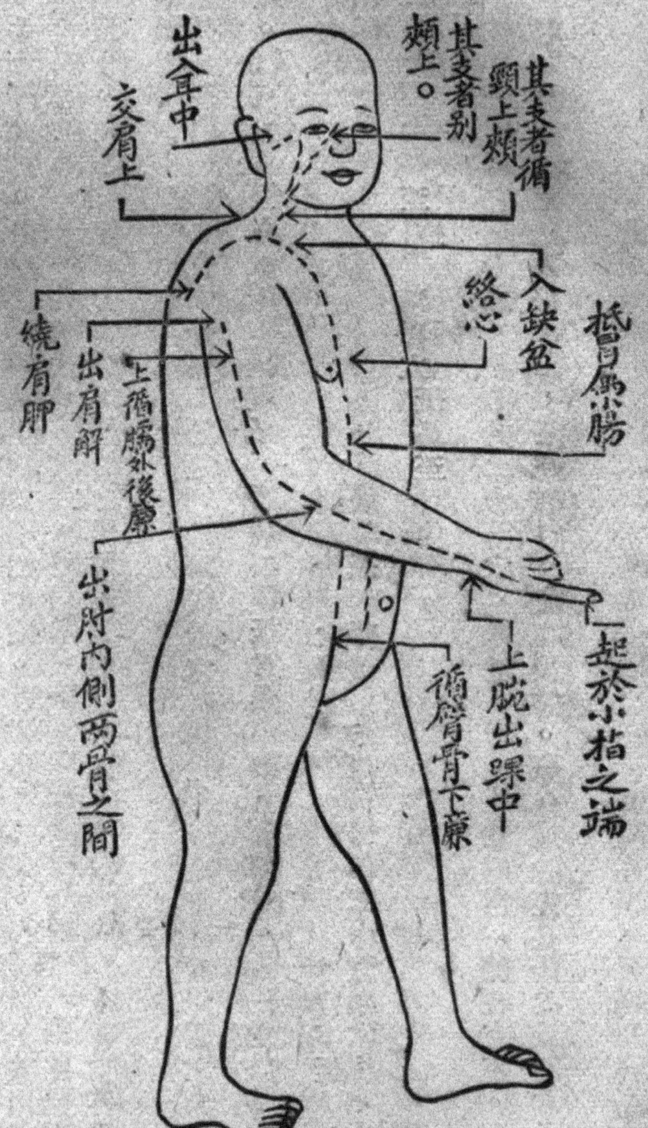

手太陽小腸經脈歌

手太陽經小腸脈。小指之端起少澤●循手外廉出踝中●循臂骨內肘內側●上循臑外出後廉。直過肩解繞肩胛。交肩下入缺盆內。向腋絡心循咽嗌。下膈抵胃屬小腸。一支缺盆貫頸頰。入目銳眥却入耳。復從前從行仍上䪼。抵鼻至嗌目內眥。斜 於顴別絡接。

手太陽小腸經穴總歌

手太陽穴一十九。少澤前谷後谿數。腕骨陽谷養老繩。支正小海外輔肘。肩貞臑俞接天宗。髎外秉風曲垣首。肩外俞連肩中俞。天窻乃與天容偶。銳骨之端上顴髎。聽宮耳前珠上走。

手太陽小腸經穴分寸歌

小指端外為少澤。前谷外側節前覓。節後捏拳取後谿。腕骨腕前骨陷側。銳骨下陷陽谷討。腕後銳上覓養老。支正腕後五寸量。小海肘端五分好。肩貞胛下兩筋解。臑俞大骨下陷保。天宗秉風後骨中。秉風髎外舉有空。曲垣肩中曲胛陷。外俞去脊三寸從。中俞二寸大椎旁。天窻扶突後陷詳。天容耳下曲頰後。顴髎面鳩銳端量。聽宮耳中大如菽。此為小腸手太陽。

七 足太陽膀胱經循行經文

膀胱足太陽之脈。由小腸經遞來，起於目內眥。睛明穴，上額交巔。由攢竹而上至絡却穴左右斜其行而交於巔頂之百會穴，

膀胱脈循行圖

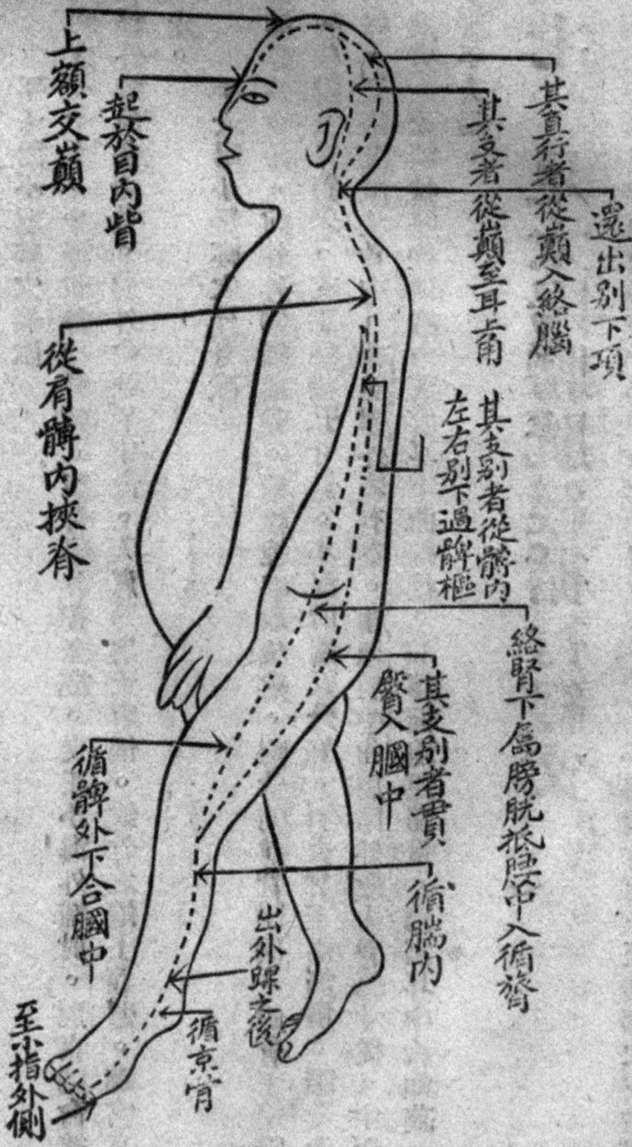
其直行者從巔入絡腦
其支者從巔至耳角
還出別下項
其支別者從髆內左右別下過髀樞
絡腎下屬膀胱抵腰中入循膂
其支別者貫臀入膕中
循腨內
出外踝之後
循京骨
至小指外側
循髀外下合膕中
從肩髆內挾脊
起於目內眥
上額交巔

支者。從巔至耳上角。由百會旁行至耳上角過足少陽膽經，其直者。從巔入絡腦。自百會行通天至玉枕入絡於腦，還出別下項。自腦後出別下項由天柱而下會於督之陶道。循肩內。挾脊抵腰中。由陶道循肩髆內側挾脊兩旁入循膂下行經各俞穴而抵腰中，。絡腎屬膀胱。循挾脊之肉，絡於腎膀胱，而其支者從腰中下挾脊貫臀。由腰中分支循脊而下經四髎貫臀之會陽，入膕中。經承扶委陽等穴而入委中，其支者。從髆內左右別下貫胛。由肩髆內左右別行下貫胛臀而下，挾脊內過髀樞。經附分魄戶直下至臀之髀樞，循髀外後廉。下合膕中。循髀樞之裏承扶之外一寸五分之間，而下與前之入能旁相合，以下貫腨內。內委中而下經承山等穴，出外踝之後。崐崙穴分，循京骨至小趾外側。至陰穴而交於足少陰腎經，

按足太陽膀胱經穴凡六十七左右共百三十四穴。起於睛明。止於至陰。絡在飛揚。郄在金門。募在中極。井在至陰。滎在通谷。俞在東骨。原在京骨。經在崐崙。合在委中。

足太陽膀胱經脈歌

足太陽膀胱經脈。目內眥上起額尖。支者巔上爲耳角。直者從巔腦後懸。絡腦還出別下項。仍循肩髆挾脊邊。抵腰脊腎膀胱內。一支下與後陰連。貫臀斜屬委中穴。一支髆內左右別。貫胛挾脊過髀樞。臀內後廉膕中合。下貫腨內外踝後。京骨之下指外側。

足太陽膀胱經穴歌

足太陽經六十七。睛明目內紅肉藏。攢竹眉冲與曲差。五處上寸半承光。通天絡却玉枕昂天柱後際大筋外。大杼背部第二行。風門肺俞厥陰四。心俞督俞膈俞強。肝胆脾胃俱挾次。三焦腎氣海大腸。關元小腸到膀胱。中膂白環仔細量。自從大杼至白環。各各節外寸半長。上髎次髎中復下。一空二空腰髁當。會陽陰尾骨外取。附分挾脊第三行。魄戶膏肓及神堂。譩譆膈關魂門九。陽綱意舍仍胃倉。肓門志室胞肓逐。二十椎下秩邊場。承扶臀橫紋中央。殷門浮郄到委陽。委中合陽承筋是。承山飛陽踝跗陽。崑崙僕參連申脈。金門京骨束骨忙。谷通至陰小指旁。

足太陽膀胱經穴分寸歌

足太陽是膀胱經。目內眥角始睛明。眉頭頭中攢竹取。眉冲直上旁神庭。曲差入髮五分際。神庭旁開寸五行。五處旁開亦寸半。細算却與上星平。承光通天絡却穴。相去寸五調勻看。玉枕夾腦一寸三。入髮三寸枕骨取。天柱項後髮際中。大筋外廉陷中獻。自此夾脊開寸五。第一大杼二風門。三椎肺俞厥陰四。心五督六椎下論。膈七肝九十胆俞。十一脾俞十二胃。十三三焦十四腎。氣海俞在十五椎。大腸十六椎之下。十七關元俞穴椎。小腸十八胱十九。中膂穴俞二十椎。白環念一椎下當。以上諸穴可推之。更有上次中下髎。一二三四腰空好。會陽陰尾尻骨旁。背部第二諸穴了。又從脊上開三寸。第二椎下爲附分。三椎魄戶四膏肓。第五椎下神堂尊。第六譩譆膈關七。第九魂門陽綱十。

十一意舍之穴存。十二胃倉穴己分。十三肓門端正在。十四志室不須論。十九胞肓廿一秩。背部三行諸穴匀。又從臀下橫紋取。承扶居下陷中央。殷門扶下方六寸。委陽膕外兩筋鄉。浮郄實居委陽上。相去只有一寸長。委中在膕約紋裏。此下三寸尋合陽。承筋合陽之下直。穴在腨腸之中央。承山腨下分肉間。外踝七寸上飛陽。附陽外踝上三寸。崑崙後跟陷中央。僕參跟下脚邊上。申脈踝下五分張。金門申前墟後取。京骨外側骨際量。京骨本節後肉際。通谷節前陷中強。至陰却在小指側。太陽之穴始週詳。

八　腎經循行經文

腎足少陰之脈•由膀胱而來，起於小趾之端。斜趨足心。由小趾端斜走之湧泉，出然谷之下。循內踝之後。由然谷循內踝後太谿穴，，別入跟中。別走跟中之大鐘照海等穴，上腨內。由照海而折自上行於太陰之後，出膕內廉。自三陰交而上至腨內陰谷穴分，上股內後廉。貫脊屬腎。出股內後廉而上結於督之長強貫脊中而屬腎，下絡膀胱。由長強穴還出於前陰橫骨中復當肓俞之所臍之左右屬腎下臍過關元中極而絡膀胱，其直者。從腎上貫肝膈。入肺中。循喉嚨。挾舌本。其直者，從肓俞屬腎處上行循商曲通谷諸穴貫肝，循幽門上膈歷步廊入肺中循肺經俞府等穴而上循喉嚨并人迎挾舌而終也，其支者。從肺出絡心。注胸中。其支者自神藏

腎經循行圖

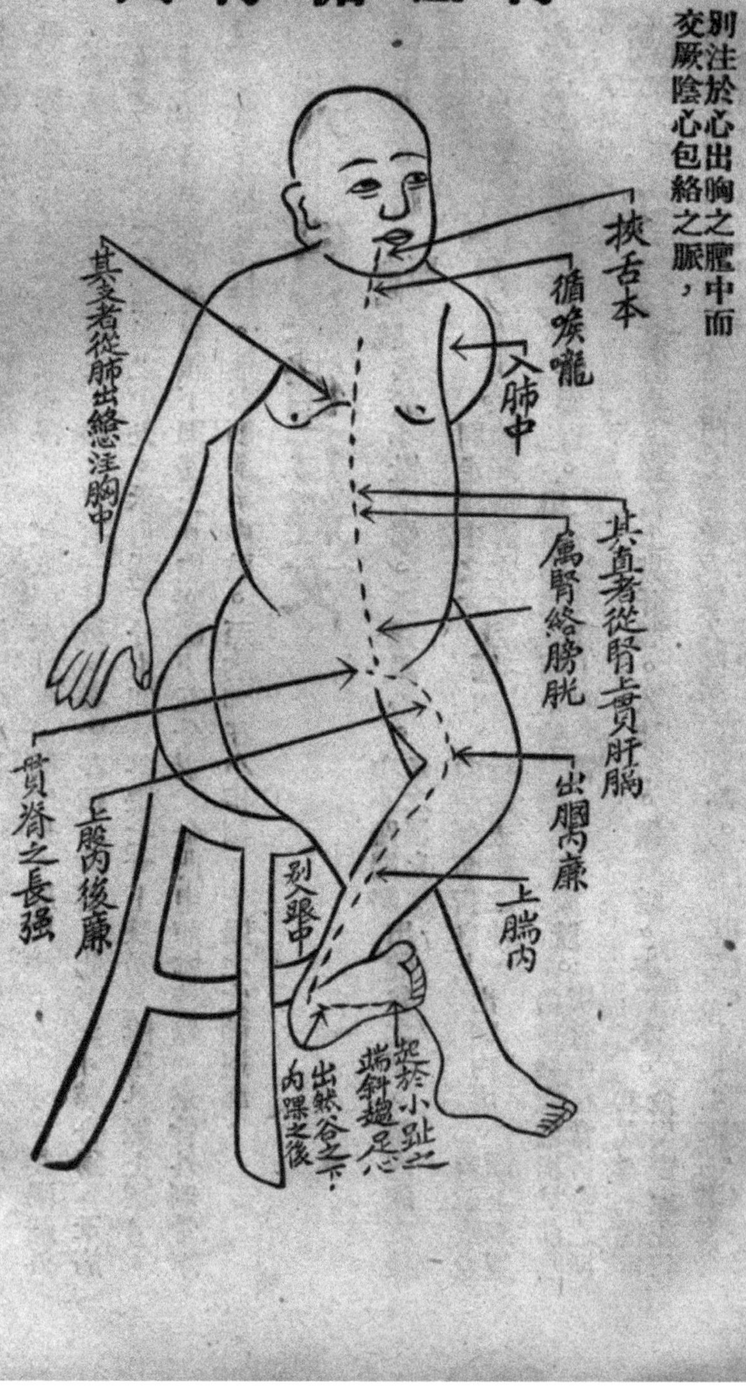
別注於心出胸之膻中而
交厥陰心包絡之脈，
挾舌本
循喉嚨
入肺中
其支者從肺出絡心注胸中
其直者從腎上貫肝膈
屬腎絡膀胱
貫脊之長强
上股內後廉
出膕內廉
上腨內
別入跟中
起於小趾之
端斜趨足心
出然谷之下
內踝之後

按足少陰腎經穴凡二十七。左右共五十四穴。起於湧泉。止於俞府。絡在大鍾。郄在水泉。募在京門。井在湧泉。滎在然谷。俞在太谿。經在復溜。合在陰谷。

足少陰腎脈歌

足腎經脈屬少陰。小指斜趨湧泉心。然骨之下內踝后。別入跟中腨內侵。出膕內廉上股內貫脊屬腎膀胱臨。直者屬腎貫肝膈。入肺循喉舌本尋。支者從肺絡心內。仍至胸中部分深。

足少陰腎經穴總歌

足少陰經二十七。湧泉然谷照海溢。水泉太谿通大鍾。復溜交信築賓實。陰谷膝內輔骨後。已上從足走至膝。橫骨大赫連氣穴。四滿中注肓兪臍。商曲石關陰都密。通谷幽門寸半闢。折量腹上分十一。步郎神封膺靈墟。神藏或中兪府畢。

足少陰腎經穴分寸歌

足掌心中是湧泉。然谷踝前大骨邊。太谿踝後跟骨上。大鍾跟後踵筋間。水泉谿下一寸覓。照海踝下四分安。復溜踝上方二寸。交信溜前五分連。二穴止隔筋前後。太陰之後少陰前。築賓內踝上腨分。陰谷膝下內輔邊。橫骨大赫幷氣穴。四滿中注交相連。五穴上行皆一寸。中行旁開半寸邊。肓兪上行亦一寸。俱在臍旁半寸間。商曲石關陰都穴。

通谷幽門五穴纏。下上俱是一寸取。各開中行半寸前。步廊神封靈墟穴。神藏或生俞府安。上行寸六旁二寸。俞府璇璣二寸觀。

九　手厥陰心包絡經循行經文

心主手厥陰心包絡之脈。（由腎經傳至，起於胸中。膻中穴分，）出屬心包。下膈歷絡三焦。（由心包下膈歷絡於三焦之上中脘及臍下三焦之分，）其支者。循胸出脅。下腋三寸。（由心包循胸出脇下腋下三寸天池穴分，）上抵腋下。（自天池上行抵腋下之天泉穴。）循臑內。行太陰少陰之間。（介乎太陰少陰兩筋中間下行，）入肘中。（抵曲澤穴，）下臂行兩筋之間。入掌中。（由肘中下臂行臂兩筋之間循間使大陵等穴而入掌中勞宮穴，）循中指出其端。（掌中直上至中指端，）其支別者。從掌中循小指次指出其端。（由勞宮穴前出循小指次指出其端而交於手少陽，）

按手厥陰心包絡經穴凡九。左右共一十八穴。起於天池。止於中衝。絡在內關。郄在郄門。募在巨闕。井在中衝。滎在勞宮。俞在大陵。經在間使。合在曲澤。

心包絡循行圖

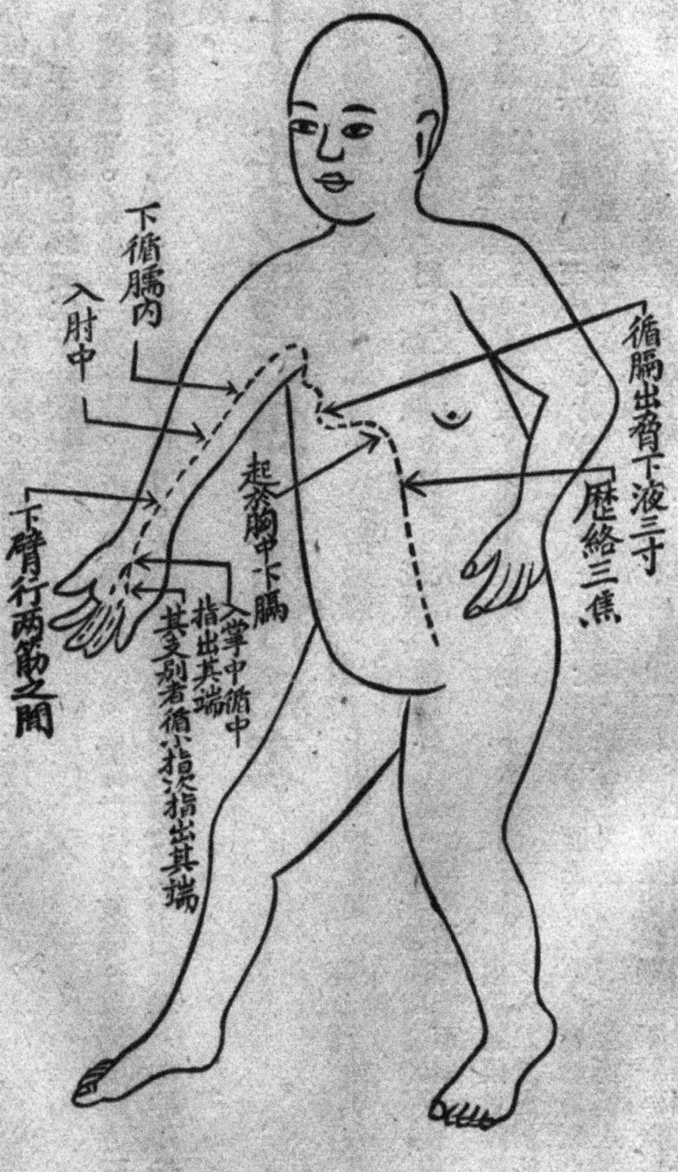

手厥陰心包脈歌

手厥陰心主起胸。屬包下膈三焦宮。支者循胸出脅下。脅下連腋三寸同。仍上抵腋循臑內。太陰少陰兩筋中。指透中冲支者別。小指次指絡和通。

手厥陰心包絡經穴歌

九穴心包手厥陰。天池天泉曲澤深。郄門間使內關對。大陵勞宮中衝侵。

手厥陰心包絡經穴分寸歌

心包穴起天池間。乳後旁一腋下三。天泉曲腋下二寸。曲澤肘內橫紋端。郄門去腕方五寸。間使腕後三寸安。內關去腕止二寸。大陵掌後兩筋間。勞宮屈中名取指。中冲中指之末端。

十　手少陽三焦經循行經文

三焦手少陽之脈。受心包絡經之遞注，起於小指次指之端。關衝穴，上出兩指之間。經液門中渚，循手表腕。陽池穴分，出臂外兩骨之間。經外關支溝，上貫肘。抵天井穴，循臑外上肩。走太陽陽明之間歷淸冷消爍而至肩，交出足少陽之後。過肩井而交出足少陽之後，入缺盆。交膻中散絡心包。下膈循屬三焦。由缺盆經足陽明之外而交會於胸中散絡心包下膈屬中焦至中脘屬中焦至陰交而屬下焦，其支者。從膻中上出缺盆。從膻中而上出缺盆之外，上項。會於督脈之椎而後上循，挾耳後。循天牖經翳風而上，直上出耳上角。角孫穴，以下屈頰至頔。由角孫屈向懸厘頷厭過陽白睛明屬而下顴會於顴髎之分

三焦脈循行圖

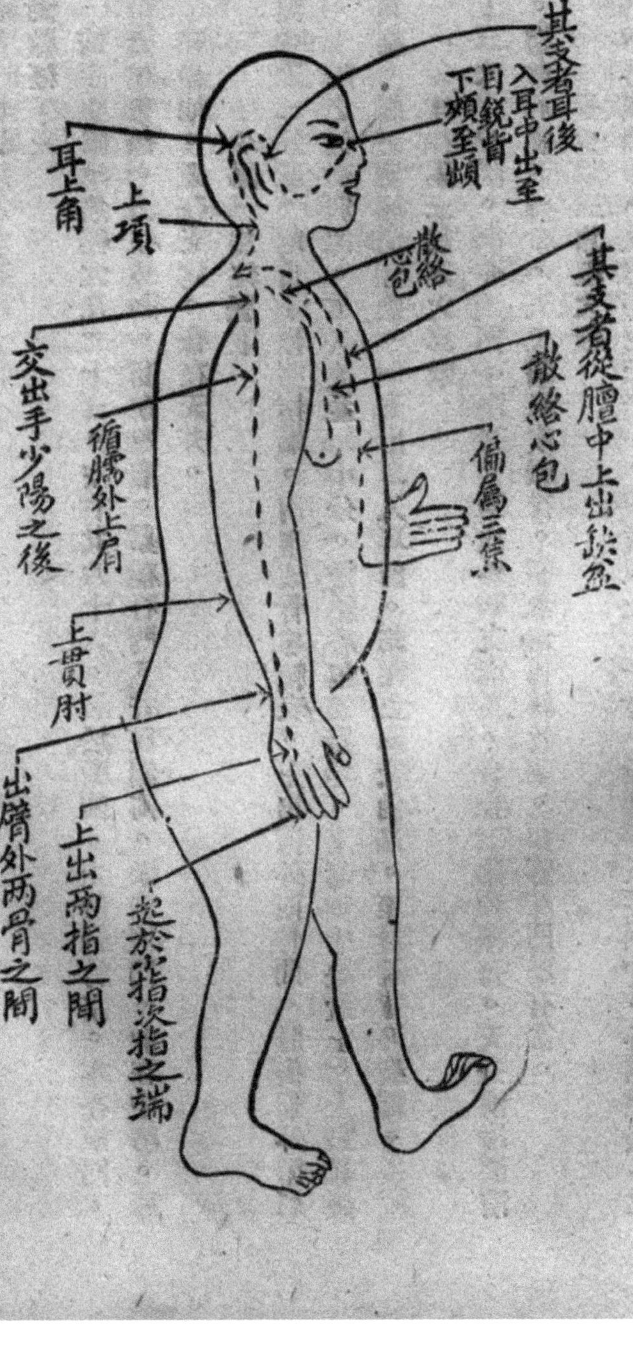
其支者耳後入耳中出至目銳眥下頰至䪼
耳上角
上項
散絡心包
其支者從膻中上出缺盆
散絡心包
偏屬三焦
交出手少陽之後
循臑外上肩
上貫肘
出臂外兩骨之間
上出兩指之間
起於小指次指之端

，其支者。從耳後。翳風穴入耳中。分。過聽宮，出走耳前。過客主人交頰至目銳眥。經上關過禾髎而至自銳眥交於足少陽膽經，

按手少陽三焦經穴凡二十三。左右共四十六。起於關衝。止於絲竹空。本在液門。標在角孫。絡在外關。郄在四瀆。募在石門。井在關衝。滎在液門。俞在中渚。原在陽池。經在支溝。合在天井。

手少陽三焦經脈歌

手經少陽三焦脈。起自小指次指端。兩指歧骨手腕表。上出臂外兩骨間。肘後臑外循肩上。少陽之後交別傳。下入缺盆膺中分。散絡心包膈裏穿。支者膻中缺盆上。上頸耳後耳角旋。屈下至頤仍注頰。一支出耳入耳前。却從上關交曲頰。至目銳眥乃盡焉。

手少陽三焦經穴總歌

二十三穴手少陽。關冲液門中渚旁。陽池外關支溝正。會宗三陽四瀆長。天井淸冷淵消濼。臑會肩髎天髎堂。天牖翳風瘈脈青。顱息角孫絲竹張。和髎耳門聽有常。

手少陽三焦經穴歌

無名指外端關冲。液門小次指陷中。中渚液上止一寸。陽池手表腕陷中。外關腕後方二寸。腕後三寸支溝容。支溝横外取會宗。空中一寸用心攻。腕後四寸三陽絡。四瀆肘前

五寸看。天井肘外大骨後。骨罅中間一寸膜。肘後二寸清冷淵。消爍對液臂外落。臑會肩前三寸量。肩髎臑上陷中央。天髎毖骨陷內上。天牖天容之後旁。翳風耳後尖角陷。瘈脈耳後鷄足張。顱息亦在青絡上。角孫耳廓上中央。耳門耳缺前起肉。和髎耳前銳髮鄉。欲知絲竹空何在。眉後陷中仔細量。

十一　足少陽膽經穴經循行經文

胆足少陽之脈。受三焦經之傳注，起於目銳眥。瞳子髎，上抵頭角。至頷厭穴分經懸厘外循耳上髮際過曲鬢率谷而下，下耳後。循天衝完骨折返角孫循本神陽白會於睛明復從睛明直上經臨泣等穴而至風池，循頸行手少陽之前，過天牖，至肩上。循肩井，却交出手少陽之後。入缺盆。由肩井處左右相交出少陽之後過大椎當秉風之前入缺盆之外，其支者從耳後入耳中。從耳後顱顖間過翳風之分入耳中，出走耳後。至目銳眥後。由耳中過聽宮出走耳前復自聽會至銳眥瞳子髎分；其支者。別目銳眥。下大迎。合於手少陽。絲竹空穴分，抵於顓。下加頰車。下頸合缺盆。以下胸中。當顴髎之分下臨頰車下頸循本經之前與前之入缺盆者絡分下腦中天池之外，貫膈絡肝屬胆。胸中以下貫膈於期門之所而絡於肝至日月之分而屬於膽也，循脅裏。出氣衝。繞毛際。橫入髀厭中。循脅裏由足厥陰之章門下行至足陽明之氣街繞毛際合於足厥陰橫入髀厭中環跳穴分，其直者。從缺盆下液。

膽經循行圖

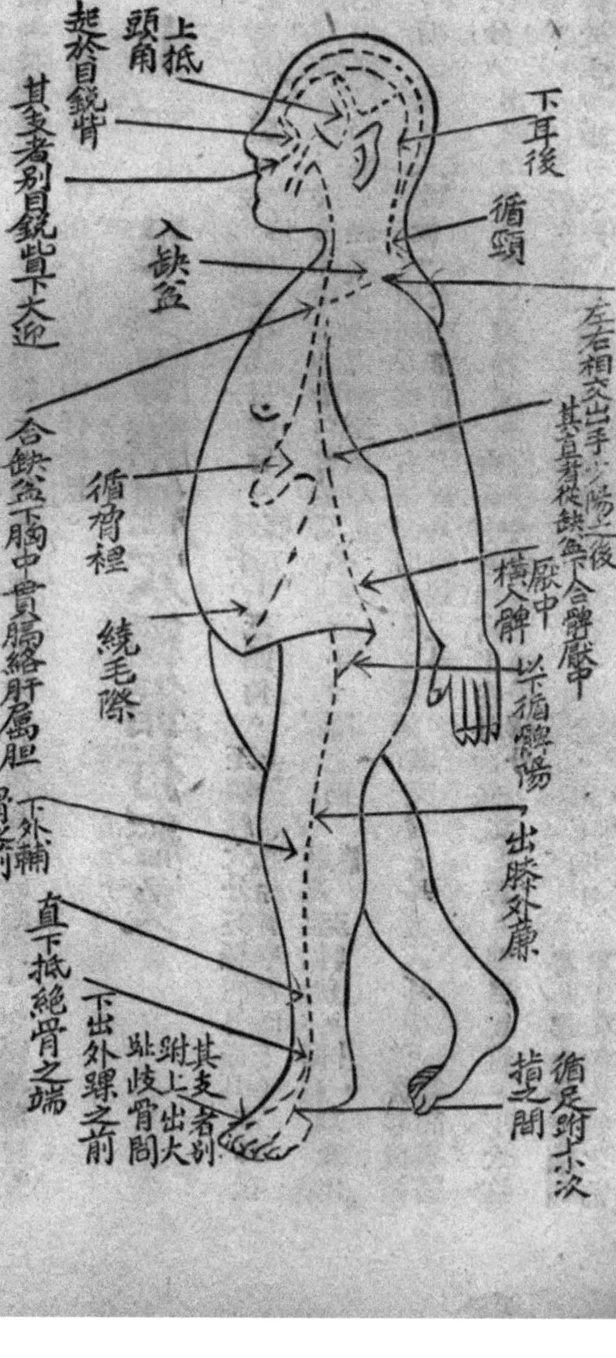

歷淵液，循胸。經日月，過季脅。京門等穴，下合髀厭中。經中瀆陽關至膝外側陽陵，下外輔骨之前。直下抵絕骨之端。經陽交等穴而抵絕骨，下出外踝之前。丘墟循足跗上入小趾次趾之間。歷臨泣等穴而至竅陰，其支者。別跗上。入大趾之間。由臨泣穴別行大趾，循大趾歧骨內出其端。還貫爪甲出三毛。由大趾歧骨至大趾端而還出三毛處以交肝經，

足少陽胆經穴凡四十四。左右八十八穴。起於瞳子髎。止於竅陰。本在足竅陰按。標在聽宮。絡在光明。郄在外邱。募在日月。井在足竅陰。滎在俠谿。俞在足臨泣。原在邱墟。經在陽輔。合在陽陵泉。

足少陽胆經脈歌

足脈少陽胆之經。始從兩目銳眥生。抵頭循角下耳後。腦空風池次第行。手少陽前至肩上。交少陽右上缺盆。支者耳後貫耳內。出走耳前銳眥循。一支銳眥大迎下。合手少陽抵頗根。下加頰車缺盆合。入胸貫膈絡肝經。屬胆仍從脅裏過。下至氣街毛際縈。橫入髀厭環跳內。直者缺盆下腋膺。過季脅下髀厭內。出膝外廉是陽陵。外輔絕骨踝前過。足跗小趾次趾分。其支別從大趾去。三毛之際接肝經。

足少陽胆經穴總歌

少陽足經瞳子髎。四十四穴行迢迢。聽會上關頷厭集。懸顱懸厘曲鬢翹。率角天衝浮白次。竅陰完骨本神邀。陽白臨泣目窗闢。正營承靈腦空搖。風池肩井腋堂出。淵腋輒筋相并標。日月橫生京門穴。帶脈五樞肋下條。維道居髎相繼取。環跳之下風市招。中瀆陽關陽陵穴。陽交外邱光明宵。陽輔懸鐘邱墟外。臨泣地五俠谿滔。

足少陽胆經穴分寸歌

外眥五分瞳子髎。耳前陷中聽會繞。上關上行一寸足。內斜曲角頷厭照。後行顱中釐下廉。曲鬢耳前髮際看。入髮寸半率角穴。天冲率後斜三分。浮白下行一寸間。竅陰穴在枕骨上。完骨耳後入髮際。量得四分須用記。本神神庭旁三寸。入髮五分耳上繫。陽白眉上一寸許。入髮五分是臨泣。臨後寸半目窗穴。正營承靈及腦空。後行相去寸半同。風池耳後髮際陷。肩井肩上陷解中。大骨之前寸半取。淵液腋下三寸逢。輒筋復前一寸行。日月乳下二肋逢。期門之下五分存。臍上五分旁九五。季肋俠脊是京門。季下寸八尋帶脈。帶下三寸五樞眞。維道章下五三定。章下八三居髎名。環跳髀樞宛中陷。風市垂手中指尋。膝上五寸是中瀆。陽關陽陵上三寸。陽陵膝下一寸任。陽交外踝上七寸。外邱外踝七寸分。此係斜屬三陽絡。踝上五寸定光明。踝上四寸陽輔地。踝上三寸是懸鐘。邱墟踝下陷中立。邱下三寸臨泣存。臨下五分地五會。會下一寸俠谿呈。欲覓竅陰歸何處。小趾次趾外側尋。

十二　足厥陰肝經循行經文

肝足厥陰之脈。受膽經之所交，起於大指叢毛之際。大敦穴，上循足跗上廉。去內踝一寸。中封穴，上踝八寸。中都穴，交出太陰之後。上膕內廉。折向太陰之後，歷曲泉等穴，循股陰入毛中。過陰器。經急脈左右相交環繞陰器而會於任脈之曲骨，抵少腹。自陰上入少腹經關元而循章門期門日月挾胃。屬肝絡胆。挾胃屬肝絡於膽上貫膈。布脅肋自期門上貫膈行太陰食竇之外大包之裏散布脅肋之足少陽淵液手太陰雲門之間，上入頏顙。由人迎之外循喉嚨之後，上入頏顙，連目系。上出額。與督脈會於巔。由大迎地倉四白而連目系上出額行臨泣之與裏督脈相會於巔，頂之百會，其支者。從目系。下頰裏。環唇內。此支從目系下頰徑交環於口唇之內，其支者。復從肝別貫膈。上注肺。又其支者從期門屬肝之分行太陰食竇之外，本經之裏，別貫膈上注於肺下至中脘之分交接於手太陰之肺經，

按足厥陰肝經穴凡十四。左右共二十八穴。起於大敦。止於期門。本在中封。標在肝俞。絡在蠡溝。郄在中都。井在大敦。滎在行間。俞在太衝。絡在中封合在曲泉。

足厥陰肝經脈歌

厥陰足脈肝以終。大趾之端毛際叢。足跗上廉太衝分。踝前一寸入中封。上踝交出太陰後。循膕內廉陰股衝。環繞陰器入小腹。挾胃屬肝絡膽逢。上貫膈裏布脅肋。挾喉頏顙

肝經循行圖

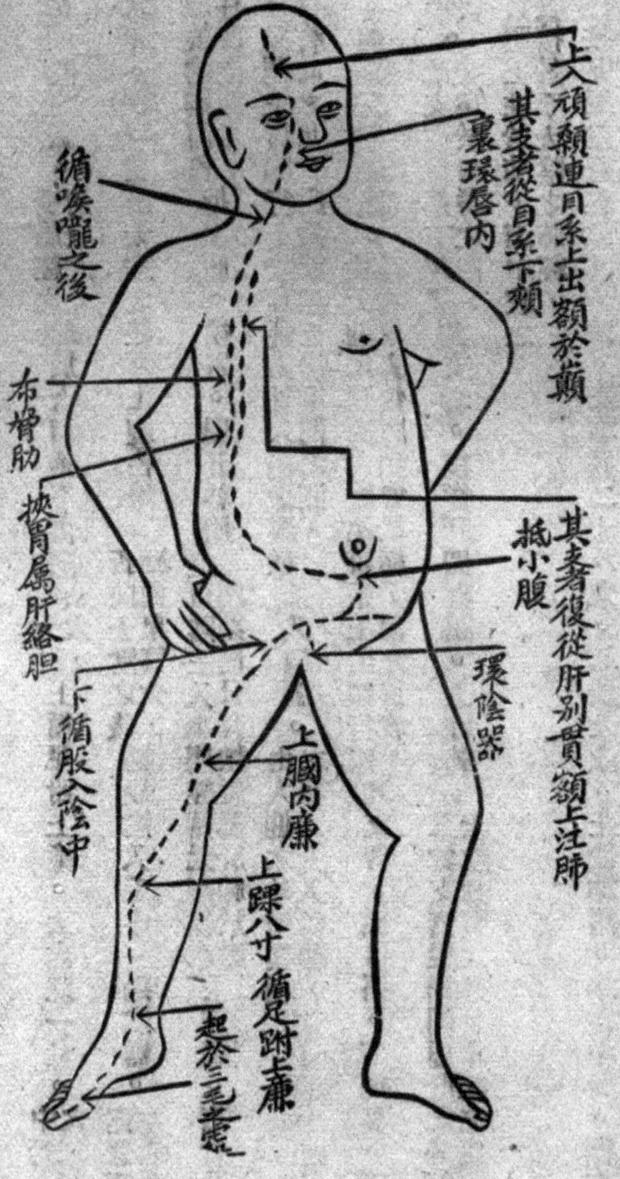
上入頏顙連目系上出額於巔
其支者從目系下頰裏環唇內
循喉嚨之後
布脅肋
挾胃屬肝絡胆
其支者復從肝別貫膈上注肺
抵小腹
環陰器
下循股入陰中
上膕內廉
上踝八寸
循足跗上廉
起於三毛之際

目繫同。脈上巔會督脈出。支者還生目系中。下絡頰裏環唇內。支者便從膈肺通。

足厥陰肝經總穴歌

一十四穴足厥陰。大敦行間太衝侵。中封蠡溝中都近。膝關曲泉陰包臨。五里陰廉上急脈。章門常對期門深。

足厥陰肝經穴分寸歌

足大趾端名大敦。行間大趾縫中存。太衝本節後寸半。踝前一寸號中封。蠡溝踝上五寸是。中都踝上七寸中。膝關犢鼻下二寸。曲泉曲膝盡橫紋。陰包膝上方四寸。氣衝三寸下五里。陰廉衝下有二寸。急脈陰旁二寸半。章門直臍季肋端。肘尖盡處側臥取。期門穴在乳直下。四寸之間無差矣。

附任脈經循行經文

任脈起於中極下。會陰之分上行而外出循曲骨上毛際至中極穴，上行腹裏。循關元。上行會衝脈。浮外循臍。至咽。別絡口唇承漿衝任二脈皆起於胞中上行背裏爲經絡之海其浮而外者循腹上行會於咽喉，而絡唇口至承漿，過足陽明。上頤間。循面入目。至睛明會督脈爲陰脈之海。自承漿轉入胃經之地倉承泣等穴而至睛明以會督脈總爲陰脈之海；

任脈圖

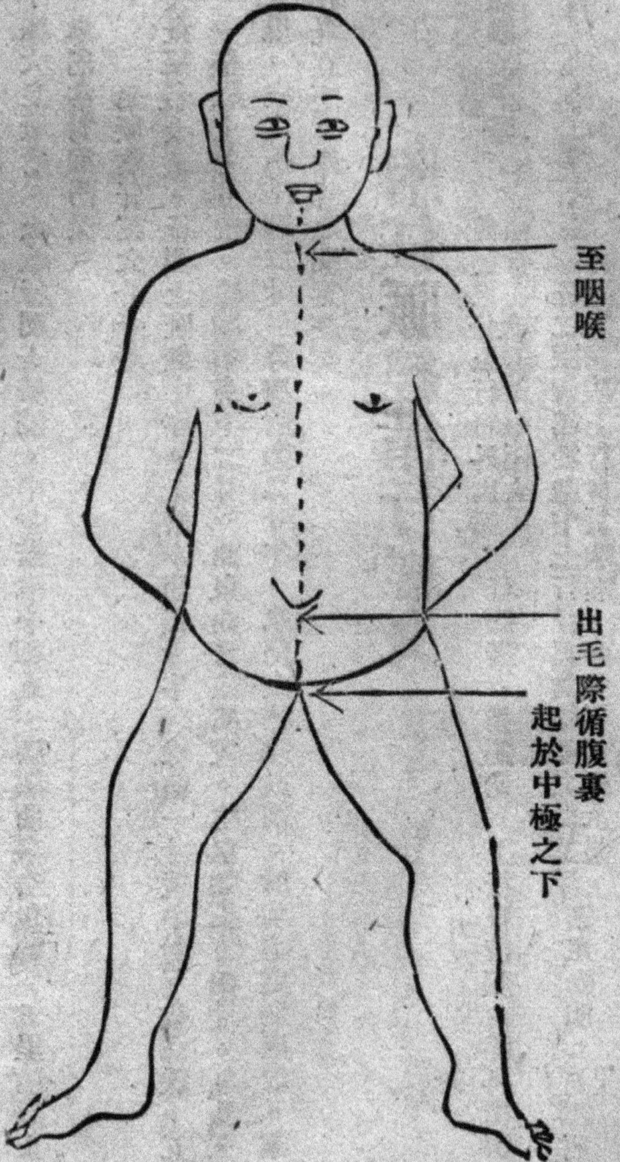

按本經之穴凡二十四穴。起於會陰。止於承漿。絡於會陰。

任經脈歌

任脈起於中極下。會陰腹裏上關元。循內上行會衝脈。浮外循腹至咽端。別絡口唇承漿已。過足陽明上頤間。循面入目至睛明。交督陰脈之海傳。

任經脈總穴歌

任脈二五起會陰。曲骨中極關元臨。石門氣海陰交仍。神闕水分下脘配。建里中上脘相連。巨闕鳩尾蔽骨下。中庭膻中慕玉堂。紫宮華蓋璇璣夜。天突結喉上廉泉。承漿相接齦交舍。

任脈穴分寸歌

任脈會陰兩陰間。曲骨毛際陷中安。中極臍下四寸取。關元臍下三寸連。臍下二寸石門是。臍下寸半氣海全。臍下一寸陰交穴。臍之中央卽神闕。臍上一寸爲水分。臍上二寸下脘列。臍上三寸名建里。臍上四寸中脘許。臍上五寸上脘在。巨闕臍上六寸步。鳩尾蔽骨下五分。中庭膻下寸六取。膻中却在兩乳間。膻上寸六玉堂主。膻上紫宮三寸二。膻上四八華蓋舉。膻上璇璣六寸四。璣上一寸天突取。天突結喉下二寸。廉泉頷下結上已。承漿齦前下唇中。齦交齒下齦縫裏。

督脈經循行經文

督脈者。起於下極之纂。兩陰之間會陰處名曰纂纂之深處爲下極。督脈之所始也并於脊裏。并脊上行，上至風府。入腦上巔。由風府而上入腦至百會之巔，循額至鼻柱。自百會循額而下鼻柱，屬陽脈之海也。

按督脈經穴凡二十八。起於長強。止於齦交。絡於長強。

督脈經歌

督脈少腹骨中央。始於下極過長強。并脊上行至風府。絡腦上巔百會彊。前行循額至鼻柱。入繫齦交會在鄉。

督脈經穴總歌

督脈中行廿八穴。長強腰俞陽關密。命門懸樞接脊中。中樞筋縮至陽逸。靈台神道身柱長。陶道大椎并肩的。啞門風府腦戶深。強間後額百會準。前頂[illegible]會上星面。神庭素髎水溝竄。兌端開口唇中央。齦交唇內任督畢。

督脈經穴分寸歌

尾閭骨端是長強。二十一椎腰俞當。十六陽關十四命。十三懸樞脊中央。十一椎下尋脊中。十椎中樞穴下藏。九椎之下筋縮取。七椎之下乃至陽。六靈五神三身柱。陶道一椎之下鄉。一椎之上大椎穴。上至髮際啞門行。風府一寸宛中取。腦戶二五枕之方。再上四寸強間位。五寸五分後頂強。七寸百會頂中取。耳尖直上髮中央。前頂前行八寸半。

督脈圖

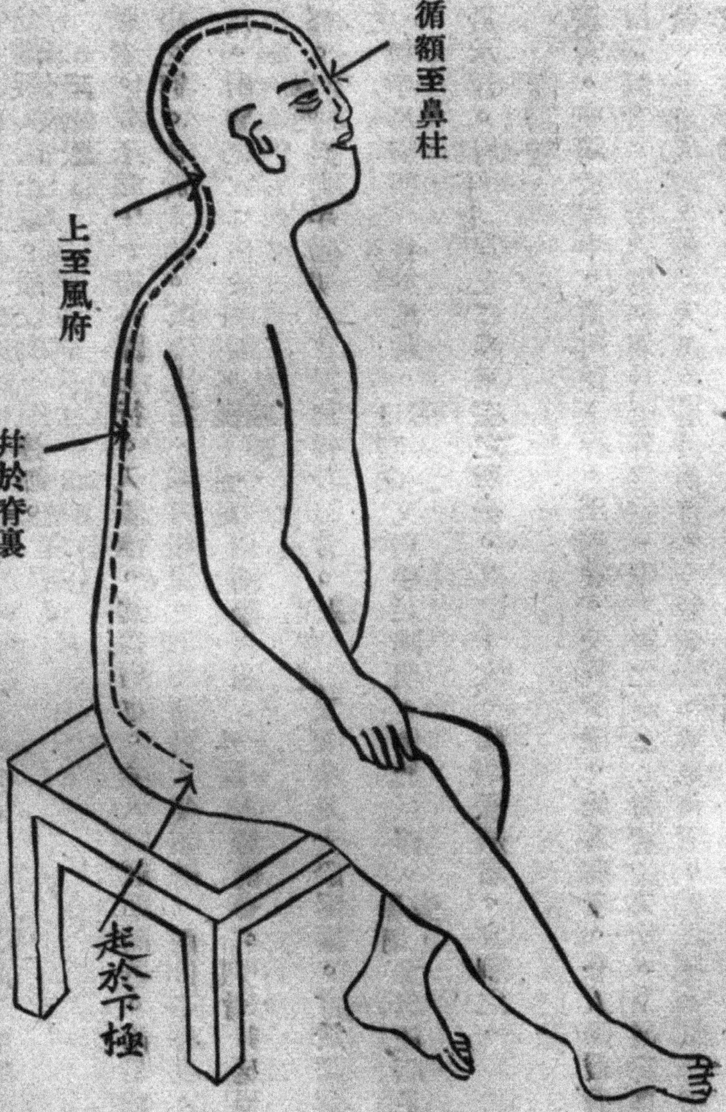

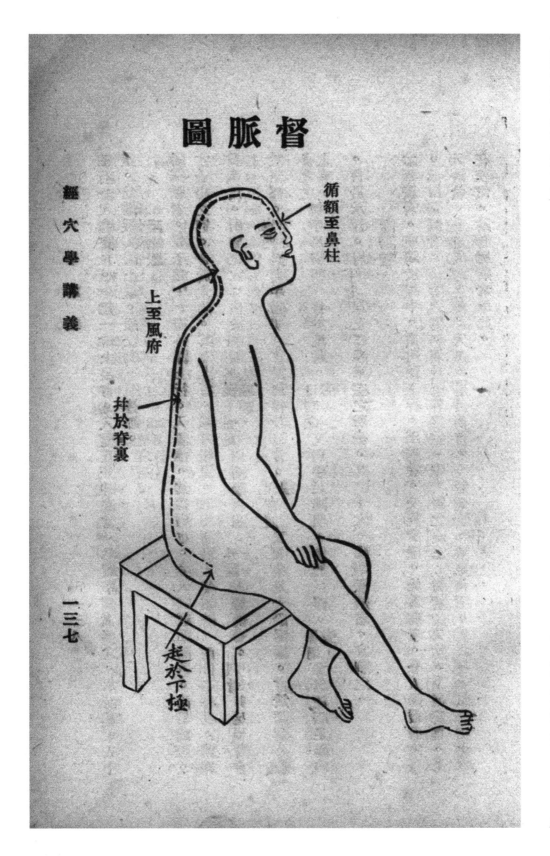

前行一尺顖會量。一尺一寸上星會。入髮五分神庭嘗。鼻端準頭素髎穴。水溝鼻下人中藏。兌端唇尖端上取。齦交齒下齦縫鄉。

陽蹻脈

陽蹻脈者。起于跟中。循外踝上行。入風池。其爲病也。令人陰緩而陽急。兩足蹻脈。本太陽之別。合於太陽。其氣上行。氣幷相還。則爲濡目。氣不營。則目不合也。蹻脈長八尺。所發之穴。生於申脈外踝下屬足太陽經，以輔陽爲郄。外踝上，本於僕參。跟骨下，與足少陰會於居髎。章門下，又與手陽明。會於肩髎及巨骨。穴在肩端，又與手足太陽陽維。會於臑俞。肩貞穴之上廉，與手足陽明。會於地倉。口吻之旁，又與手足陽明。會於巨髎。鼻兩旁，又與任脈足陽明。會於承泣。目下七分，以上爲陽蹻脈之所發。凡二十穴。陽蹻脈病者。宜刺之。

陰蹻脈

陰蹻脈者。亦起於跟中。循內踝上行。至咽喉。交貫衝脈。此爲病者。令人陽緩而陰急。故曰蹻脈者。少陰之別。別於然谷之後。上內踝之直上。循陰股入陰。上循胸裏。上入缺盆。上出人迎之前。入鼻。屬目內眥。合於太陽。兩足蹻脈。長八尺。而陰蹻之郄在交信。陰蹻脈病者取此。

衝脈

衝脈者。與任脈皆起於胞中。上循腹裏。爲經絡之海。循腹上行。會於咽喉。別而絡脣口。故曰。衝脈者。起於氣衝。并足少陰之經。俠臍上行。至胸中而散。此爲病。令入逆氣裏急。難經則曰。并足陽明之經。以穴考之。足陽明。俠臍左右各二寸而上行。足少陰。俠臍左右各五分而上行。針經所載。衝脈與督脈。同起於會陰。其在腹也。行乎幽門。通谷，陰都。石關。商曲。肓俞。中注。四滿。氣穴。大赫。横骨。凡二十二穴。皆足少陰之分也。然則衝脈。并足少陰之經明矣。

陽維脈

陽維。維於陽。其脈起於諸陽之會。與陰維。皆維絡於身。若陽不能維於陽。則溶溶不能自收持。其脈氣所發。別於金門。（在足外踝下太陽之屬，）以陽交爲郄。（在外踝上七寸）與手足太陽。及蹻脈。會於臑俞。（肩胛後上廉，）與手足少陽。會於天髎。（在缺盆上，）又會於肩井（肩上）其在頭也。與足少陽。會於陽白（在肩上，）上於本神。及臨泣。上至正營。循於腦空。下至風池。其與督脈會。則在風府及啞門。難經云。陽維爲病。苦寒熱。此陽維脈氣所發。凡二十四穴。

陰維脈

陰維。維於陰。其脈起於諸陰之交。陰若不能維於陰。則悵然失志。其脈氣所發者。陰維之郄。名曰築賓見足少陰。與足太陰會於腹哀大橫。又與足太陰厥陰。會於府舍期門。與任脈會於天突廉泉。難經云。陰維爲病。苦心痛。此陰維氣所發。凡十二穴。

帶脈

帶脈者。起於季脅。回身一週。其爲病也。腰腹縱容如囊水之狀。其脈氣所發。在季脅下一寸八分。正帶脈。以其回身一周如帶也。又與足少陽。會於維道。

以上雜取素問。難經。甲乙經。聖濟總錄。參合爲篇。

註：蹻維衝帶未繪圖可參考醫宗金鑑之針灸心法中各圖

經穴學第一章總論篇終

經穴學

第二編　經穴篇　　江陰　承澹盦編

第二章　經穴篇

一、手太陰肺經穴

手太陰肺經穴，自胸部中府穴起，經臑臂內而至手大指端少商穴止，計十一穴，

一、中府

解剖　在第一肋骨之下，前胸壁之外上端。外層爲大胸筋。內層爲小胸筋。有腋窩動脈與靜脈。有前胸神經中膊皮下神經。

部位　在雲門下一寸六分。與任脈華蓋穴相平。相去五寸。

主治　傷寒肺急胸滿。喘逆善噎食不下。咳嗽上氣不得臥。肺風面腫肩背痛。流涕浠。喉痺。少氣肩息汗出。癭瘤。尸注。

摘要　此穴爲肺之募穴。又手足太陰之會也。主瀉胸中之熱。及身體之煩熱。『百證賦』胸滿更加噎塞。中府意舍所行。『千金』上氣。欬逆短氣。氣滿食不下。灸五十壯。

取法　仰臥。按乳上肋骨三枚之上。四枚之下。卽第一肋骨之下。去中行五寸。普通取法。由乳頭直上三寸。外開一寸。肋骨罅間。

五分至一寸深。不可太深。灸五壯至五十壯。

肺經圖

一、中府 二、雲門 三、天府 四、俠白 五、尺澤

六、孔最 七、列缺 八、經渠 九、太淵 十、魚際

十一、少商 十二、華蓋 十三、上脘

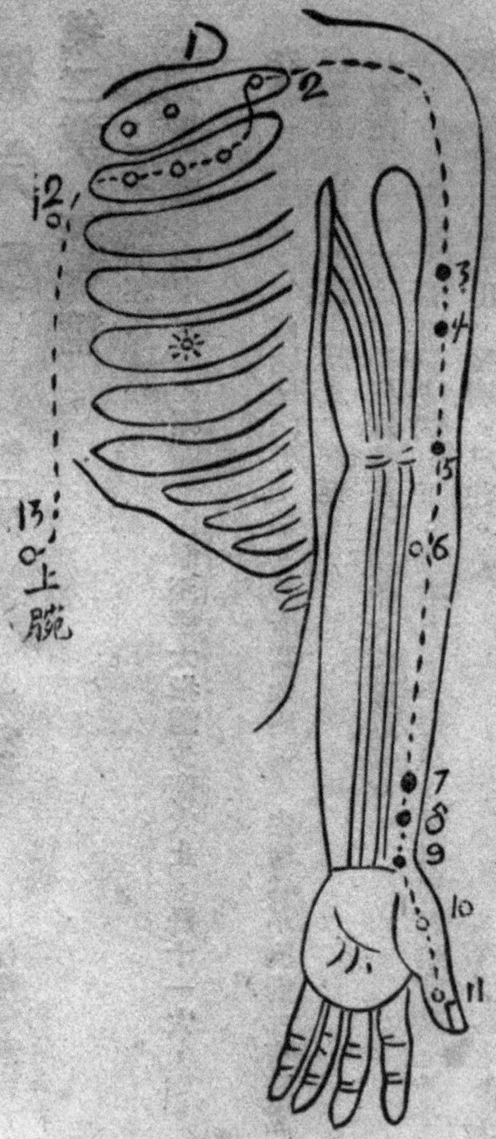

二、雲門

解剖 在鎖骨下窩部之外側端。內有三角筋。及鎖骨下神經。前胸神經。胸肩峯動脈與靜脈。

部位 在巨骨鎖骨之下。離任脈璇璣旁六寸。中府微斜上一寸六分餘。

主治 傷寒。喉痺。欬逆喘不得息。四肢熱不已。胸脅煩滿。肩痛不舉。胸脅徹背痛。

摘要 此穴主瀉四肢之熱。『千金』治病癭上氣胸滿。可灸百壯。

取法 仰臥按鎖骨下凹陷中，去中行六寸取之。坐則平舉手取之。

針灸 五分至一寸。灸五壯以上至百壯。注意。針太深。能令氣短促。

三、天府

解剖 在腋下上膊部。有二頭膊筋。腋窩動脈靜脈。及正中神經。其深處即上膊骨之上部。

部位 在腋下三寸。臂之內側。直對尺澤。距尺澤七寸。

主治 中風中惡。口鼻衄血。暴痺。寒熱痎瘧。目眩善忘。喘息不得臥。癭氣。

摘要 『百症賦』天府合谷。鼻中衄血宜追。『千金』治身重嗜臥不自覺。灸百十壯。針三分補之。

「素問至眞要大論」天府絕。死不治。絕者腋窩動脈不搏動也。

取法　以手平舉。從尺澤上七寸取之。或以手向平舉。鼻尖塗墨。俯首就臂。鼻尖到處是穴。

針灸　鍼五分至一寸。禁灸。灸則令人逆氣。千金則灸之。

四、俠白

解剖　有三頭膊筋。上膊動脈。頭靜脈。內膊皮下神經。撓骨神經枝。

部位　在天府下二寸。尺澤上五寸。

主治　心痛短氣。嘔逆煩滿。

摘要　與內關合鍼。能開胸滿。

取法　以手平伸。從尺澤直上五寸取之。

針灸　針五分至一寸深。灸五壯。

五、尺澤

解剖　適當前膊與上膊之關節部。二頭膊筋腱之外面。

部位　在肘中約之紋筋腱內側。

主治　汗出中風。寒熱痎瘧。喉痺鼓頷。嘔吐上氣。心煩身痛。口乾喘滿。欬嗽吐濁。心痛氣短。肺脹息賁。心疼腹痛。風痺肘攣。四肢腫痛不舉。溺數遺矢。面白善嚔。

悲愁不樂。

摘要　此穴爲手太陰之脈所入爲合水『千金』治邪病四肢重痛諸雜候。尺澤主之。『席弘賦』五般肘痛尋尺澤『雜病穴法歌』吐血尺澤功無比。『玉龍歌』筋急不開手難伸。尺澤從來要認眞。『又』兩肘拘攣筋骨連。艱難動作欠安然。只將曲池針瀉動。尺澤兼行是聖傳。

取法　以手平伸。按取肘中。筋腱之外「大指側」取之。

針灸　針四分至八分一寸深。不宜灸。

六、孔最

解剖　有長回後筋。膊撓骨筋。及撓骨動脈與靜脈枝。有外膊皮下神經。撓骨神經之皮下枝。

部位　在尺澤下三寸。腕側橫紋上七寸。

主治　傷寒發熱汗不出。欬逆。肘臂痛屈伸難。吐血失音。頭疼咽痛。

摘要　此穴爲手太陰之郄。熱病汗不出。灸三壯卽汗出。

取法　以手平伸。從腕橫紋端。上量七寸。直對尺澤取之。

針灸　針三分至七分深。灸五壯。

七、列缺

解剖　此處爲撓骨近關節處之上側。有撓骨動脈枝。外膊皮下神經。撓骨神經之皮下枝。

部位　去腕側一寸五分。

主治　偏風口眼喎斜。手肘痛無力。半身不遂。口噤不開。痎瘧寒熱。煩躁。咳嗽。喉痺。嘔沫。縱唇。健忘。驚癇。善笑。妄言妄見。面目四肢疼腫。小便熱痛。實則肩背暴腫汗出。虛則肩背寒慄。少氣不足以息。

摘要　此穴爲手太陰之絡。別走陽明。『千金』治男子陰中疼痛。尿血精出。灸五十壯。「玉龍歌」寒痰咳嗽更兼風。列缺二穴最堪攻。先把太淵一穴瀉。加多艾火即收功。「席弦賦」氣刺兩乳求太淵。未應之時瀉列缺。『又』列缺頭痛及偏正。重瀉太淵無不應。『四總穴』頭項尋列缺。『馬丹陽十二訣』善療偏頭患。遍身風痺麻。痰涎頻壅上。口噤不開牙。

取法　以手之大食二指之虎口交叉。食指盡處。筋骨罅中取之。

針灸　針二分至三分深。灸三壯。

八、經渠

解剖　有長外轉托筋。撓骨神經之皮下枝。

部位　在腕後五分。寸口脈上。

主治　傷寒熱病汗不出。心痛嘔吐。痎瘧寒熱。胸背拘急。胸滿脹。喉痺。欬逆上氣。掌中熱。

摘要　此穴爲手太陰脈之所行爲經金「百症賦」熱病汗不出。大都更接於經渠。

取治　伸臂腕横紋上五分脈窠中取之。

針灸　針二分至三分深。禁灸。灸則傷神明。

九、太淵

解剖　有外轉托筋。撓骨動脈枝。撓骨神經之皮下枝。

部位　在寸口前。横紋上。緊接經渠。

主治　乍寒乍熱，煩躁狂言。胸痺氣逆。肺脹喘息。嘔噦噫氣。欬嗽咳血。咽乾心痛。目痛生翳赤筋。口噼。缺盆痛。肩背痛引臂。溺色變。遺矢。煩悶不得眠。

摘要　此穴爲手太陰脈之所注爲俞土『席弘賦』氣刺兩乳求太淵。未應之時瀉列缺。又列缺頭痛及偏正。重瀉太淵無不應。又五般肘痛尋寸澤。太淵針後却收功。『玉龍歌』寒痰欬嗽更兼風。列缺二穴最堪攻。先把太淵一穴瀉。多加艾火即收功。「神農經」治牙疼及手腕無力疼痛。可灸七壯。

取法　伸掌。於腕骨上陷中。搯之甚酸楚處。取之。

針灸　針一二分深。灸三壯。

十、魚際

解剖　有拇指對向筋。短屈拇筋。有撓骨動脈之背枝動脈。及撓骨神經枝。

部位　在大指本節後內側白肉際。散紋中。

主治　酒病身熱惡風、寒熱舌上黃。頭痛。欬吐血。傷寒汗不出。痺走胸背痛不得息。目眩煩心。少氣寒慄。喉燥咽乾。欬引尻痛。吐血。心痺悲恐。腹痛食不下。乳癰。

摘要　此穴爲手太陰脈之所流爲滎火。『席弘賦』「百症賦」喉痛兮，液門魚際去療。「一傳」汗不出者，針太淵經渠通里，便得淋漓，更瀉二間三間，便得汗至遍身。「千金」齒痛不能飲食，左患灸右，右患灸左。

取法　手掌微握拳。側向上。於赤白肉際本節中央。取之之

針灸　針三分至六分深。灸五壯。

十一、少商

解剖　有長曲拇筋。與拇指內轉筋。分布撓骨神經枝

部位　在拇指內側之第一節。去爪甲角如韮葉。

主治　頷腫。喉痺。乳蛾。咽腫喉閉。欬逆。痎瘧。煩心嘔吐。腹脹腸鳴。寒慄鼓頷。手攣指痛掌中熱口乾引飲。食不下。

摘要　此穴爲手太陰脈之所出爲井木。微剌出血。能泄諸臟之熱「乾坤生意」凡初中風猝暴昏沉。痰涎壅盛。不省人事。牙關緊閉。藥水不下。急以三稜針刺此穴與諸井穴

。使氣血流行。乃起死回生急救之妙穴。『百症賦』少商曲澤。血虛口渴同施。『天星秘訣』指痛攣急少商好。「養生」咽中腫塞。水粒不下。針之立愈。「肘歌後」剛柔二痙最乖張。口噤眼合面紅粧。熱血流入心肺腑。須要金針刺少商。「勝玉歌」頷腫喉閉少商前。「雜病穴法歌」小兒驚風刺少商。人中湧泉瀉莫深。

取法 微握掌。手掌側向上。大指爪甲角一分許。赤白肉際處取之。

針灸 針微斜入一分許。瀉熱；宜以三稜針刺出血。不可灸。灸鬼魅邪祟。有灸之者。

二 手陽明大腸經穴

手陽明大腸經穴。自食指內側端開始起。經手臂肩頸而上入面部鼻旁之迎香穴上。共計二十穴。

一、商陽

解剖 有頭靜脈。指背動脈。撓骨神經之皮下枝。

部位 食指端內側。去爪甲角如韮葉。

主治 傷寒熱病汗不出。耳鳴耳聾。痎瘧。胸中氣滿。喘咳口乾。頤腫齒痛，目盲惡寒。肩背肢臂腫痛。急行缺盆中痛。

摘要 此穴為手陽明之脈所出為井金。「乾坤生意」治中風猝倒。暴卒昏沉。痰盛不省人事。

大腸經圖

1.商陽
2.二間
3.三間
4.合谷
5.陽谿
6.偏歷
7.温溜
8.下廉
9.上廉
10三里
11曲池
12肘髎
13五里
14臂臑
15肩髃
16巨骨
17天鼎
18扶突
19禾髎
20迎香

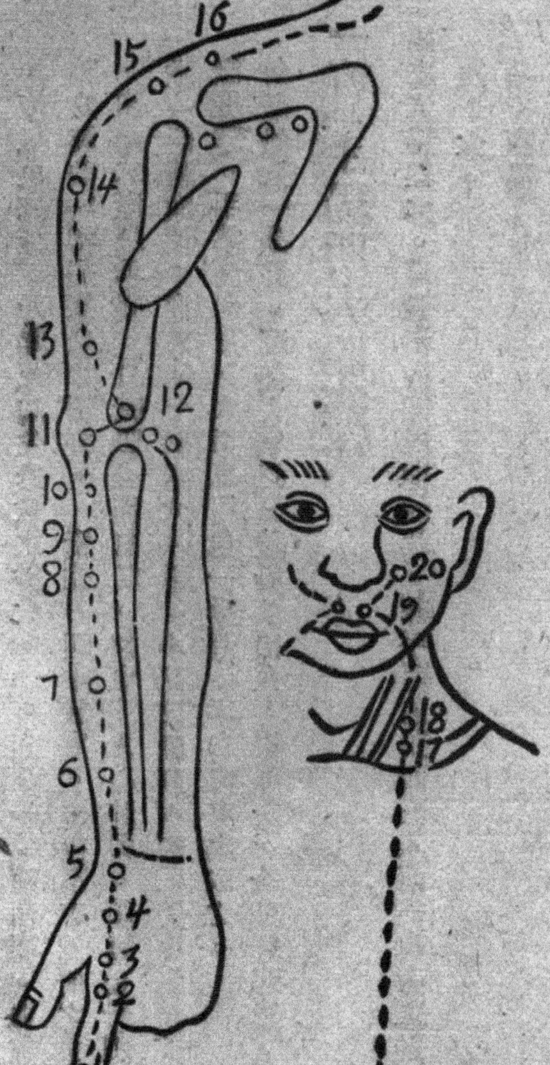

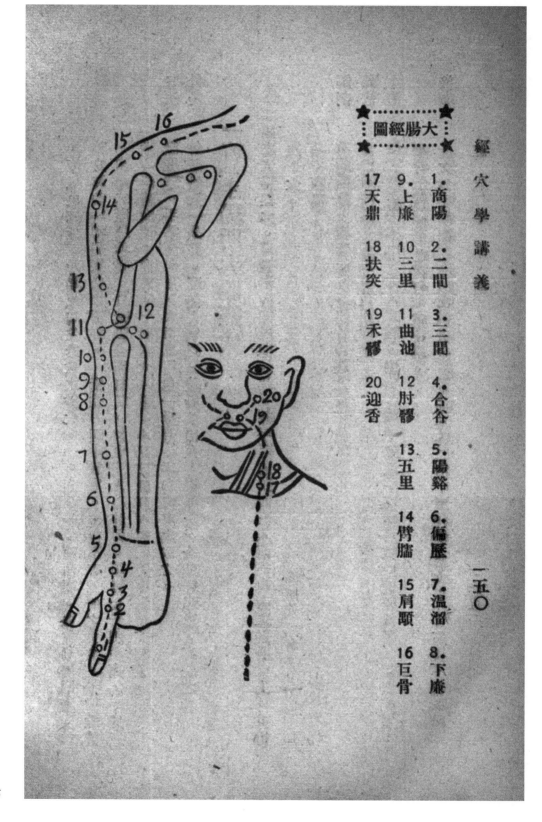

事。牙關緊閉。藥水不下。急以三稜鍼出血之。「百症賦」寒瘧兮。商陽太谿驗。

取法 以手掌側置。於食指端爪甲角一分許。赤白肉際取之。

針灸 針一分深。灸三壯。

二、二間

部剖 仝商陽

解位 在食指關節第三節之前內側。當食指之旁面近關節處。

主治 頷腫喉痺。肩背臑痛。鼽衄。齒痛舌黃口乾。口眼歪斜。飲食不思。振寒。傷寒水結。

摘要 此穴為手陽明之脈所流為滎水「席弘賦」牙疼頭痛并咽痺。二間陽谿疾怎逃「百症賦」寒慄惡寒。二間疏通陰郄諳。「天星祕訣」牙疼頭痛兼喉痺。先刺二間後三里「玉龍歌」牙疼陣陣苦相煎。穴在二間要得傳。

取法 以手握拳側置。按食指本節前第三節骨邊陷中取之。

針灸 針一二分深。灸三壯。

三、三間

解剖 有指掌動脈。頭靜脈。撓骨神經。

部位 在第二掌骨端之凹陷處。即食指本節後陷中。去二間約一寸。

主治　鼽衄。熱病。喉痺咽塞。氣喘多吐。唇焦口乾。下齒齲痛。目背急痛。吐舌捩頸。嗜臥。腹滿腸鳴洞泄。寒熱瘧。急食不通。傷寒氣熱身寒善驚。

摘要　此穴爲手陽明脉之所注爲腧木。「席弘賦」更有三間腎俞妙。善治肩背浮風勞。「百症賦」目中漠漠。即尋攢竹三間。「捷徑」治身熱氣喘。口乾目急。

取法　握拳側置。按壓食指本節後骨節凹陷處取之。

針灸　針三分深。灸三壯

四、合谷

解剖　此處爲第一手背側骨間筋。有撓骨動脉。撓骨神經。

部位　在食指拇指凹骨間陷中。即第一掌骨與第二掌骨中間之陷凹處。

主治　傷寒大渴。脉浮在表。發熱。惡寒。頭痛脊強。風疹寒熱。痎瘧。熱病汗不出。偏正頭痛。面腫。目翳。唇吻不收。瘖不能言。口禁不開。腰脊引痛痿躄。小兒乳娥。一切齒痛。

摘要　此穴爲手陽明脉之所過爲原穴。「千金」產後脉絕不還。針合谷三分。急補之「神農經」鼻衄。目痛不明。牙疼。喉痺。疥瘡。可灸三壯至七壯。「蘭江賦」傷寒無汗。瀉合谷。補復溜。若汗多不止。補合谷。瀉復溜。「席弘賦」手連肩尖痛難忍。合谷太冲隨手取又曲池兩手不如意。合谷下針宜細仔，又睛明治眼未効時。合谷光明安可缺。又冷嗽先宜補合谷。又須針瀉三陰交。「百症賦」天府合谷。鼻中衄血宜追。「天星祕訣」寒瘧面腫及腸鳴。光取合谷後內庭。「四總穴」面口合谷收。「馬丹陽天星十二訣」頭疼幷面腫。瘧病熱還寒。齒齲及衄血。口噤不開言。「肘後歌」口噤合眼藥不下。合谷一針効甚奇。又傷寒不汗合谷瀉。「勝玉歌」兩手痠重難執物。曲池合谷共肩髃。「雜病穴法歌」頭面耳目口鼻病。曲池合谷爲之主。又赤眼迎香出血奇。臨泣太冲合谷侶。又耳聾臨泣與金門。合谷針後聽人語。又鼻塞鼻痔及鼻淵。合谷太冲隨手取。又舌上生苦合谷當。又牙風面腫頰車神。合谷臨泣瀉不數。手指連肩相引疼。合谷太冲能救苦。又痢疾合谷三里宜。又婦人通經瀉合谷

取法 微握拳。側置。按虎口岐骨間。陷中取之。

針灸 針五分至一寸深。灸三壯。孕婦禁針。

五、陽谿

解剖 穴在舟狀骨與撓骨兩關節之中。有頭靜脈撓骨動脈枝。有外膊皮下神經。撓骨神經。

部位 在手腕橫紋之上側。兩筋間陷中。與合谷直。

主治 熱病狂言。喜笑見鬼。煩心掌中熱。目赤翳爛。厥逆頭痛。胸滿不得息。寒熱痎瘧嘔沫。喉痺。耳鳴。齒痛。驚掣。肘臂不舉。痂疥。

摘要　此穴爲手陽明脈之所行爲經火。『席弘賦』牙疼頭痛兼喉痺。二間陽谿疾怎逃『百症賦』肩顒陽谿。消陰中之熱極。

取法　手握拳側置。就合谷直上約一寸二分地位。陷中取之。

針灸　針二三分深。灸三壯。

六、偏歷

解剖　此處爲短伸拇筋。有頭靜脉。撓骨動脈枝。後下膞皮下神經。撓骨神經。

部位　在腕後三寸。

主治　痎瘧寒熱。癲疾多言。目視𥆧𥆧。耳鳴。喉痺。口渴咽乾。鼻衄。齒痛。汗不出。

摘要　此穴爲手陽明之絡別走太陰、『標幽賦』利小便、治大人水蠱。針偏歷、

取法　從陽谿直上三寸。對直曲池取之。或如列缺取法、兩手交叉取中指之端、

針灸　針二三分深、灸三壯。

七、溫溜

解剖　有長外轉拇筋。頭蟳脈、撓骨動脉、三分枝、與後下膞之皮下神經。

部位　去偏歷二寸、

主治　傷寒寒熱頭痛、喜笑狂言見鬼。噦逆吐沫、噎膈氣閉。口舌腫痛喉痺。四肢腫。腸鳴腹痛。肩不得舉。肘腕痠痛。

摘要　此穴爲手陽明郄。『百症賦』傷寒項強。溫溜期門而主之。
取法　以手側置。從陽谿直上五寸。直對曲池取之。
針灸　針三四分深。灸三壯。

八、下廉

解剖　有長屈拇筋。頭動脈。撓骨動脈枝，後膊皮下神經。撓骨神經。
部位　曲池下四寸。
主治　勞瘵狂言。頭風痺痛。飧泄小腹滿。小便血。小腸氣面無顏色。痃癖腹痛不可忍。食不化。氣喘涎出。乳癰。
摘要　此穴與巨虛。三里。氣冲。上廉。主瀉胃中之熱。
取法　以手側置。從曲池直下四寸取之。
針灸　針三至五分。灸五壯。

九、上廉

解剖　有長屈拇筋。中頭靜脈。撓骨動脈。外膊皮下神經。撓骨神經。
部位　曲池下三寸。下廉上一寸。
主治　腦風頭痛。咽痛喘息。半身不遂。腸鳴。小便澀。大腸氣滯。手足不仁。
摘要　此穴主瀉胃中之熱。與氣衝，三里。巨虛，下廉同。

取法　仝下廉取法。直上一寸。

針灸　針五分至一寸深。灸五壯。

十、手三里

解剖　仝上穴。

部位　曲池下二寸。

主治　中風口噼。手足不遂。五勞虛乏羸瘦。霍亂遺矢失音。齒痛頰腫。瘰癧。手痺不仁。肘攣不伸。

摘要　席弘賦腰背痛連臍不休。手中三里便須求。又手足上下針三里。食癖氣塊憑此取。「百症賦」兩臂頑麻。少海就傍於三里。「通玄賦」肩背痛治三里宜。『勝玉歌』臂痛背疼針三里。「雜病穴法歌」頭風目眩項捩強。中脈金門手三里。又手三里治肩連臍。又手三里治舌風舞。

取法　照上穴取式。自曲池下量二寸是穴。

針灸　針五分至一寸深。灸五壯。

十一、曲池

解剖　肘灣合尖處。爲長回後筋內膊筋之間。有撓骨動脈。撓骨神經。

部位　在肘外輔骨之陷中。屈肘橫紋頭。

主治 傷寒振寒。餘熱不盡。胸中煩滿熱渴。目眩耳痛。喉痺不能言。瘈瘲癲疾。繞踝風。手臂紅腫。

摘要 爲大腸脈之所入爲合土。善治肘中痛。偏風半身不遂。風邪泣出。臂膊痛，筋緩無力。屈伸不便。皮膚乾燥痂疥。婦人經水不行。『神農經』治手肘臂膊疼細無力。半身不遂。發熱胸前煩滿。灸十四壯。「玉龍歌」偏補曲池瀉人中。「百症」半身不遂。陽陵遠達於曲池。又發熱仗少冲曲池之津。『標幽賦』曲池肩井。甄權針臂痛而復射。『席弘賦』曲池兩手不如意。合谷下針宜仔細。『秦承祖』主大人小兒遍身痂疥風疹，灸之。『馬丹陽十二訣』善治肘中痛。偏風手不收。挽弓開不得。筋緩莫梳頭。喉閉促欲死。發熱更無休。遍身風癬癩。鍼着即時瘳。「千金」爲十三鬼穴之一。名曰鬼臣。治百邪癲狂鬼魅。「肘後歌」鶴膝腫勞難移步。尺澤能舒筋骨疼，更有一穴曲池妙。又腰背若患攣急風，曲池一寸五分攻。「勝玉歌」兩手痠重難執物，曲池合谷共肩顒。「雜病穴法歌」頭面耳目口鼻病。曲池合谷爲之主。

取法 以手拱至胸前。乃就肘灣屈之横紋尖上取之。

鍼灸 鍼一寸至一寸五深。灸五壯至十壯。

十二、肘髎

解剖 在三頭膊筋部。有迴反撓骨動脈。頭靜脈。撓骨神經。

部位　在曲池上稍外斜一寸。大骨外廉陷中。

主治　肘節風痺臂痛不舉。麻木不仁。嗜臥。

摘要　手臂痛麻木。

取法　如取曲池式。按取上下膊關節間陷中處是穴。

鍼灸　鍼三分至五分深。灸三壯。

十三、五里

解剖　在二頭膊筋之旁。撓骨副動脈。頭靜脈及內膊皮下神經。

部位　在肘上三寸。行向裏大脈中央。

主治　風勞驚恐。吐血咳嗽嗜臥。肘臂疼痛難動。脹滿氣逆。寒熱。瘰癧，目見䀮䀮。痎瘧。

摘要　「百證賦」五里臂臑。生癧瘡而能治。

取法　如取曲池式。手拱起。就曲池量上三寸。

灸鍼　此穴禁鍼。灸三壯至十壯。

十四、臂臑

解剖　此處爲三角筋部。頭靜脈後。有迴旋上膊動脈。腋窩神經。

部位　在臂外側。去肘七寸肩顒下三寸。

主治 臂痛無力。寒熱。瘰癧，頸項拘急。

摘要 「百症賦」五里臂臑。生癧瘡而能治。「千金」治癭氣灸隨年壯。

取法 肘彎屈平舉。由曲池量上七寸。對肩髃取之。

鍼灸 此穴宜以手舉平取之。禁不可鍼。但灸自七壯至百壯。

十五、肩髃

解剖 有三角筋迴轉上膊動脈。頭靜脈枝。鎖骨神經枝。

部位 在肩尖下寸許。罅陷中。舉臂有空陷。

主治 中風偏風。半身不遂。肩臂筋骨酸痛。不能仰頭。傷寒作熱不巳。勞氣泄精憔悴。四肢熱。諸癭氣瘰癧。

摘要 此穴主治瀉四肢之熱。「千金」灸癭氣須十七八壯。「玉龍歌」肩端紅腫痛難當。寒溼相爭氣血狂。若向肩髃明補瀉。管君多灸自安康。「天星祕訣」手臂攣痺取肩髃。「百賦症」肩髃陽谿。消陰中之熱極。「甄權」唐臣狄欽患風痺。手不得伸。甄權針此穴立愈。「勝玉歌」兩手痠重難執物。曲池合谷共肩髃。

取法 以手平舉。按取肩尖骨下陷中。

鍼灸 灸偏風不遂。自七壯至七七壯。不可過多。多則使臂細。鍼六分留六呼。

十六、巨骨

解剖　有三角筋。肩峯動脈枝。腋下靜脈枝。前胸廓神經。
部位　在肩顒上。肩胛關節前下陷中。
主治　驚癇。吐血。胸中有瘀血。臂痛不得屈伸。
摘要　此穴不宜鍼灸。
取法　按取肩端前面。卽肩胛骨端之前側陷中是穴。
鍼灸　灸三壯至七壯

十七、天鼎

解剖　有前項之不正筋分佈。橫肩胛動脈。鎖骨上神經。
部位　離甲狀軟骨「卽喉結」三寸五分。再下一寸。卽頭筋下肩井內。
主治　喉痺咽腫。不得食。暴瘖氣哽。
摘要　『百症賦』天鼎間使。失音囁嚅而休遲。
取法　從人迎「頸動脈跳動處」旁開一寸五分。直下二寸。當缺盆之上方取之。
鍼灸　鍼五分。灸五壯。

十八、扶突

解剖　爲胸鎖乳頭筋部。有橫頸動脈。及第三頸椎神經。
部位　去喉結「甲狀軟骨」三寸。天鼎上前一寸。人迎後一寸五分。

主治　咳嗽多唾。上氣喘息。喉中如水雞聲。暴瘖氣哽。

取法　從天鼎穴量上一寸。

鍼灸　針三分。仰而取之。灸三壯。

十九、禾髎

解剖　為上顎骨犬齒窩部。有下眼窩動脈。深部顏面靜脈。下眼窩神經枝之分佈。

部位　在人中旁五分。

主治　尸厥。口不可開。鼻瘡瘜肉。鼻塞鼽衄。

摘要　「靈光賦」兩鼽鼻衄針禾髎。「雜病穴法歌」衄血上星與禾髎。

取法　鼻孔之直下二分許取之。

鍼灸　針二分至三分。禁灸。

二十、迎香

解剖　為顏面方筋。有下眼窩動脈。深部顏面靜脈。及下眼窩神經。

部位　在眼下一寸五分。禾髎斜上一寸。鼻窪外五分。

主治　鼻塞不聞香臭瘜肉。多涕有瘡。鼽衄喘息不利。偏風喎斜。浮腫。風動面癢。狀如蟲行。

摘要　「玉龍歌」不聞香臭從何治。迎香二穴可堪攻。「席弘賦」耳聾氣閉聽會針。迎香穴瀉功如神。

取法　鼻翼旁五分。當鼻窪溝中。

鍼灸　針二分至三分。此穴禁灸。

足陽明胃經穴

本經自目下承泣穴開始直下至大迎另一枝自頭維穴下行經頰車合下人迎入胸前過腹部至股之前面直下過膝臏行下腿外側之前面下至跗上出次趾端計四十五穴。

一、承泣

解剖　爲上顎骨部有上唇固有舉筋下側有半月狀骨「顴骨」有下眼窠動脈下眼窠神經。

部位　在目下七分與瞳子相直。

此穴針灸兩忌。

二、四白

解剖　亦爲上顎骨部有下眼窠動脈下眼窠神經。

部位　在承泣下三分去目一寸直對瞳子。

主治　頭痛目眩目赤生翳瞤動流淚眼眩癢口眼喎僻不能言。

取法　正坐按目眶骨下取之。

胃經穴圖

1.承泣
2.四白
3.巨髎
4.地倉
5.大迎
6.頰車
7.下關
8.頭維

9.人迎
10 水突
11 氣舍
12 缺盆
13 氣戶
14 庫房
15 屋翳
16 膺窗

17 乳中
18 乳根
19 不容
20 承滿
21 梁門
22 關門
23 太乙
24 滑肉門

25 天樞
26 外陵
26 大巨
27 水道
28 歸來
29 氣衝

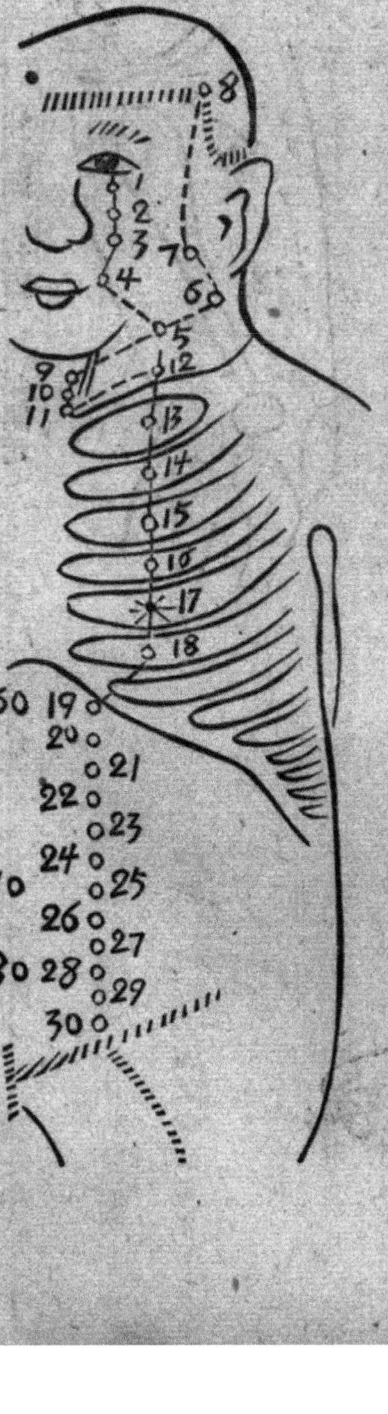

31 髀關　32 伏兔　33 陰市　34 梁丘　35 犢鼻　36 三里　37 上巨虛　38 條口

39 下廉下巨虛　40 豐隆　41 解谿　42 衝陽　43 陷谷　44 內庭　45 厲兌

46 巨闕　47 臍　48 關元

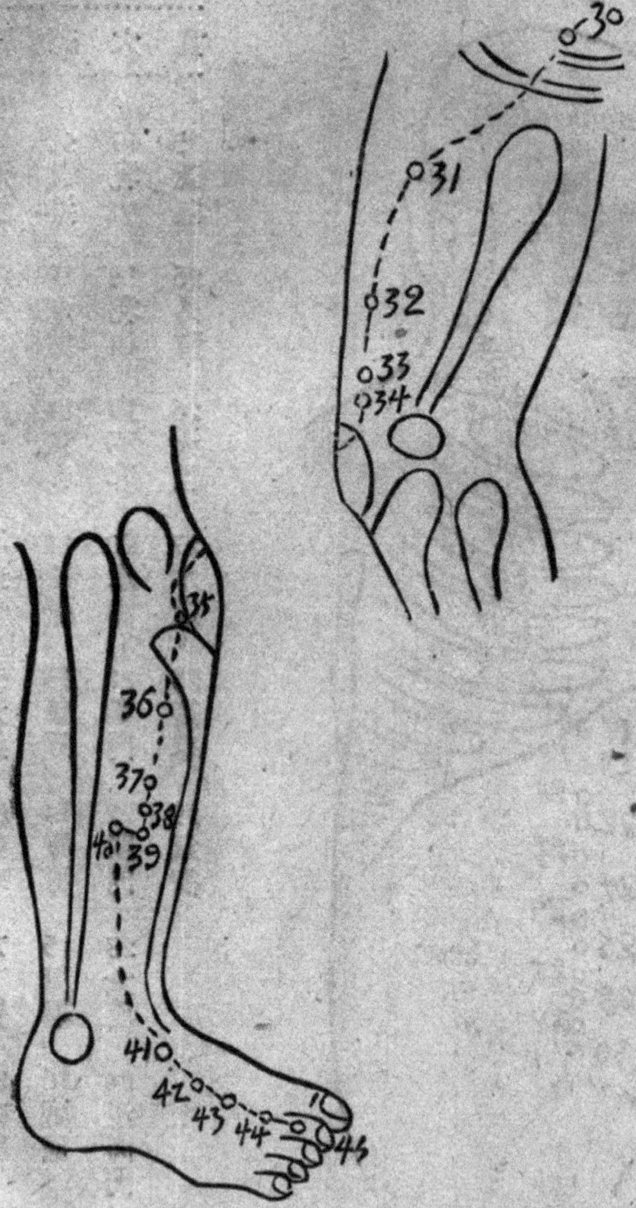

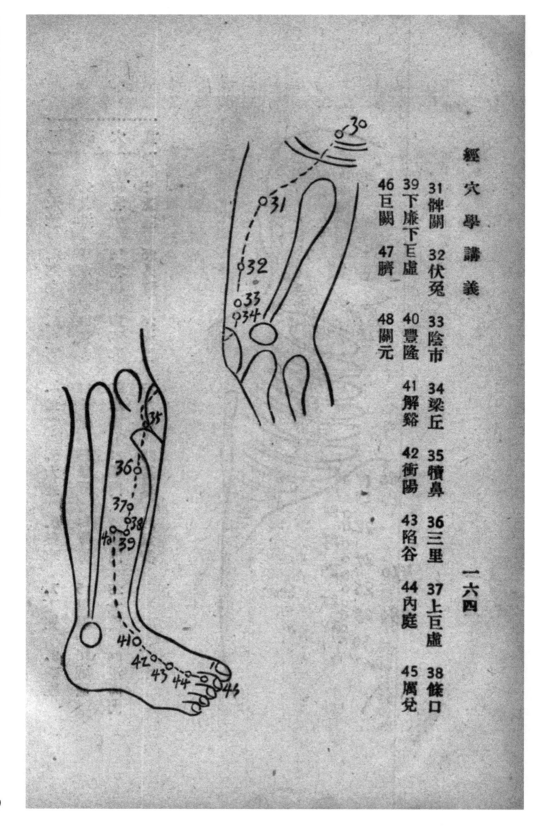

鍼灸　[illegible]針二分深。不可太深。深則目成烏黑色。禁灸。

三、巨髎

解剖　亦爲上顎骨部有下眼窩動脈與下眼窩神經。

部位　在四白之下距鼻孔旁七八分之間。適在顴骨之下。

主治　瘈瘲。唇頰腫痛口喎。目障青盲無見遠視䀮䀮。面風鼻腫。脚氣膝脛腫痛。

摘要　「百證賦」胸膈停留瘀血。腎俞巨髎宜針。

取法　正坐從鼻翼旁開直對瞳子處取之。

針灸　針三分禁灸。

四、地倉

解剖　此處爲口輪匝部之筋。有顏面神經。三叉神經。上下口唇冠狀動脈。

部位　在口吻旁四分。

主治　偏風口眼歪斜。牙關不開。齒痛頰腫。目不得閉。失音不語。飲食不收。水漿漏落眼瞤動。遠視䀮䀮。昏夜無見。

摘要　『百症賦』頰車地倉穴。正口喎於片時。『靈光賦』地倉能治口流涎。『肘後歌』治虫在臟腑食肌肉。『雜病穴法歌』治口噤喎斜流涎多。

取法　正坐從口角旁四分取之。

針灸　針五分。灸七壯至七七壯。病左治右。病右治左。艾炷宜小。過大則口反喎。却灸承漿即愈。

五、大迎

解剖　爲下顎骨部。有咬嚼筋。外顎動脈。顏面神經。

部位　在曲頷前一寸三分。

主治　風痙口瘖。口噤不開。唇吻瞤動。頰腫牙痛。舌強不能言。目痛不能閉。口喎數欠風壅面腫。寒熱瘰癧。

摘要　『百症賦』目眩兮。顴髎大迎。『勝玉歌』牙顋疼緊大迎前。

取法　下顎隅之前一寸三分部位。鼓頤視之。下顎邊際有凹陷之處。

針灸　針三分。灸三壯。

六、頰車

解剖　爲下顎骨部。有咬嚼筋。顏面神經。外顎動脈。

部位　在耳下一寸左右。曲頰上端。近前陷中。

主治　中風牙關不開。失音不語。口眼歪斜。頰腫牙痛。不可嚼物。頸強不得回顧。

摘要　「百症賦」頰車地倉穴。正口喎於片時。「玉龍歌」口眼喎斜最可嗟。地倉妙穴連頰車。「勝玉歌」瀉却人中及頰車。治療中風口吐沫。「雜病穴法歌」口噤喎斜流涎多。地倉頰車仍可與。叉牙風面腫頰車神。

取法　正坐開口。按曲頰處微前陷中取之。

針灸　針三分。灸三壯至七七壯。

七、下關

解剖　爲下顎骨之顆狀突起部。有咀嚼筋。顏面神經外顎動脈。

部位　在耳前顴骨橋端之下。合口有空。張口則閉。

主治　偏風口眼喎斜。耳鳴耳聾。痛癢出膿。失欠牙關脫臼。

取法　按耳珠前約一寸。骨下陷中取之。

針灸　針三分。不可久留針。亦不可灸。

八、頭維

解剖　爲前頭蓋骨部。有前頭筋。顳顬動脈枝。顏面神經。

部位　在額角入髮際去神庭旁四寸五分。

主治　頭風疼痛如破。目痛如脫。淚出不明。

摘要　「玉龍歌」眉間疼痛苦難當。攢竹沿皮剌不妨。若是眼昏皆可治。更針頭維即安康。「百症賦」淚出剌臨泣頭維之處。

取法　正坐。自正中髮際入髮五分神庭穴位旁開四寸五分取之。

針灸　針三至五分。沿皮下針。禁灸。

九、人迎

解剖　當胸鎖乳嘴筋之內緣。有外頸動脈。上頸皮下神經。舌下神經之下行枝。

部位　在頸部大動脈應手之處。去結喉旁一寸五分。

主治　吐逆霍亂。胸中滿。喘呼不得息。咽喉癰腫。

取法　按頸側部動脈跳動處。仰而取之。

針灸　針二三分。不可過深。禁灸。

十、水突

解剖　此處亦屬胸鎖乳嘴筋。有上頸皮下神經。舌下神經之下行枝。外頸動脈。

部位　在人迎下。氣舍上。

主治　欬逆上氣。咽喉癰腫。短氣喘息不得臥。

取法　取人迎氣舍之中間。仰而取之。

針灸　針三分。灸三壯。

十一、氣舍

解剖　在鎖骨上窩之內面。有內乳動脈。鎖骨上神經。

部位　在人迎之直下近陷凹中。旁爲天突穴。

主治　欬逆上氣。喉痺哽咽食不下。手腫項強不能回顧。

取法　端坐。按胸骨把柄端之上角外側邊取之。

針灸　針三分灸三壯。

十二、缺盆

解剖　是處有闊頸筋。適當肺尖之部。有鎖骨下動脈。鎖骨神經。

部位　在結喉旁。橫骨上部之陷凹中。

主治　傷寒胸中熱不已。喘急息奔。欬嗽胸滿。水腫。瘰癧。缺盆中腫外潰。喉痺汗出。

摘要　主瀉胸中之熱。與大杼中府同。

取法　按取鎖骨上側。下直乳頭取之。

針灸　針三五分深。過深則令人逆息。孕婦禁針。灸三壯

十三、氣戶

解剖　是處爲乳腺部。即第一肋間。有大胸筋。小胸筋。內外肋間筋。上胸動脈。胸廓神經。中包肺臟。

部位　在鎖骨下一寸。去中行璇璣旁四寸。

主治　欬逆上氣。胸背痛。支滿喘急不得息。不知味。

摘要　「百症賦」脇肋疼痛。氣戶華蓋有靈。

取法　仰臥按取鎖骨下陷中。直對乳頭取之。

針灸　針三五分。灸三壯。

十四、庫房

解剖　在第二肋間。亦有大胸筋。小胸筋。內外肋間筋。上胸動脉。胸廓神經。

部位　在氣戶下一寸六分陷中。

主治　胸脇滿。欬逆上氣。呼吸不利。唾膿血濁沫。

取法　仰臥按取第二三肋間陷中。直對乳頭取之。

針灸　針三五分。灸三壯。

十五、屋翳

解剖　同上

部位　在第三肋間部。卽庫房下一寸六分陷中。

主治　欬逆上氣。唾膿血濁痰。身腫皮膚痛不可近衣。

摘要　「百症賦」至陰屋翳。療癢疾之疼多。

取法　仰臥取之。在庫房下一寸六分。

針灸　針三五分。灸五壯。

十六、膺窗

解剖　此處爲第四肋間。內爲心臟部。
部位　在膺窗下一寸六分。去中行四寸。
主治　胸滿短氣不得臥。腸鳴注泄。乳癰寒熱。
取法　仰臥。從乳頭上一寸六分肋骨陷中取之。
針灸　針三至五分。灸五壯。

十七、乳中

解剖　在第四五肋間。內爲心臟部。外爲前橫胸筋。
部位　適當乳之正中。
此穴不可針灸。

十八、乳根

解剖　在第六肋間。組織同上穴。
部位　去乳中一寸六分陷中。
主治　欬逆。膈氣不下食。噎病，胸下滿悶。臂痛腫：乳痛。乳癰。霍亂轉筋。
摘要　主噎食膈氣。食不下。
取法　仰臥。就乳頭直下之一寸六分肋間陷中取之。
針灸　針五分。灸五壯。

十九、不容

解剖　當肋骨下通副胸骨線。有直腹筋。上腹動脈。肋間神經。中爲胃府。

部位　去中行二寸。傍幽門一寸五分，傍巨闕二寸。

主治　腹滿。痃癖。胸背肩脇引痛。心痛唾血。喘嗽嘔吐。痃癖。腹虛鳴不嗜食。疝瘕。

取法　仰臥。自膈旁開二寸。直上六寸取之。適當第七肋骨之內側邊。

針灸　針五分。灸五壯。

二十、承滿

解剖　通副胸骨線。有直腹筋。肋間神經。上腹動脈。

部位　在不容下一寸。去中行二寸。對上脘。

主治　腹脹腸鳴。脇下堅痛。上氣喘急。飲食不下。肩息咼氣。唾血。

摘要　「千金」腸中雷鳴相逐痢下。灸五十壯。

取法　仰臥。於不容下一寸取之。

針灸　針三分至八分。灸五壯。

二十一、梁門

解剖　有直腹筋。肋間神經。上腹動脈。

部位　在承滿下一寸。去中行二寸。對中脘。

主治　胸脇積氣。飲食不思。氣塊疼痛。大腸滑泄。
取法　仰臥。不容下二寸取之。
針灸　針三分至八分。灸七壯至二十一壯。孕婦禁灸。

二十二、關門

解剖　此處爲横行結腸部。有直腹筋。上腹動脈。肋間神經。
部位　在粱門下一寸。去中行二寸。對建里。
主法　積氣脹滿。腸鳴切痛。泄痢不食。俠臍急痛。痎瘧振寒遺溺。
取法　仰臥。臍旁二寸。直上三寸取之。
針灸　鍼五分至八分。灸五壯。

二十三、太乙

解剖　此處爲小腸部。有直腹筋。及上腹動脈。
部位　在關門下一寸。去中行二寸。對下脘。
主治　心煩癲狂吐舌。
取法　仰臥。臍旁二寸。直上二寸取之。
針灸　針五分至一寸。灸五壯。

二十四、滑肉門

解剖　此處爲小腸部。有直腹筋。上腹動脈。
部位　在太乙下一寸。去中行一寸。對水分。
主治　癲疾狂走。嘔逆吐血。舌重舌強。
取法　仰臥。臍旁二寸。直上一寸取之。
針灸　針五分至一寸。灸三壯。

二十五、天樞

解剖　此處爲小腸部。有直腹筋。上腹動脈。
部位　在臍旁二寸。去肓腧上一寸五分。
主治　奔豚泄瀉。赤白痢下。痢不止食不化。水腫腹脹腸鳴。上氣衝胸。不能久立。久積冷氣。遶臍切痛。時上衝心煩滿。嘔吐霍亂。寒瘧不嗜食。身黃瘦。女人癥瘕血結成塊。漏下。月水不調。淋濁帶下。
摘要　此穴爲手陽明大腸之募。主治腸鳴瀉痢。腹痛氣塊。虛損勞弱。可灸自二十七壯至百壯。「百證賦」一月潮爲限。天樞水泉須詳。「勝玉歌」腸鳴大便時泄瀉。臍旁兩寸灸天樞。
取法　仰臥。臍旁二寸取之。
鍼灸　針五分。灸五壯至百壯。孕婦不可針。

二十六、外陵

解剖　亦屬小腸部。有直腹筋。下腹動脈。

部位　在天樞下一寸。去中行二寸。對陰交。

主治　腹痛心下如懸。下行腹痛。

針灸　針三分至八分。灸五壯。

二十七、大巨

解剖　有直腹筋。下腹動脈。

部位　在外陵下一寸。去中行二寸。對石門。

主治　小腹脹滿。煩渴。小便難。㿉疝。四肢不收。驚悸不眠。

取法　仰臥。天樞直下二寸取之。

針灸　針五分至八分。灸五壯。

二十八、水道

解剖　有直腹筋。下腹動脈。

部位　在大巨下一寸。去中行二寸。

主治　肩背強急痠痛。三焦膀胱腎氣熱結。大小便不利。疝氣偏墜。婦人小腹脹痛引陰中。月經至則腰腹脹痛。胞中瘕。子門寒。

摘要　主三焦膀胱腎中熱氣。「百症賦」脊強兮水道筋縮。
取法　仰臥。天樞直下三寸取之。
針灸　針三分半至八分半深。灸五壯。

二十九、歸來

解剖　是處爲直腹筋之下部。有下腹動脈。
部位　在水道下一寸。去中行二寸。
主治　奔豚七疝。陰丸上縮入腹。痛引莖中。婦人血臟積冷。
摘要　『勝玉歌』小腸氣痛歸來治。
取法　天樞直下四寸取之。
針灸　針五分至八分。灸五壯。

三〇、氣衝

解剖　爲直腹筋之下部。有腸骨下腹神經。下腹動脈。
部位　在歸來下鼠蹊上一寸。
主治　逆氣上攻心腹，䐜滿不得正臥。奔豚。癩疝。大腸中熱。身熱腹痛。陰腫莖痛。婦人月水不利。小腹痛無子。姙娠子上冲心。產難胞衣不下。
摘要　此穴主瀉胃中之熱。「千金」治石水灸然谷氣衝四滿章門。「百症賦」帶下產崩。

取法　衝門氣衝宜審。「註」主血多諸證。以三稜鍼刺此穴出血立愈。天樞之下五寸。適當橫骨之上邊。取之。

三十一、髀關

解剖　此處爲外大股筋部。內有大腿骨股動脈。股神經。

部位　在伏兔之上。斜行向裏些。去膝一尺二寸。

主治　腰痛膝寒。足麻木不仁。黃疸痿痺。股內筋絡急。小腹引喉痛。

取法　正坐足下垂。以手掌後之橫紋對膝尖後按之。中指屈下再向前一次。中指伸直到處取之。

針灸　針五分至一寸。灸三壯。

三十二、伏兔

解剖　爲外大股筋部。有股動脈關節枝。股神經。

部位　在膝上六寸。

主治　腳氣膝冷不得溫。風痺。

取法　正坐。足屈向後些。以手掌後橫紋對膝尖後按之。中指盡處取之。

針灸　針五分至一寸。禁灸。

三十三、陰市

解剖　爲外大股筋部。有股動脈關節筋枝。股神經。

部位　在膝上三寸。

主治　腰膝寒如注水。痿痺不仁。不得屈伸。寒疝小腹痛滿少氣。

摘要　『玉龍歌』腿足無力身立難。原因風溼致傷殘。倘若二市穴能灸。步履悠然漸自安。『千金』水腫大腹灸隨年壯。「席弘賦」心疼手顫少海間。若要除根覓陰市。「通玄賦」膝胻痛陰市能治。「靈光賦」兩足拘攣覓陰市。「勝玉歌」腿股轉痠難移步。環跳風市及陰市。

取法　正坐垂足。從膝上量三寸。陷中取之。

針灸　針三分。一說不可多灸。

三十四、梁邱

解剖　有外大股筋。股動脈。關節筋枝。股神經。

部位　在膝上二寸。陰市下一寸。兩筋間。

主治　脚膝痛。冷痺不仁。不可屈伸。足寒大驚乳腫痛。

摘要　神農經治膝痛不得屈伸。

取法　如取上穴式。卽於上穴下一寸陷中取之。

針灸　針三分灸三壯。

三十五、犢鼻

解剖　爲膝蓋骨之外側。有膝蓋固有靭帶。中通關節動脈。分佈上腿皮神經腓骨神經。

部位　在膝眼外側之陷凹處。

主治　膝痛不仁。難跪起。脚氣。若膝髕癰腫潰者不可治。不潰者可治。

摘要　善治風溼邪鬱之膝痛及脚氣。

取法　正坐垂足。按取膝臏骨外側之膝眼。當膝眼之下。胻骨髁之上際。取之。

針灸　針三分至六分。禁灸。

三十六、三里

解剖　爲前脛骨筋部。分佈迴反脛骨動脈。及深腓骨神經。

部位　在膝眼下三寸。胻骨外廉。

主治　胃中寒。心腹脹痛。逆氣上攻。藏氣虛憊。胃氣不足。惡聞食臭。腹痛腸鳴食不化。大便不通。腰痛膝弱不得俛仰。小腸氣。

摘要　此穴爲足陽明之所入爲合「土」穴。主瀉胃中之熱。與氣衝巨虛上下廉同。「秦承祖」治食氣水氣。蠱毒痃癖。四肢腫滿膝胻痠痛。目不明。「華陀」療五勞七傷。羸瘦虛乏。瘀血癰乳。「百症賦」中邪霍亂。尋陰谷三里之程。「席弘賦」手足上下針三里。食癖氣塊憑此取又虛喘須尋三里中。又胃中有積刺璇璣。三里功多人不知。又氣衝專能治五淋。更針三里隨呼吸。又耳內蟬鳴腰欲折。膝下明存三里穴。又若針肩井須三里。不剌之時氣未調。又腰連跨痛急。便於三里攻其隘。又脚痛膝腫鍼三里。懸鐘二陵三陰交。又腕骨腿疼三里瀉。又倘若膀胱氣未散。更宜三里穴中尋。「天星祕訣」耳鳴腰痛先五會。次針耳門三里內。又若患胃中停宿食。後尋三里起璇璣。又牙疼頭痛幷咽痺。先剌二間後三里。又傷寒過經不出汗。期門三里先後看。「玉龍歌」寒溼脚氣不可熬。先針三里及陰交。再將絕骨穴兼剌。腫痛頓時立見消。又肝家血少目昏花。宜補肝俞力便加。更把三里頻瀉動。還光益血是無差。又水病之疾最難熬。腹滿虛脹不肯消。先灸水分幷水道、後鍼三里及陰交。又傷寒過經猶未解。須向期門穴上針。忽然氣喘攻胸膈。三里瀉多須用心。『馬丹陽十二訣』能愈心腹脹。善治胃中寒。腸鳴幷泄瀉。腿股膝脛痠。傷寒羸瘦損。氣臌及諸般。『勝玉歌』兩膝無端腫如斗。膝眼三里艾當施。『靈光賦』治氣上壅足三里。『雜病穴法歌』霍亂中脘可入深。三里內庭瀉幾許。又泄瀉肚腹諸般疾。三里內庭功無比。又脹滿中脘三里揣。又腰連腿疼腕骨升。三里降下隨拜腕。又脚膝諸痛羨行間。三里申脈金門侈。又冷風溼痺針環跳。陽陵三里燒針尾。又大便虛閉補支溝。瀉足三里效可擬。又小便不通陰陵泉。三里瀉下溺如注。又內傷食積針三里。又喘急列缺起三里。

取法　正坐垂膝。以手掌覆膝蓋上。中指向下盡處。當胻骨外緣約一寸取之。

針灸　針一寸五分。灸三壯至百數十壯。

三十七、上巨虛

解剖　爲前脛骨筋部。循行前脛骨動脈。

部位　在三里下三寸。

主治　藏氣不足。偏風脚氣。腰腿手足不仁。足脛痠。骨髓冷疼不能久立。俠臍腹痛。腸中切痛飧泄食不化。喘息不能行。腹脇支滿。

摘要　此穴主瀉胃中之熱。

取法　正坐。以足跟着地。足尖足背聳起。從三里下三寸取之。

針灸　針五分至八分。灸三壯。

三十八、條口

解剖　有前脛骨筋。脛骨動脈。深腓骨神經。

部位　在三里下四寸。上巨虛下一寸。

主治　足膝痲木。寒痠腫痛。轉筋溼痺足下熱。足緩不收。不能久立。

摘要　「天星祕訣」足緩難行先絕骨。次尋條口及衝陽。

取法　依取上穴式。從上巨虛下一寸取之。

針灸 針三分至五六分。灸三壯。

三十九、下巨虛

解剖 有前脛骨筋。脛骨動脈。

部位 在三里下五寸。

主治 胃中熱。毛焦肉脫。汗不出。少氣不嗜食。暴驚狂言。喉痺。面無顏色。胸脇痛。飧泄膿血。小腸氣。偏風腿痿。脾不履地。熱風風淫。冷痺胻腫。足跗不收。女子乳癰。

摘要 此穴主瀉胃中之熱。

取法 依取上穴式。從條口下一寸取之。

針灸 針三分。灸三壯。

四〇、豐隆

解剖 此處亦爲前脛骨筋。有脛骨動脈。與神經。

部位 在外踝上八寸。

主治 頭痛面腫。喉痺不能言。風逆癲狂見鬼好笑。厥逆胸痛如刺。大小便難。怠惰腿膝痠痛屈伸不便。腹痛肢腫足冷寒淫。

摘要 此穴爲足陽明絡別走太陰者。「玉龍歌」痰多須向豐隆瀉。「百症賦」強間豐隆之際。頭痛難禁。『席弘賦』豐隆專治婦人心中痛。「肘後歌」哮喘發來寢不得。豐隆刺入三分深。

取法　正坐足垂。從外踝上量八寸。與下巨虛相並微上些取之。

針灸　針五分至一寸。灸三壯。

四十一、解谿

解剖　此處爲足跗關節之環狀靭帶部。有前內顆動脈。大薔薇神經。

部位　在足腕上繫鞋帶處。去衝陽一寸半。去內庭六寸半。

主治　風氣面浮頭痛。目眩生翳。氣上衝喘欬腹脹。癲疾煩心悲泣驚癎。轉筋霍亂。大便下重。股膝胻腫。又瀉胃熱善饑不食。食卽支滿腹脹。及瘵痎瘧寒熱。

摘要　此穴爲足陽明脈之所行爲經火「神農經」治腹脹脚腕痛。目眩頭疼。可灸七壯。「玉龍歌」脚背疼起邱墟穴。斜針出血卽時輕。解谿再與商丘識。補瀉行針要辨明。「百症賦」悸驚怔忡。取陽交解谿弗誤。「一傳」氣發噎將死。灸之效。又腹虛腫。足脛虛。腫灸之效。「肘後歌」傷寒脈洪當瀉解。沉細之時補便瘳。

取法　足跗關節之前面正中。以兩中指從後跟正中。左右向前並行。至前面相會處陷中。取之。

針灸　針三分至五分。灸五壯。

四十二、衝陽

解剖　是處爲大趾長伸筋部。有前內顆動脈與大薔薇神經。

部位　在足跗上五寸。足背最高之部動脈中。

主治　偏風面腫口眼喎斜。齒齲。傷寒發狂振寒汗不出。腹堅大不嗜食。發寒熱。足痿跗腫。或胃瘧先寒後熱。喜見日月光得火乃快然者。於方熱時針之出血立寒。

摘要　此穴爲足陽明脈之所過爲原。此穴針之出血不止者死。「天星祕訣」足緩難行先絕骨。次尋條口及衝陽。

取法　按取足背高骨動脈搏動處陷罅中取之。

針灸　針三五分。灸三壯。

四十三、陷谷

解剖　此處爲短總趾伸筋腱部。有第一骨間背動脈。趾背神經。

部位　在次趾外本節後。去內庭二寸。

主治　面耳浮腫。及水病善噫。腸鳴腹痛。汗不出。振寒發瘧。疝氣少腹痛。

摘要　此穴爲足陽明脈之所注爲兪木。胃脈弦者瀉此則木平而胃氣自盛。『百症賦』腹內腸鳴。下脘陷谷能平。

取法　按次趾外側本節之後陷中取之。

針灸　針三分至五分。灸三壯。

四十四、內庭

解剖　有短總趾伸筋。第一骨間背動脈。趾背神經。

部位　在次指中指之間。腳叉縫盡處之陷凹中。

主治　四肢厥逆。腹滿不得息惡聞木聲。振寒咽痛齒齲。口喎。鼻衄。癮疹。赤白痢瘧不嗜食。

摘要　此穴爲足陽明脈之所流爲滎水。主療久瘧不愈幷腹脹。「玉龍歌」小腹脹滿氣攻心。內庭二穴要先針。『天星祕訣』寒瘧面腫及腸鳴。先取合谷後內庭。『千金』三里內庭。治肚腹之病妙。『捷徑』治石蠱。又大便不通。宜瀉此。『馬丹陽十二訣』能治四肢厥。善靜惡聞聲。癮疹咽喉痛。數欠及牙疼。瘧疾不思食。耳鳴即便清。「雜病穴法歌」霍亂中脘可入深。三里內庭瀉幾許。又泄瀉肚腹諸般疾。三里內庭功無比。又兩足痠麻補太谿。僕參內庭盤根楚。

取法　按此次趾外側本節之前一二分許。陷凹中。

針灸　針二分至四分深。灸三壯。

四一五、厲兌

解剖　是處爲長總趾伸筋腱附著部之外側。分布趾背動脈。趾背神經。

部位　在足次趾外側爪甲角。

主治　尸厥口噤氣絕。狀如中惡。心腹滿水腫。熱病汗不出。寒熱瘧不食。面腫喉痹。齒齲惡風鼻不利。多驚發狂好臥。足寒膝臏腫痛。

摘要　此穴爲足陽明脈之所出爲井金穴。「百症賦」夢魘不甯。厲兌相諧於隱白。

針灸　針一分。灸一壯。

取法　次趾外側爪甲角分許取之。

四、足太陰脾經

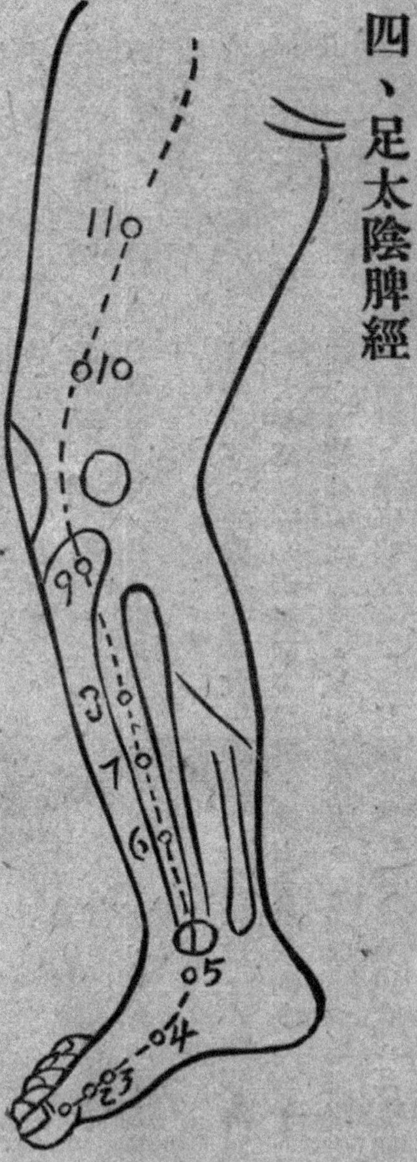

1.隱白　2.大都　3.太白　4.公孫　5.商丘　6.三陰交　7.漏谷　8.地機　9.陰陵泉　10血海　11箕門

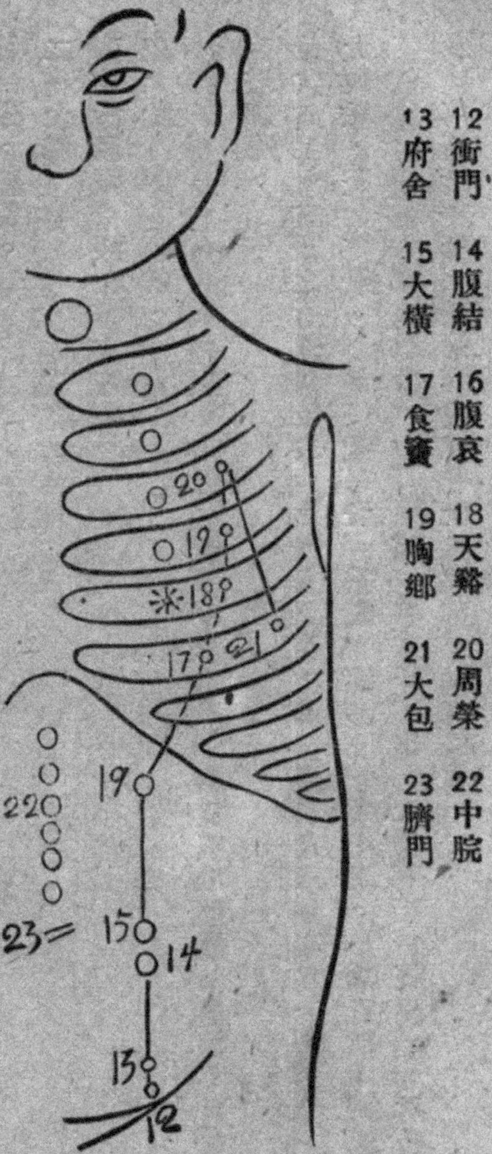

本經自足大趾內側。循赤白肉際上行。經內踝前。至脛之內側部。直上行膝之內側。上行經股之內側。上腹抵脇。至周榮而下行。至季肋大包穴止。計二十一穴。左右共四十二穴。

一、隱白

解剖　有足背動脈。淺腓骨神經。

部位　在大趾內側端。

主治　腹脹喘滿不得臥。嘔吐食不下。胸中痛。煩熱暴泄。衂血。尸厥不識人。足寒不得溫。婦人月事過時不止。小兒客忤驚風。

摘要　此穴爲足太陰脈之所出爲井木。婦人月事過時不止針之立愈。『百症賦』夢魘不甯。厲兌相諧於隱白。『雜病穴法歌』尸厥百會一穴美。更針隱白効昭昭。

取法　從大趾內側去爪甲角赤白肉分際取之。

針灸　針一分。禁灸。

二、大都

解剖　有足背動脈。深在腓骨神經。

部位　在大趾內側本節前。

主治　熱病汗不出。不得臥。身重骨痛。傷寒手足逆冷。腹滿嘔吐悶亂。腰痛不可俯仰。四肢腫痛。

摘要　此穴爲足太陰脈之所流爲滎火。凡婦人孕後。或新產未及三月不宜灸。「千金」治大便難。灸如年壯。「每一歲一壯」霍亂下瀉不止。灸七壯。「席弘賦」氣滯腰疼不能立。橫骨大都宜救急。『百症賦』熱病汗不出。大都更接於經渠。「肘後歌」腰腿疼痛十年春。服藥尋方枉費金。大都引氣探根本。

取法　大趾內側第二趾骨後端。當核骨之前陷中。取之。

針灸　針三分。灸三壯。

三、大白

解剖　第一趾骨之第二節後部。與第一蹠骨之間。有長伸拇筋。足背動脈。腓骨神經。

部位　在大趾本節後。

主治　身熱煩滿。腹脹食不化。嘔吐瀉痢膿血。腰痛大便難。氣逆霍亂。腹中切痛腸鳴。膝股䯒痠轉筋。身重骨痛。

摘要　此穴爲足太陰脈之所注爲俞土。『通玄賦』太白一穴能宣導於氣衝。

取法　大趾本節後內側有如梅核骨之下陷中取之。

針灸　針二分至四分深。灸三壯。

四、公孫

解剖　其長伸拇筋。足背動脈。腓骨神經。

部位　大趾本節後一寸。卽孤拐後赤白肉際。

主治　寒瘧不食。癇氣好太息。多寒熱汗出喜嘔。卒面腫。心煩多飲。胆虛腹虛。水腫腹脹如鼓。脾冷胃痛。

摘要　此穴爲足太陽之絡別走陽明者。又爲八法穴之一。『神農經』治腹脹心疼。灸七壯。『席弘賦』肚疼須是公孫妙。『標幽賦』脾冷胃疼瀉公孫而立愈。『雜病穴法歌』腹痛公孫內關原。

取法　按取足跗高骨之處。向內側下方骨邊取之。

針灸　針四分至一寸深。灸三壯。

五、商丘

解剖　爲前脛骨之筋腱部。有後內顆動脈及神經。

部位　在內踝骨下微前陷凹中。

主治　胃脘痛。腹脹腸鳴不便。脾虛令人不樂。身寒善太息。心悲氣逆。喘嘔舌強。脾積痞氣。黃疸。寒瘧。體脛支節痛。怠惰嗜臥。黃疸痔疾。陰股內痛。狐疝走引小腹。疼痛不可俛仰。

摘要　此穴爲足太陰脈之所行爲經金。「神濃經」治脾虛腹脹胃脘痛。灸七壯。『玉龍歌』脚背疼起邱墟穴。斜針出血卽時輕。解谿再與商丘識。補瀉行針要辨明。『百症賦』商邱痔漏而最良。『勝玉歌』脚背痛時商丘刺。

取法　按取骨踝骨前側。凹陷中。

針灸　針三分。灸三壯。

六。三陰交

解剖　爲長總趾屈筋之下部。有後脛骨動脈之分枝及神經。

部位　在內踝上。除踝三寸。

主治　脾胃虛弱。心腹脹滿。不思飲食。脾病身重四肢不舉。飧泄血痢。痃癖臍下痛不可忍。中風卒厥。不省人事。膝內廉痛。足痿不行。

摘要　此穴爲足太陰厥陰少陰之會。凡女人難產。月水不禁。赤白帶下。先瀉後補。小腸疝氣偏墜。木腎腫痛。小便不通。渾身浮腫。先補後瀉。『玉龍歌』寒溼脚氣不可熬。先針三里及陰交。『席弘賦』脚痛膝腫針三里。懸鐘二陵三陰交。又小腸寒氣痛連臍。速瀉三陰交莫遲。又冷嗽先宜補合谷。却須針瀉三陰交。「百症賦」針三陰於氣海。專司白濁重遺精。『天星祕訣』脾病氣痛先合谷。後針三陰交莫遲。又胸膈痞滿先陰交。針到承山飲食美。『乾坤生意』小腸疝氣。針大敦陰交不可緩。『雜病穴法歌』舌裂出血尋內關。太冲陰交走上部。又冷嗽只宜補合谷。三陰交瀉卽時住。又嘔噎陰交不可饒。又死胎陰交不可緩。

取法　內踝上。除踝骨直上三寸取之。

針灸　針三分。灸三五壯。姙娠不可針。

七、漏谷

解剖　爲此目魚筋部。卽腓腸筋之內端。有脛骨動脈枝。脛骨神經。

部位　在三陰交上三寸。
主治　膝痺脚冷不仁。腸鳴腹脹。痃癖冷氣。小腹痛。飲食不爲飢膚。小便不利。失精。
取法　從三陰交直上三寸取之。
針灸　針三分。禁灸。

八、地機

解剖　爲腓腸筋內端。有脛骨動脈枝。脛骨神精。
部位　在膝下五寸內側。
主治　腰痛不可俯仰。溏泄腹脹。水腫不嗜食。精不足。小便不利。足痺痛。女子癥瘕，
摘要　此穴爲足太陰之郄。「百症賦」女子經事改常。自有地機血海。
取法　以足伸直。從膝膑正中內側。直下五寸取之。
針灸　針三分。灸三壯。

九、陰陵泉

解剖　居腓骨頭之下。卽二頭股筋之連附處。有反迴脛骨動脈。及外腓腸皮下神經。
部位　淺在腓骨神經。
部位　在膝下內輔骨下陷中。與陽陵泉相對。去膝橫開二寸餘。
主治　霍亂寒熱。胸中熱。不嗜食，喘逆不得臥。疝瘕腹中寒。脅下滿。水脹腹堅腰痛不

可俯仰。陰痛氣淋，精遺。小便不利。遺尿。泄瀉。足膝紅腫。

摘要　此穴爲足太陰之所入爲合穴。「神農經」治小便不通。疝瘕。可灸七壯。「千金」一小便不禁。針五分。灸隨年壯。又水腫不得臥。灸百壯。「玉龍歌」膝蓋紅腫鶴膝風。陽陵二穴亦可攻。陰陵針透尤收效。「太乙歌」腸中切痛陰陵調。「席弘賦」陰陵泉治心胸滿。又脚痛膝腫針三里。懸鐘二陵三陰交。『百症賦』陰陵水分。治水腫之臍盈。「天星祕訣」若是小腸連臍痛。先刺陰陵後湧泉。「通玄賦」陰陵能開通水道。「雜病穴法歌」小便不通陰陵泉。三里瀉下溺如注。

取法　以足直伸。膝之內輔骨下。下廉陷中。取之。即脛骨頭之下部內緣陷中。與陽陵相對。

針灸　此穴針五分。灸三壯。

十、血海

解剖　爲內大股筋下部。有上膝關節動脈。及股神經。

部位　在膝臏上二寸。膝之內側白肉際。

主治　女子崩中漏下。月事不調。帶下逆氣腹脹。又主腎臟風。兩腿瘡癢濕不可當。

摘要　『百症賦』婦人經事改常。自有地機血海。又痃癖兮。衝門血海強。『靈光賦』氣海血海療五淋。『勝玉歌』熱瘡臁內年年發。血海尋來可治之。「雜病穴法歌」五淋血海男女通。

取法　從膝蓋骨內緣之上二寸。普通取法。正坐垂足。以手掌按膝上。大指端按着之處取之。

針灸　針五分至八分。灸五壯。

十一、箕門

解剖　此處爲內大股筋部分。股上膝關節動脈。及股神經。

部位　在內股去血海六寸。動脈應手。

主治　五淋小便不通。遺溺。鼠蹊腫痛。

取法　正坐垂足。從血海直上六寸取之。

針灸　針三分。灸三壯。一說此穴禁針。

十二、衝門

解剖　占恥骨地平枝之端。微上斜中。內爲直腸。有下腹動脈之恥骨枝。下腹神經。

部位　接上恥骨縫際。

主治　中寒積聚。淫濼。陰疝。妊娠衝心。難乳。

摘要　帶下產崩。衝門氣衝宜審。又痃癖兮。衝門血海強。

取法　仰臥。從曲骨橫開三寸五分部位取之。

針灸　針七分。灸五壯。

十三、府舍

解剖　爲內斜腹筋之下部。分布下腹動脈之恥骨枝。與腸骨下腹神經。

部位　在腹結下三寸。去中行三寸半。

主治　疝癖。腹腸滿痛。上下搶心。積聚痺痛。厥氣霍亂。

取法　仰臥。從衝門直上七分取之。

針灸　針七分。灸五壯。

十四、腹結

解剖　有內斜腹筋。下腹動脈。腸骨下腹神經。

部位　在大橫下一寸三分。

主治　欬逆遶臍腹痛。中寒瀉痢心痛。

取法　仰臥。從臍旁四寸。直下一寸三分取之。

針灸　針五分至一寸。灸五壯。

十五、大橫

解剖　爲內外斜腹筋部。中藏小腸。有下腹動脈。肋間神經枝。腸骨下腹神經。

部位　去中行四寸。與臍相平。

主治　大風逆氣。四肢不舉。多寒善悲。

摘要　「百症賦」反張悲哭。仗天衝大橫須精。

取法　仰臥。從臍旁四寸取之。

針灸　針三分至七分。灸三壯。

十六、腹哀

解剖　有內外斜腹筋。上腹動脈。肋間神經枝。腸骨下腹神經。

部位　在中脘旁四寸微下些。大橫上三寸半。

主治　寒中食不化。大便膿血。腹痛。

取法　仰臥。手外開。從乳頭直下。中脘旁開四寸微下些取之。

針灸　針三分至七分。灸五壯。

十七、食竇

解剖　在第五六肋間部。當胃之上。有大胸筋。內外肋間筋。長門動脈。肋間動脈。前胸神經。

部位　去中庭五寸。在第五肋間部。

主治　胸脇支滿。欬吐逆氣。飲不下。膈有水聲。

取法　仰臥。手外開。從中庭旁五寸。肋間陷中取之。

針灸　針四分。灸五壯。

十八、天谿

解剖　在第四五肋間部。有大胸筋。胸動脈。前胸神經。

部位　在第四肋間部。去中行六寸。乳頭旁二寸。

主治　胸滿喘逆上氣。喉中作聲。婦人乳腫。賁癰。

取法　仰臥手外開。從乳旁二寸。肋間陷中取之。

針灸　針四分灸五壯。

十九、胸鄉

解剖　在第三四肋間部。有大胸筋。長胸動脈。長胸神經。

部位　在第三肋間。天谿上一寸六分。

主治　胸脅支滿。引背痛。不得臥轉側。

取法　仰臥。手外開。從天谿上一寸六分肋間陷中取之。

針灸　針四分。灸五壯。

二〇、周榮

解剖　在第二三肋間部。有大胸筋。長胸動脈。前胸廓神經。

部位　在胸鄉上一寸六分。中府下一寸六分。

主治　胸滿不得俯仰。欬中食不下。

取法　仰臥手外開。從胸鄉上一寸六分肋間陷中取之。

針灸　針四分。灸五壯。

二一、大包

解剖　在第九肋間部。有外斜腹筋。上腹動脈。長胸神經。

部位　腋窩下六寸。淵腋下三寸。

主治　胸中喘痛。腹有大氣不得息。實則身盡痛。虛則百節盡皆縱。

摘要　此穴爲脾之大絡。四肢百節皆縱者補之。

取法　仰臥。手外開。從食竇穴橫開三寸。肋間陷中

針灸　針三分灸三壯。

手少陰心穴經

本經穴起於腋窩內之極泉穴。直下經肘中抵掌。出小指之內側少衝穴止。凡九穴。左右共計十八穴。

一、極泉

解剖　在大胸筋之上膊下部。與三角筋之境界間。有腋下動脈靜脈。中膊皮下神經尺骨神

心經穴圖

1. 極泉
2. 靈青
3. 少海
4. 靈道
5. 通里
6. 陰郄
7. 神門
8. 少府
9. 少衝

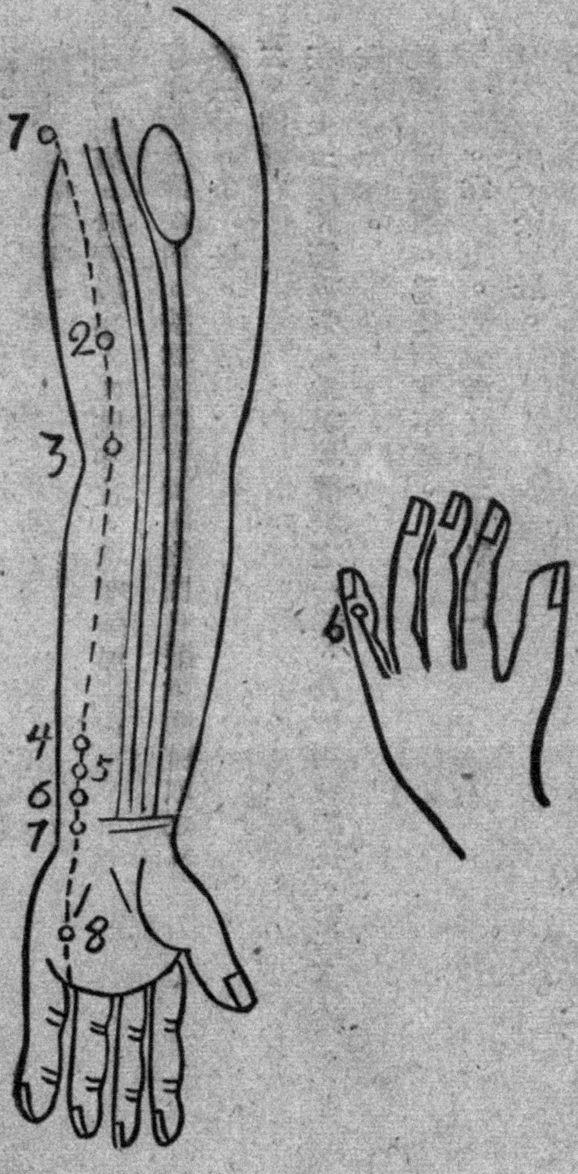

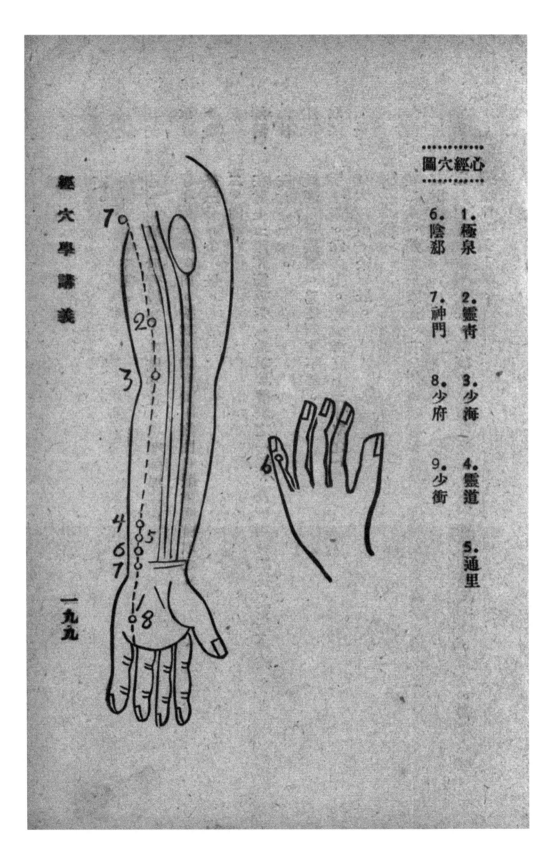

經。

部位　在腋窩內兩筋間。

主治　心脇滿痛。肘臂厥寒。四肢不收。乾嘔煩渴目黃。

取法　手平伸。掌向前。按其腋窩臂側兩筋間動脈跳動處取之。

針灸　鍼三分。灸七壯。

二、靈青

解剖　在肘上三頭膊筋近旁。爲重要靜脈之一部。及腋窩動脈枝。正中神經。

部位　在肘上三寸。

主治　頭痛目黃振寒。脇痛肩臂不舉。

取法　手平舉。掌向上。從少海直上三寸取之。

針灸　此穴禁針。灸三壯。

三、少海

解剖　在二頭膊筋之筋腱旁。有尺骨副動脈與靜脈。中膊皮下神經與正中神經。

部位　在肘內廉

主治　寒熱齒痛目眩。發狂。癲癇羊鳴嘔吐涎沫。項不得囘。頭風疼痛。氣逆。瘰癧。肘臂腋脇痛攣不舉。

摘要　此穴爲手少陰之所入爲合水。「席弘賦」心痛手顫少海間。若要除根覓陰市。「百症賦」兩臂頑麻。少海就傍於三里。「手」「雜病穴法歌」心痛肘顫少海求。「勝玉歌」瘰癧少海天井邊。

取法　屈肘向頭。於肘內側端約五分部份骨邊取之。

針灸　針三分。不宜灸。

四、靈道

解剖　爲內尺骨筋部。有中靜脈、尺骨動脈。中膊皮下神經。尺骨神經。

部位　在掌後一寸五分。

主治　心痛悲恐乾嘔。瘈瘲肘攣。暴瘖不能言。

摘要　此穴爲手少陰脈之所行爲經金。主治心痛。「肘後歌」骨寒髓冷火來燒。靈道妙穴分明記。

取法　掌後鋭骨横紋端。直上一寸五分筋間取之。

針灸　針三分。灸五壯。

五、通里

解剖　爲內尺骨筋部、有尺骨動脈。中膊皮下神經。尺骨神經。

部位　在腕側後一寸。

主治　熱病頭痛目眩面熱。無汗懊憹暴瘖。心悸悲恐畏人。喉痺苦嘔。虛損數欠少氣遺溺。肘臂腫痛。婦人經血過多崩漏。

摘要　此穴爲手少陰絡別走太陽者。「神農經」治目眩頭疼。可灸七壯。「玉龍歌」連日虛煩面赤粧。心中驚悸亦當難。若須通里穴能得。一用金針體便康。「百症賦」倦言嗜臥。往通里大鍾而明。「馬丹陽十二訣」欲言聲不出。懊惱及怔忡。實則四肢重。頭顋面頰紅。虛則不能食。暴瘖面無容。

取法　同上穴。下五分部位取之。

針灸　針三分。灸三壯。

六、陰郄

解剖　有尺骨動脈。中膊皮下神經。尺骨神經。

部位　在通里下半寸。去腕五分。

主治　鼻衄吐血。失音不能言。霍亂中滿。灑淅惡寒。厥逆驚恐心痛。

摘要　此穴爲手少陰郄。「百症賦」寒慄惡寒。二間疏通陰郄諳。又陰郄後谿。治盜汗之多出。「標幽賦」瀉陰郄止盜汗。

取法　掌後銳骨橫紋端上五分。兩筋間取之。

針灸　鍼三分。灸三壯。

七、神門

解剖 在腕豆骨之下。有深掌側動脈。與中靜脈。尺骨神經。

部位 在掌後銳骨「腕豆骨」之端陷中。陰郄下五分。

主治 瘧疾心煩。欲得冷飲。惡寒則欲就溫。咽乾不嗜食。驚悸心痛。少氣身熱面赤。發狂喜笑上氣。嘔血吐血。遺溺失音。健忘。心積伏梁。大人小兒五癇。手臂攣掣。

摘要 此穴爲手少陰之脈所注爲俞土。『百症賦』發狂奔走。上脘同起於神經門。『玉龍歌』，癡呆之症不堪親。不識尊卑枉罵人。神門獨治癡呆病。『雜病穴法歌』神門專治心癡呆。『勝玉歌』後谿鳩尾及神門。治療五癇立便痊。

取法 掌後銳骨橫紋端取之。

針灸 針三分。灸三壯。

八、少府

解剖 有指掌動脈。與尺骨神經指掌枝。

部位 在手小指本節後。骨縫陷中。

主治 痎瘧久不愈。振寒煩滿少氣。胸中痛悲恐畏人。背痠腋肘攣急。陰挺出。陰癢。陰痛。遺尿。偏墜。小便不利。

摘要 此穴爲手少陰脈之所流爲滎火。主治心胸痛。「肘後歌」心胸有病少府瀉。

取法　以小次二指彎曲向掌心。適當二指端之間。

針灸　針二分。灸三壯。

九、少沖

解剖　有指掌動脈。與尺骨神經之指掌枝。

部位　在小指內廉之端。

主治　熱病煩滿上氣。心火炎上眼赤血少。嘔吐血沫及心痛。冷痰少氣。悲恐善驚。口熱咽酸。胸脇痛。乍寒乍熱。臂臑內後廉痛。手攣不伸。

摘要　此穴爲手少陰脈之所出爲井木。「百症賦」發熱仗少衝曲池之津。「玉龍歌」胆寒心虛病如何。少衝二穴最功多。凡初中風猝倒。暴厥昏沉。痰涎壅盛。不省人事。牙關緊閉。水藥不下。亟以三稜針刺少商。商陽。中衝。關冲。少冲。少澤。以流通氣血。乃起死回生之妙穴。

取法　小指內側端爪甲角分許取之。

針灸　針一分。灸三壯。

手太陽小腸經穴

本經穴起自小指外側端少澤穴起。上行過腕側。至肘尖直上抵肩胛後下側。繞肩　。經頸側而至面部顴骨。斜抵耳前聽宮穴。凡一十九穴。左右共三十八穴。

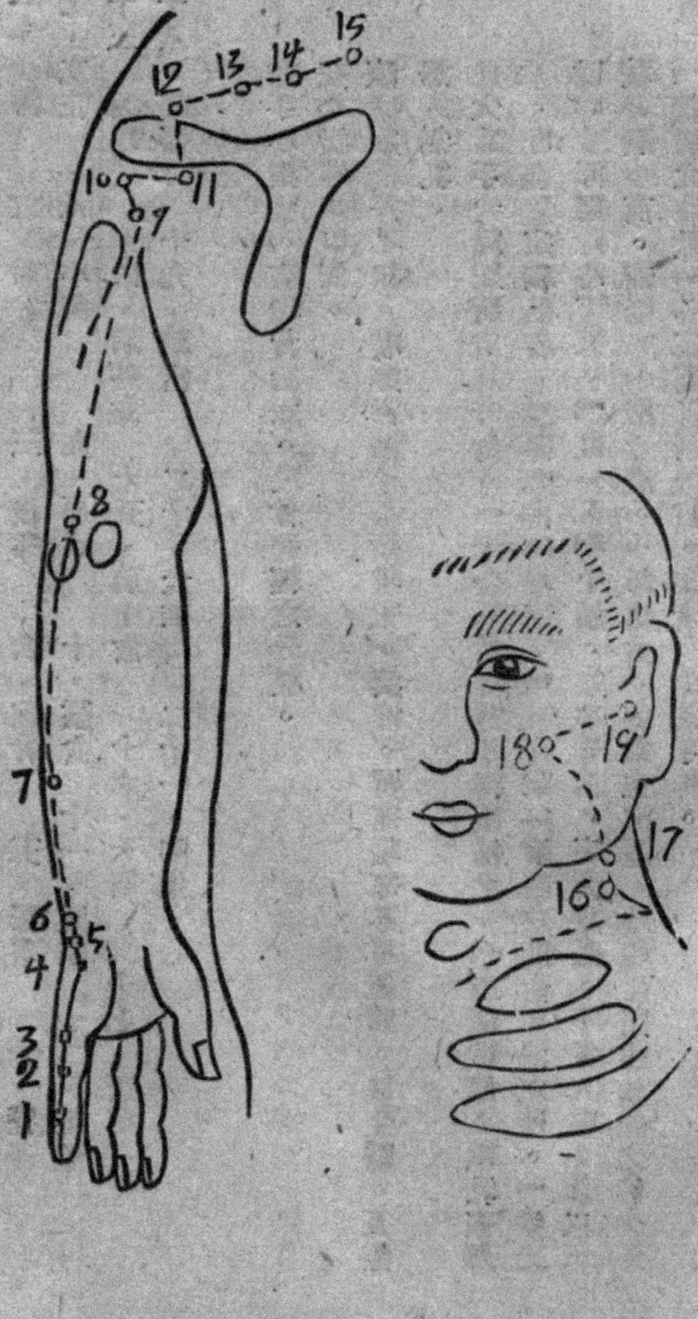

一、少澤　二、前谷　三、後谿　四、腕骨　五、陽谷　六、養老
七、支正　八、小海　九、肩貞　十、臑俞　十一、天宗　十二、秉風
十三、曲垣　十四、肩外俞　十五、肩中俞　十六、天窗　十七、天容
十八、顴髎　十九、聽宮　二十、大椎　二十一、陶道

一、少澤

解剖　在手小指尖。有指背動脈。尺骨神經之分枝。

部位　在小指端爪甲側。

主治　痎瘧寒熱汗不出。喉痺舌強。心煩咳嗽。瘈瘲。臂痛項痛不可迴顧。目生翳。及瘰婦人無乳。

摘要　此穴爲手太陽脈所出爲井金。『千金』治耳聾不得眠補之。『玉龍歌』婦人吹乳痛難消。吐血風痰稠似膠。少澤穴內明補瀉。『百症賦』攀睛攻肝俞少澤之所。『靈光賦』少澤應除心下寒。『註』凡初中風。寒卒昏沉。痰涎壅盛。不省人事。急以三稜針刺少商。商陽。中衝少衝。少澤出血。使氣血流通。乃起死回生救急之妙穴。『雜病穴法歌』心痛翻胃刺勞宮。寒者少澤灸手指。

取法　小指外側端。去爪甲角分許取之。

針灸　針一分。灸三壯。

二、前谷

解剖　有外轉小指筋。指背動脈。尺骨神經枝。

部位　在小指外側本節前之陷凹處。

主治　熱病汗不出。痎瘧。癲疾。耳鳴喉痺。頸項頰腫引耳後。咳嗽。目翳。鼻塞吐乳。臂痛。

摘要　此穴爲手太陽脈之所流爲滎水。主治熱病無汗補之。

取法　手握拳。於小指本節前骨邊陷中取之。

針灸　針一分。灸一壯。

三、後谿

解剖　此穴爲手轉小指筋。有重要靜脈。指背動脈。尺骨神經枝。

部位　在小指外側本節後陷中。第五掌骨之前外端。

主治　痎瘧寒熱。目翳。鼻衄。耳聾。胸滿項強。癲癇。臂攣急五指盡痛。

摘要　此穴爲手太陽所注爲兪木『神龍經』治項頸不得回顧。髀寒肘疼。灸七壯。『玉龍歌』後谿專治督脈病。癲狂此穴治還輕。『百症賦』陰郄後谿。治盜汗之多出。『蘭江賦』時行瘧疾最難禁。穴法由來未審明。若把後谿穴尋得。多加艾火即時輕。『又』後谿環跳。腿疼刺而即輕。『又』治疸消黃。諧後谿勞宮而看。『通玄賦』癇發癲狂分。濕後谿而療理。『千金』後谿列缺。治胸項之痛。『肘後歌』脇肋腿痛後谿妙。『勝玉歌』後谿鳩尾及神門。治療五癇立便痊。

取法　以手握拳。適當拳尖取之。

針灸　針三分。灸一壯。

四、腕骨

解剖　此處爲小指外轉筋。有腕骨背側動脈。與靜脈。尺骨神經。

部位　在豌豆骨側之旁側，即手外側腕前起骨下陷中。

主治　熱病汗不出。脅下痛不得息。頸項腫寒熱。耳鳴。目出冷淚，生翳。狂惕。偏枯臂肘不得屈伸。瘧疾煩悶頭痛。驚風瘈瘲，五指掣攣。

摘要　此穴爲手太陽脈之所過爲原。『通玄賦』固知腕骨祛黃。『玉龍歌』腕中無力痛艱難，握物難易體不安，腕骨一針雖見效，莫將補瀉等閒看。『又』脾疾之症有多般，致成翻胃吐食難，黃疸亦須尋腕骨，金針必定奪中脘。『雜病穴法歌』腰連腿疼腕骨升，三里降下隨拜跪。

取法　握拳。按取銳骨端之上外側陷中取之。

針灸　針二分。灸三壯。

五、陽谷

解剖　有迴前方筋。深屈指筋。腕骨背側動脈。內膊皮下神經，尺骨神經。

部位　在手腕側之兩顆間。

主治　癲疾發狂妄言左右顧。熱病汗不出。脇痛項腫寒熱。耳聾耳鳴。齒痛。臂不舉。小兒瘈瘲舌強。

摘要　此穴手太陽脈之所行爲經火「百症賦」陽谷俠谿。頷腫口噤並治。

取法　銳骨之下陷中。適當尺骨莖狀突起之下際。握拳取之。

針灸　針二分。灸三壯。

六、養老

解剖　當外尺骨筋腱之側。有尺骨動脈之背枝。及尺骨神經。

部位　腕後一寸。手踝骨上。

主治　肩骨痠疼。肩欲折。臂如拔。手不能自上下。目視不明。

摘要　此穴爲手太陽郄。「百症賦」目覺䀮䀮。急取養老天柱。「註」療腰重痛不可轉側。起坐艱難。及筋攣脚痺。不可屈伸。

取法　腕後高骨上陷中。屈手取之。

針灸　針二分。灸三壯。

七、支正

解剖　此處爲總指伸筋歧出前膊骨間動脈之分枝。

部位　去腕後五寸。

主治　五勞癲狂。驚風寒熱。頷腫項強。頭痛目眩。風虛驚恐悲愁。腰背痠，四肢乏力，肘臂不能屈伸，指痛不能握。

摘要　此穴爲手太陽之絡脈，別走少陰者。「百症賦」目眩兮。支正飛揚。

針灸　針三分。灸三壯。

八、小海

解剖　在三頭膊筋間。有下尺骨副動脈。撓骨神經枝。

部位　在尺骨鶯嘴突起之上端。去肘尖五分陷中。即肘內側大骨外。去肘端五分。

主治　肘臂肩臑頸項痛寒熱。齒根腫痛。風眩瘍腫。小腹痛。五癎瘈瘲。

摘要　此穴爲手太陽脈所入爲合土。主肘臂痛。

取法　以手屈向肩。按其肘尖外側兩骨窩中取之。

針灸　以手屈肘向頭取之，針三分。灸三壯。

九、肩貞

解剖　有小圓筋，迴旋肩胛動脈。腋下神經。肩胛上神經。

部位　在肩峯突起後側之下。

主治　傷寒寒熱頷腫。耳鳴耳聾。缺盆肩中熱痛。風痺手足不舉。

取法　肩背下腋縫上端取之。

針灸　針五分。灸三壯。

十、臑俞

解剖　有肩胛骨棘下筋。橫肩胛動脈。肩胛上神經。

部位　肩貞上一寸。

主治　臂痠無力。肩痛引胛。寒熱氣腫痠痛。

摘要　此穴爲手太陽陽維陽蹻三脈之會。

取法　肩端後側，肩胛骨端下陷中取之。

針灸　針五分至八分。灸三壯。

十一、天宗

解剖　有僧帽筋。肩胛骨棘下筋。肩胛動脈與神經。

部位　在肩貞斜上。

主治　肩骨痠痛。肩胛後廉痛。頰頷腫。

取法　由臑俞沿肩胛骨下內行。當肩胛橫骨之中央部分取之。

針灸　針五分至八分深。灸三壯。

十二、秉風

解剖　有僧帽筋。肩胛骨動脈與神經。

部位　在肩顒骨後。

主治　肩痛不可舉。

取法　按取肩胛横骨上側外端陷中取之。舉臂有空。

針灸　針五分。不灸

十三、曲垣

解剖　有僧帽筋。肩胛横舉筋。頸動脈。肩胛骨神經。

部位　在肩之中央曲胛陷中。

主治　肩臂熱痛。拘急周痺。

取法　由秉風向內開。肩胛上際中央陷中取之。

針灸　針五分。灸十壯。

十四、肩外腧

解剖　有僧帽筋。肩胛横舉筋。肩胛神經頸動脈。

部位　在肩胛上廉。去脊三寸。

主治　肩胛痛。發寒熱。引項攣急周痺寒至肘。

取法　肩胛上側。從陶道外開三寸取之。
針灸　針五分。灸三壯。

十五、肩中腧

解剖　有小方稜筋。肩胛動脈。肩胛神經。
部位　在項側肩外腧斜向上五分許。
主治　咳嗽上氣吐血。寒熱目視不明。
取法　從肩外腧斜上。大椎旁二寸取之。
針灸　針三分。灸十壯。

十六、天窗

解剖　此處當胸鎖乳頭筋之前。有內外頸之兩動脈。中頸皮下神經。
部位　在耳下頸側。大筋間。
主治　頸癭腫痛。肩胛引項不得回顧。頰腫齒噤。耳聾喉痛暴瘖。
取法　以人迎扶突爲標準。向後開一寸取之。
針灸　針三分。灸三壯。

十七、天容

解剖　有耳下腺內顎動脈頸靜脈。顏面神經。

部位　在耳下頸筋間。
主治　癭氣頸腫不可回顧。不能言齒噤。耳鳴耳聾喉痺咽中如梗。寒熱胸滿。嘔逆吐沫。
取法　天容上一寸取之。
針灸　針五分至八分。灸三壯。

十八、顴髎

解剖　此處有下眼窩動脈。三叉神經第二枝之下眼窩神經。
部位　在面鳩骨下廉銳骨端。
主治　口喎。面赤目黃。眼瞤不止。䪼腫齒痛。
摘要　「百症賦」目眩兮。顴髎大迎。
取法　按取顴骨下之陷凹處取之。
針灸　針三分。禁灸。

十九、聽宮

解剖　此處爲咀嚼筋。有上顎動脈。顏面神經。
部位　在耳前珠子傍。
主治　失音。癲疾。心腹痛。耳內蟬鳴耳聾。
摘要　「百症賦」聽宮脾俞。祛盡心下之悲悽。

取法　按耳珠前之陷中取之。

針灸　針三分。灸三壯。

七　足太陽膀胱經穴

本經始目內眥角睛明穴。直上過巔頂而下頸項。至背而下過臀部。至膝膕而下循外踝之後側。出足小趾之端至陰穴止。凡六十七穴。左右共計一百三十四穴。

膀胱經穴圖

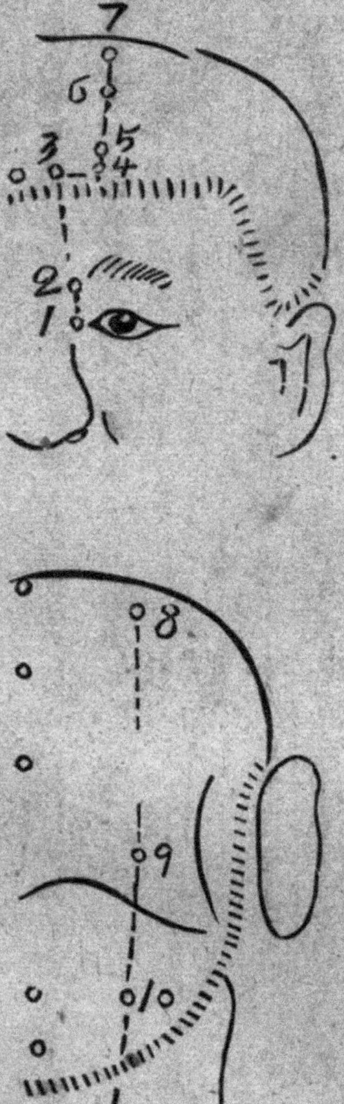

1.睛明　2.攢竹　3.眉冲　4.曲差　5.五處　6.承光　7.通天

8.絡却　9.穴枕　10天柱

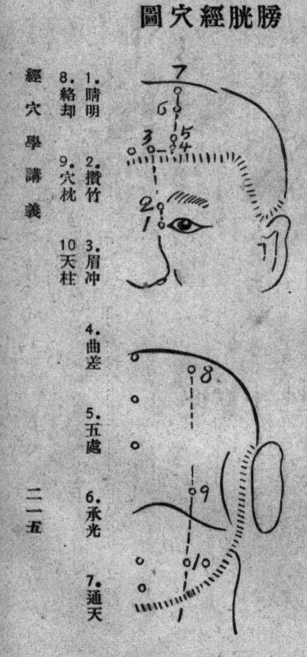

經穴學講義

11 大杼　12 風門　13 肺俞　14 厥陰俞　15 心俞　16 督俞　17 膈俞

18 肝俞　19 胆俞　20 脾俞　21 胃俞　22 三焦俞　23 腎俞　24 氣海俞

25 大腸俞　26 關元俞　27 小腸俞　28 膀胱俞　29 中膂俞　30 白環俞　31 上髎

32 次髎　33 中髎　34 下髎

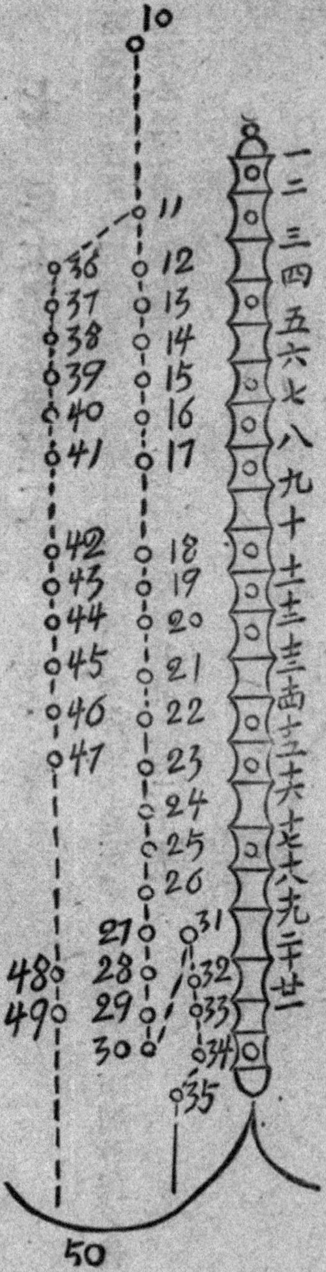

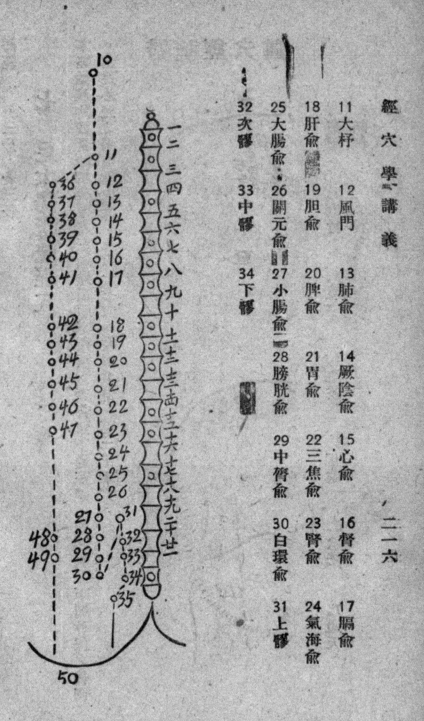

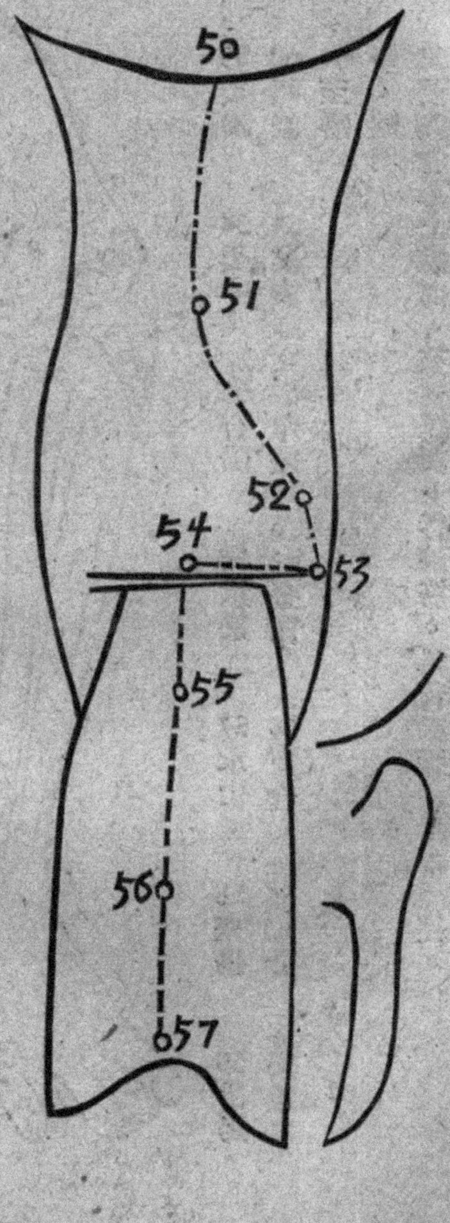

35 會陽　36 附分　37 魄戶　38 膏肓兪　39 神堂　40 譩譆　41 膈關

42 魂門　43 陽綱　44 意舍　45 胃倉　46 肓門　47 志室　48 胞肓

49 秩邊　50 承扶　51 殷門　52 浮郄

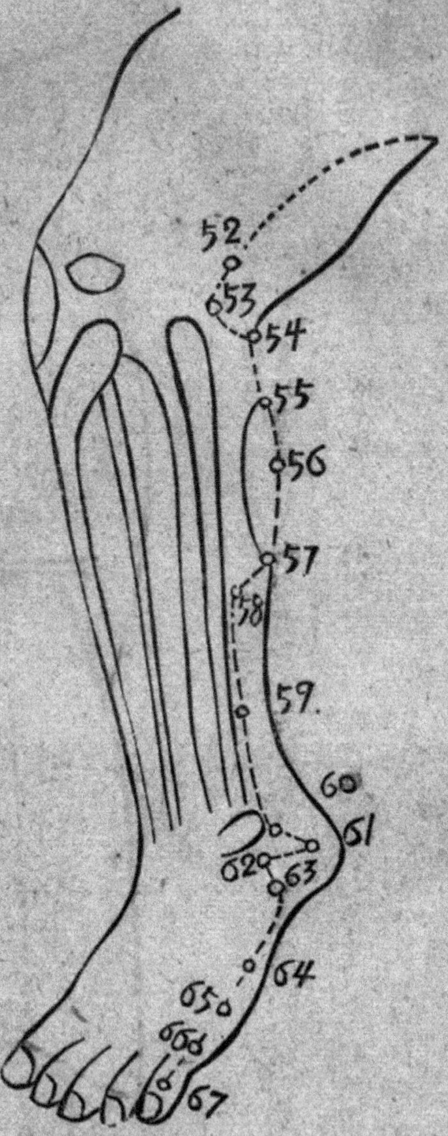

53 委陽　54 委中　55 合陽　56 承筋　57 承山　58 飛揚　59 跗陽
60 崐崘　61 僕參　62 申脈　63 金門　64 京骨　65 束骨　66 通谷
67 至陰

一、睛明

解剖 爲前頭骨鼻上棘部。有鼻翼與上唇舉筋。鼻背動脈。滑車神經。

部位 在目內眥角內一分。宛宛中。

主治 目痛視不明。迎風流淚。胬肉攀睛。白翳眥癢。疳眼。頭痛目眩。

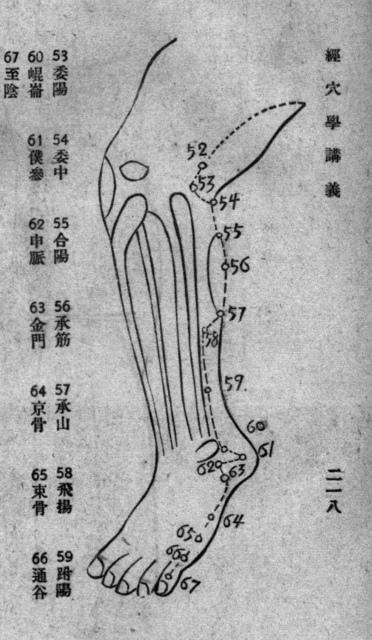

摘要　此穴爲手足太陽足陽明陰蹻陽蹻五脈之會。凡治雀目者可久留針而速出之。「百症賦」雀目肝氣。睛明行間而細推。「靈光賦」睛明治眼胬肉攀。「席弘賦」睛明治眼未效時。合谷光明安可缺。

取法　正坐合目。按取內眥角內約一分。鼻骨邊際取之。

針灸　針一分半。不可灸。

二、攢竹

解剖　此處爲前頭骨部。有眉頭筋。前額動脈。

部位　在眉頭之陷凹中。

主治　目視䀮䀮。淚出目眩。瞳子癢。眼中赤痛。腮臉治動。不得臥煩熱面痛。

摘要　「玉龍歌」眉間疼痛苦難當。攢竹沿皮刺不妨。若是眼昏皆可治。更針頭維即安康。「通玄賦」腦昏目赤。瀉攢竹以偏宜「勝玉歌」目內紅腫苦皺眉。攢竹絲竹亦堪醫。「百症賦」目中漠漠。即尋攢竹三間。

取法　擠起眉部肌肉。從眉頭斜針入取之。

針灸　針一分至二分。禁灸。

三、眉冲

解剖　有前頭筋。前額動脈。顏面神經之顳顬枝。

部位　在攢竹直上髮際五分。

主治　頭痛目眩。目重鼻塞。不聞香臭。

取法　攢竹直上髮際五分取之。針頭向下。或向上取之。

針灸　鍼二分。灸三壯。

四、曲差

解剖　爲前頭額骨部。有前頭筋。前額動脈。顏面神經之顳顬枝。

部位　入髮際約五分。去神庭旁一寸五分。

主治　目不明。頭痛鼻塞。鼽衄臭涕。頂巔痛。心煩身熱汗不出。

取法　曲差外開一寸。針頭向下。或向上取之。

針灸　鍼二分。灸三壯。

五、五處

解剖　有前頭筋。前額動脈。額神經。

部位　在曲差後五分。上星旁一寸五分。

主治　脊強反折。瘈瘲癲疾。頭痛戴眼眩暈。目視不明。

取法　入髮際一寸。外開一寸五分取之。針頭向上或下。

針灸　鍼二三分。禁灸。

六、承光

解剖　爲帽狀腱膜部有顱頂骨。顳顬神經。

部位　在五處後一寸五分。

主治　頭風風眩嘔吐心煩。鼻塞不利。目翳口喎。

取法　五處之後一寸五分取之。針尖向下。

針灸　鍼二三分。禁灸。

七、通天

解剖　爲後頭筋之上部。有顱頂骨顳顬動脈。大後頭神經。

部位　在承光後一寸五分。

主治　頭旋項痛不能轉側。鼻塞。偏風口喎衂血。頭重耳鳴狂走。瘈瘲。恍惚。目靑盲內障。

摘要　『百症賦』通天去鼻內無聞之苦。『千金』癭氣面腫。灸五十壯。

取法　承光後一寸五分取之。針頭向後面。

針灸　鍼三分。灸三壯。

八、絡却

解剖　此處爲後頭骨部。有後頭筋。後頭動脈。大後頭神經。

部位　在通天後一寸五分。
主治　頭旋。口喎鼻塞。項腫癭瘤。內障耳鳴。
取法　通天後一寸五分取之。針頭向後面。
針灸　鍼三分。灸三壯。

九、玉枕

解剖　有後頭筋。後頭動脈。大後頭神經。
部位　在絡却後。去腦戶傍一寸三分。
主治　目痛如脫。不能遠視。腦風頭項痛。鼻塞無聞。
摘要　『百症賦』顖會連於玉枕。頭風療以金鍼。
取法　通天後四寸微向內取之。針頭向下。
針灸　鍼二三分。灸三壯。

十、天柱

解剖　爲後頭骨項內側。有僧帽筋。有後頭動脈與神經。
部位　在項之後部髮際大筋外廉之陷凹中。去中行風府七分。
主治　頭旋腦痛。鼻塞淚出。項強肩背痛。足不任身。目瞑不欲視。
摘要　『百症賦』目覺䀮䀮。亟取養老天柱。『又』項強多惡風。束骨相連於天柱。

取法　大椎上四寸。風府穴旁七分取之。

針灸　針二分。灸三壯。

十一、大杼

解剖　有僧帽筋。大方稜筋。肩胛背側之動脈。脊髓神經之後枝。並第十二對神經。

部位　在第一椎之下。橫開各一寸五分。（去脊）

主治　傷寒汗不出。腰脊項背強痛不得臥。喉痺煩滿。痎瘧頭痛。咳嗽身熱。目眩癲疾。筋攣瘛瘲。膝痛不可屈伸。

摘要　「席弘賦」大敦若連長強尋。小腸氣痛卽行針。「勝玉歌」五瘧寒多熱更多。間使大杼眞妙穴。「肘後歌」風痺痿厥如何治。大杼曲泉眞是妙。

取法　正坐。從大椎下陶道穴去脊旁開一寸五分取之。

針灸　針三分。不宜灸。

十二、風門

解剖　有僧帽筋。背長筋。肩胛背神經。

部位　在第二椎下之旁一寸五分。大杼之下。

主治　傷寒頭痛項強：目瞑　嚏胸中熱。嘔逆上氣。喘臥不安。身熱黃疸。癰疽發背。

摘要　此穴能瀉一身熱氣。「神農經」傷風欬嗽頭痛。鼻流清涕。可灸十四壯。及治頭疼風眩鼻衄不止。

取法　正坐。從第二椎下去脊旁開一寸五分取之。

針灸　針五分。灸五壯。

十三、肺俞

解剖　有背長筋後上鋸筋。肩胛背神經。

部位　在第三椎之下。去脊旁一寸五分。風門之下。

主治　五勞傳尸骨蒸。肺風肺痿。咳嗽嘔吐。上氣喘滿。虛煩口乾。目眩支滿汗不出。腰脊強痛背僂如龜。寒熱癭氣黃疸。

摘要　此穴主瀉五臟之熱。「神農經」治欬嗽吐血。唾紅骨蒸。虛勞。可灸十四壯。「乾坤生意」同陶道身柱膏肓治五勞七傷虛損。「百症賦」欬嗽連聲。肺俞須臨天突穴。『玉龍歌』傷風不解嗽頻頻。久不醫時癆便成。咳嗽須針肺俞穴。痰多宜向豐隆行。「勝玉歌」若是痰涎幷咳嗽。治却須當灸肺俞。

取法　正坐。從第三椎下去脊旁開一寸五分取之。

針灸　針三分。灸三壯。至數十壯。

十四，厥陰俞

解剖　有背長筋後上鋸筋。

部位　在第四椎之下。去脊旁一寸五分。
主治　欬逆牙痛心痛結胸。嘔吐煩悶。
摘要　主治胸中膈氣。積聚好吐。
取法　正坐。從第四椎下。去脊旁開一寸五分取之。
針灸　針三分。灸七壯。

十五、心俞

解剖　有背長筋。後上鋸筋。
部位　在第五椎之下。各開一寸五分取之。
主治　偏風。半身不遂。食噎積結。寒熱心氣悶亂。煩滿恍惚。心驚汗不出。中風偃臥不得。發癇悲泣。嘔吐欬血。發狂健忘。
摘要　此穴主瀉五臟之熱。「神農經」小兒氣不足者。數歲不能語。可灸五壯如麥粒。「勝玉歌」遺精白濁心俞治。「百症賦」風癇常發。神道還須心俞甯。「捷徑」治憂噎。
取法　正坐。從第五椎下旁開一寸五分取之。
針灸　針三分。灸三壯。

十六、督俞

解剖　有背長筋。

部位　在第六椎之下。去脊一寸五分取之。
主治　寒熱心痛。腹痛雷鳴氣逆。
取法　正坐。從第六椎下旁開一寸五分取之。
針灸　針三分至五分深。灸三壯。

十七、膈俞

解剖　有背長筋。
部位　在第七椎之下去脊一寸五分取之。
主治　心痛周痺。膈胃寒痰。暴痛心滿。氣急吐食。翻胃痃癖。五積氣塊血塊。欬逆四肢腫痛。怠惰嗜臥。骨蒸喉痺。熱病汗不出。食不下。腹脇脹滿。
摘要　此穴血之會也。凡屬血病。均宜針之灸之。「千金」治吐逆翻胃灸百壯。
取法　正坐。從第七椎下去脊旁開一寸五分。取之。
針灸　針三分至五分。灸三壯。

十八、肝俞

解剖　有背長筋。
部位　在第九椎之下。去脊一寸五分取之。
主治　氣短欬血。多怒脅肋滿悶。欬引兩脅。脊背急痛不得息。轉側難。反折上視。驚狂

摘要　鼽衄。眩暈。痛循眉頭。黃疸鼻痠。熱病後目中出淚。眼目諸疾。熱痛生翳。或熱瘥後因食五辛患目。嘔血或疝氣。筋痙相引轉筋入腹。此穴主瀉五臟之熱。「千金」胸滿心腹積聚疼痛。灸百壯。「又」氣短不語。灸百壯。『玉龍歌』肝家血少目昏花。宜補肝俞力便加。更把三里頻瀉動。還光益血自無差。「勝玉歌」肝血盛兮肝俞瀉。『標幽賦』取肝俞於命門。使瞽士視秋毫之末「百症賦」攀睛攻肝俞少澤之所。

取法　正坐。從第八椎去脊旁開一寸五分取之

針灸　針三分。灸三壯。

十九、胆俞

解剖　爲闊背筋部。有胸背動脈。

部位　在第十椎之下。去脊一寸五分。

主治　頭痛振寒。汗不出。腋下腫。心腹脹滿。口乾苦咽痛。嘔吐翻胃食不下。骨蒸勞熱。目黃胸脇不能轉側。

摘要　『百症賦』目黃兮。陽綱胆俞。『捷徑』胆俞膈俞可治勞噎。

取法　正坐。從十椎之下去脊旁開一寸五分取之。

針灸　針三分。灸三壯。

二十、脾俞

解剖　有關背筋。胸背動脈。

部位　在第十一椎之下。夾脊一寸五分。

主治　痃癖積聚脇下滿。痎瘧寒熱。黃疸腹脹痛。吐食不食。飲食不化。或食飲倍多。煩熱嗜臥。身體羸瘦。泄痢善欠體重。四肢不收。

摘要　此穴主瀉五臟之熱。「百症賦」聽宮脾俞祛殘心下之悲悽。「又」脾虛穀食不消。脾俞膀胱俞覓。「捷徑」治思噎食噎。「千金」治食不消化。洩痢。不作肌膚。脹滿水腫。灸隨年壯。

取法　正坐。從第十一椎之下去脊旁開一寸五分取之。

針灸　針三分。灸三壯。

二十一、胃俞

解剖　有關背筋。

部位　在第十二椎之下去脊一寸五分。

主治　胃寒吐逆翻胃。霍亂腹脹支滿。肌膚羸瘦。腸鳴腹痛不嗜食。脊痛筋攣。小兒羸瘦。食少不生肌肉。小兒痢下赤白。秋末脫肛。肚疼不可忍。艾炷如大麥。

摘要　「百症賦」胃冷食不化。魂門胃俞堪責。

取法　正坐。從第十二椎之下去脊一寸五分取之。

針灸　針三分。灸三壯。

二十二、三焦俞

解剖　有關背筋。腰背筋膜。肋間動脈。脊椎神經之後枝。

部位　在第十三椎下去脊一寸五分。

主治　傷寒身熱。頭痛吐逆。肩背急。肩背強不得俛仰。藏府積聚脹滿。膈塞不通。飲食不化。羸瘦。水穀不分。腹痛下痢。腸鳴目眩。

摘要　『千金』少腹堅大如盤盂。胸腹脹滿。飲食不消。婦人癥聚。同氣海各灸百壯。

取法　正坐。從第十三椎下去脊旁開一寸五分取之。

針灸　針五分。灸三壯。

二十三、腎俞

解剖　有關背筋。腰背筋膜。長背筋。後下鋸筋。肋間動脈脊椎神經。

部位　在第十四椎下去脊一寸五分。

主治　虛勞羸瘦面目黃黑。耳聾腎虛。水臟久冷。腰痛夢遺。精滑精冷。膝脚拘急。身熱頭痛振寒。心腹䐜脹。兩脇滿。痛引少腹。少氣溺血便濁。淫濼。赤白帶下。月經不調。陰中痛。五勞七傷。虛憊無力。足寒如冰。洞泄食不化。身腫如水。男女久

摘要　積氣痛。變成癆疾。
此穴主瀉五臟之熱。「千金」夢遺失精。五臟虛勞。小腹強急。各灸百壯。『玉龍歌』腎敗腰虛小便頻。夜間起止苦勞神。命門若得金針助。腎俞艾灸起邅迍。『勝玉歌』腎敗腰疼小便頻。督脈兩旁腎俞治。『百症賦』胸脇停留瘀血。腎俞巨髎（當作闕淡安註）宜針。

取法　正坐。從第十四椎下去脊旁開一寸五分。適當臍眼平行線上取之。

針灸　針三分。灸三壯。

二十四、氣海俞

解剖　有長背筋。腰背筋膜。薦骨脊柱筋。

部位　在第十五椎之下。去脊一寸五分。

主治　腰痛痔漏。

取法　正坐從腎俞下一寸二分餘取之。

針灸　針三分。灸三壯。

二十五、大腸俞

解剖　有長背筋。腰背筋。薦骨脊柱筋。

部位　在第十六椎之下。去脊一寸五分。

主治　脊強不得俯仰。腰痛腹脹。繞臍切痛。腸鳴瀉痢。食不化。大小便不利。

摘要　『千金』脹滿雷鳴灸百壯。『靈光賦』大小腸俞大小便。

取法　從膂俞下二寸五分餘。伏而取之。

針灸　針三分。灸三壯。

二十六、關元俞

解剖　有長背筋。腰背筋。膜肋間動脈。薦骨神經之後枝。

部位　在十七椎之下。去脊一寸五分。

主治　風勞腰痛。泄痢虛脹。小便難。婦人癥瘕。

取法　從氣海俞下二寸五分餘。伏而取之。

針灸　針三分。灸三壯。

二十七、小腸俞

解剖　有腰背筋膜肋間動脈。薦骨神經枝。

部位　在薦骨上部（即十八椎之下）去脊一寸五分。

主治　膀胱三焦津液少。小便赤不利。淋瀝。遺尿。小腹脹滿。腹痛瀉痢濃血。脚腫心煩短氣。五痔疼痛。婦人帶下。

摘要　『千金』洩注。五痢。便膿血。腹痛。灸百壯。『靈光賦』大小腸俞大小便。

取法　從腎俞下五寸餘。伏而取之。

針灸　針三分。灸三壯。

二十八、膀胱俞

解剖　有大臀筋。中臀筋。上臀動脈。上臀神經。

部位　在第十九椎下。去中行一寸五分。

主治　小便赤澀。遺尿洩痢。腰脊腹痛。陰瘡。脚膝寒無力。女子癥瘕。

摘要　『百症賦』脾虛穀食不消。脾俞膀胱俞覓。

取法　從腎俞下六寸三分。伏而取之。

針灸　針三分。灸三壯。

二十九、中膂俞

解剖　有大臀筋。上臀動脈。上臀神經。

部位　在第二十椎之下。去中行一寸五分。

主治　腎虛消渴。腰脊強痛不得俯仰。腸泄赤白痢。疝痛汗不出。脅腹脹腫。

摘要　『雜病穴法歌』痢疾合谷三里宜。甚者必須兼中膂。

取法　從腎俞下七寸六分。伏而取之。

針灸　針三分。灸三壯。

三十、白環俞

解剖　爲尾閭骨部。有大臀筋。下臀動脈。陰部神經。下臀神經。

部位　在第二十一椎之下。去中行一寸五分。

主治　腰脊痛不得坐臥。疝痛。手足不仁。二便不利。溫瘧。筋攣痹縮。虛熱閉塞（大便）

摘要　『百症賦』背連腰痛。白環委中曾經。

取法　從尾閭骨旁開一寸五分。伏而取之。

針灸　針三分至五分。灸三壯。

三十一、上髎

解剖　是處有腸腰筋。肋間動脈。薦骨神經後枝。

部位　在第十八椎下。直小腸腧。去中行一寸。

主治　大小便不利。嘔逆。腰膝冷痛。寒熱瘧。鼻衄婦人絕嗣。陰中癢痛。陰挺出。赤白帶下。

取法　按取十八椎旁約寸餘。與小腸俞平之陷孔中。伏而取之。

針灸　針三分至八分。灸三壯。

三十二、次髎

解剖　有臀筋與中臀筋。上臀動脈。上臀神經。

部位　在第十九椎下。直膀胱俞。去中行一寸少。
主治　大小便淋赤不利。心下堅脹。腰痛足腫。疝氣下墜。引陰痛不可忍。腸鳴洩瀉。赤白帶下。
取法　如上式。在上髎下寸餘。與膀胱俞平之第二陷孔中。
針灸　針三分。灸三壯。

三十三、中髎

解剖　有大臀筋。上臀動脈。上臀神經。
部位　在二十椎之下。直中膂俞。去中行一寸少。
主治　五勞七傷。二便不利。腹脹飧泄。婦人少子。白帶月經不調。
取法　如上式。按取第三陷孔中。伏而取之。此穴與中膂俞平。
針灸　針三分。灸三壯。

三十四、下髎

解剖　有大臀筋。下臀動脈。陰部神經。上臀神經。
部位　在第二十一椎之下。俠骨脊陷中。
主治　腸鳴泄瀉。二便不利。下血。腰痛引小腹急痛。女子淋濁不禁。
摘要　『百症賦』溼寒溼熱下髎定。

取法　如上式。在中髎下寸餘近脊之陷孔中伏而取之。與白環俞平。

針灸　針三分。灸三壯。

三十五、會陽

解剖　有大臀筋。下臀動脈。陰部神經。下臀神經。

部位　在尾閭骨下部之旁側陷中。

主治　腹中寒。氣泄瀉。腸澼便血久痔。陽氣虛乏陰汗溼癢。

取法　按取尾閭骨脊旁開一寸部位。伏而取之。

針灸　針三分。灸三壯。

三十六、附分

解剖　有僧帽筋。後上鋸筋。小方稜筋。橫頸動脈。副神經。脊椎神經後枝。肩胛背神經。

部位　在第二椎之下去脊三寸。

主治　肘肩不仁肩背拘急。風客腠理。頸痛不得回顧。

取法　正坐。從風門穴旁開一寸五分取之。

針灸　針三分。灸三壯。

三十七、魄戶

解剖　有僧帽筋。大方稜筋。肩胛背神經。

部位　在第三椎下去脊三寸。

主治　虛勞肺痿。肩膊胸背痛。三尸走注。項強喘逆。煩滿嘔吐。

摘要　此穴主瀉五臟之熱。『神農經』。治虛勞發熱。灸十四壯。『百症賦』癆瘵傳尸取魄戶膏肓之路。『標幽賦』體熱勞嗽而瀉魄戶。

取法　正坐。從肺俞穴旁開一寸五分取之。

針灸　針三分至五分。灸五壯。

三十八、膏肓俞

解剖　有僧帽筋。大方稜筋。脊椎神經後技。肩胛背神經。

部位　在四椎下。五椎上。去脊中三寸。

主治　百病皆療。虛羸瘦損。五勞七傷。夢遺失精。上氣欬逆。痰火發狂。健忘。

摘要　「百症賦」勞瘵傳尸取膏肓之路。『靈光賦』膏肓穴灸治百病。『乾坤生意』膏肓陶道身柱肺俞爲治虛損五勞七傷緊要之穴。

取法　正坐。從厥陰俞旁開一五分取之。

針灸　針三分。灸三壯。

三十九、神堂

解剖　有僧帽筋。脊椎神經後枝。肩胛背神經。

部位　在第五椎下去脊三寸。

主治　腰脊強痛。不可俯仰。灑洒惡寒。胸腹滿逆。時噎。

取法　正坐從神道旁一寸五分取之。

針灸　針三分。灸三分。

四十、譩譆

解剖　有僧帽筋。脊椎神經後枝。肩胛背神經。

部位　在第六椎之下。去脊三寸。

主治　大風熱病不出出。勞損不得臥溫瘧久不愈。胸腹脹悶氣噎。肩背脇肋痛急。目痛。欬逆鼻衄。

摘要　『千金』多汗。瘧病。灸五十壯。

取法　正坐。從督俞穴旁開一寸五分取之。

針灸　針六分。灸五壯。

四十一、膈關

解剖　有僧帽筋。脊椎神經枝。

部位　在第七椎下。去脊三寸。

主治　背痛惡寒。脊強嘔吐。飲食不下。胸中噫悶。大小便不利。
摘要　此穴亦血會。治諸血病。
取法　正坐。從膈俞旁開一寸五分取之。
針灸　針五分。灸五壯。

四十二、魂門

解剖　有關背筋。胸背動脈。肩胛下神經。
部位　在第九椎下。去脊三寸。
主治　尸厥。胸背連心痛。食不下。腹中雷鳴。大便不節。小便黃赤。
摘要　此穴主瀉五臟之熱。『百症賦』胃冷食而難化。魂門胃俞堪責。「標幽賦」筋攣背痛。而補魂門。
取法　正坐從肝俞旁開一寸五分取之。
針灸　針五分。灸三壯。

四十三、陽綱

解剖　有關背筋胸背動脈。脊椎神經。
部位　在第十椎下。去脊三寸。
主治　腸鳴腹痛。食不下。小便澀。身熱消渴。目黃腹脹泄瀉。

摘要　『百症賦』目黃兮。陽綱胆俞。
取法　正坐。從胆俞旁開一寸五分取之。
針灸　針五分。灸五壯。

四十四、意舍

解剖　有闊背筋。胸背動脈。脊椎神經。
部位　在十一椎去脊三寸。
主治　背痛腹脹。大便泄。小便黃。嘔吐。惡風寒。飲食不下，消渴目黃。
摘要　此穴主瀉五臟之熱。「百症賦」胸滿更加噎塞。中府意舍所行。
取法　正坐。從脾俞旁開一寸五分取之。
針灸　針五分。灸七壯。

四十五、胃倉

解剖　有胸背動脈。背脊神經。
部位　在第十二椎下。去脊三寸。
主治　腹滿水腫。食不下惡寒。背脊痛不可俯仰。
取法　正坐從胃俞旁開一寸五分取之。
針灸　針五分。灸五壯。

解剖　有闊背筋。方形腰筋。肋間動脈。肩胛下神經。脊髓神經。
部位　在第十三椎下去脊三寸。
主治　心下痛。大便堅。婦人乳痛。
取法　正坐。從三焦兪旁開一寸五分取之。
針灸　針五分。灸五壯。

四十六、肓門

四十七、志室
解剖　有闊背筋。方形腰筋。肋間動脈。肩胛下神經。脊髓神經。
部位　在第十四椎下。去脊三寸。
主治　陰腫陰痛。失精。小便淋瀝。脊背強。腰脇痛。腹中堅滿。霍亂吐逆不食。大便難。
取法　正坐從腎兪旁開一寸五分取之。
針灸　針五分灸三壯。

四十八、胞肓
解剖　即臗骨部。有大臀筋。中臀筋。上臀動脈。下臀神經。
部位　在第十九椎下。去脊三寸。

主治　腰脊痛。惡寒。小腹堅。腸鳴大小便不利。
取法　正坐。從膀胱俞旁開一寸五分。伏而取之。
針灸　針五分。灸七壯。

四十九、秩邊

解剖　有大臀筋。中臀筋。上脊動脈。下臀神經。
部位　在二十下椎。去脊三寸。
主治　腰痛。五痔。小便赤澀。
取法　正坐。從中膂俞。旁開一寸五分。伏而取之。
針灸　針五分。灸三壯。

五十、承扶

解剖　大臀筋之下部。大肉轉股筋之間。有坐動脈。下臀神經。
部位　在臀部高肉下垂之橫紋中。
主治　腰脊相引如解。久痔臀腫。大便難　胞寒。小便不利。
取法　直立從臀肉下垂之橫紋中央取之。
針灸　針五分。不宜灸。

五十一、殷門

解剖　爲二頭股筋部。有股動脈。坐骨神經。
部位　在承扶下六寸。
主治　腰脊不可俯仰。惡血流注。外股腫。
取法　直立。從承扶直下六寸取之。
針灸　針五分。不宜灸。

五十二、浮郄

解剖　爲二頭股筋腱部。有膝膕動脈。坐骨神經。
部位　在殷門下斜向外。委陽上一寸。
主治　霍亂轉筋。小腹膀胱熱。大腸結。股外急筋。髀樞不仁。
取法　先定委陽。從委陽上一寸取之。
針灸　針五分。灸三壯。

五十三、委陽

解剖　在膝膕窩之外側。二頭股筋腱之間。有膝膕動脈。腓骨神經。
部位　由委中向外之兩筋間。去承扶一尺二寸。
主治　腰脊腋下腫痛不可俯仰。引陰中不得小便。胸滿身熱。瘈瘲癲疾。小腹滿。飛尸遁注。痿厥不仁。

摘要　此穴爲足太陽之別絡。『百症賦』委陽天池。腋腫針而速散。

取法　正坐垂足。當膝膕外側筋外陷中取之。

針灸　針七分。灸三壯。

五十四、委中

解剖　有膝膕動靜脈。脛骨神經。部位當膝膕窩之正中。

主治　大風眉髮脫落。太陽瘧從背起。先寒後熱熇熇然汗出難已。頭重。轉筋腰脊背痛半身不遂。遺溺。小腹堅。髀樞風痛。膝痛。足軟無力。

摘要　此穴爲足太陽脈之所入爲合土。主瀉四肢之熱。委中者。血郄也。凡熱病汗不出。小便難。衄血不止。脊強反折。瘈瘲癲疾。足熱厥逆。不得屈伸。取其經出血立愈。『太乙歌』虛汗盜汗補委中。『玉龍歌』環跳能除腿股風。居髎二穴亦相同。委中毒血更出盡。愈見醫科神聖功『又』強痛脊瀉人中。挫閃腰酸亦堪攻。更有委中之一穴。腰間諸疾任君攻。『百症賦』背連腰痛。百環委中曾經『勝玉歌』委中驅療脚風纏。『千金』委中崐崙治腰相連。『四總穴』腰背委中求。『馬丹陽十二訣』腰痛不能舉。沉沉引脊梁。酸疼筋莫轉。風痺復無常。膝頭難伸屈。針入即安康。『肘後歌』腰軟如何去得根。神妙委中立見效。『雜病穴法歌』腰痛環跳委中求。若連背痛崐崙試。

取法　正坐垂足。按取膝膕之正中取之。

針灸　針一寸五分。禁灸。

五十五、合陽

解剖　有腓腸筋。環行後脛骨動脈。脛骨神經。

部位　委中下二寸。

主治　腰脊強引腹痛。陰股熱。胻酸腫。寒疝偏墜。女子崩帶不止。

摘要　『百症賦』女子少氣漏血。不無交信合陽。

取法　正坐垂足。於委下二寸取之。

針灸　針五分。灸五壯。

五十六、承筋

解剖　有腓腸筋。環行後脛骨動脈脛骨神經。

部位　在合陽與承山中間。即腨腸之中央。

主治　寒痺腰背拘急。腋腫大便閉。五痔腨痠。脚跟痛引少腹。轉筋霍亂鼽衄。

摘要　霍亂轉筋。灸五十壯。

取法　正坐垂足。從腨腸之中央取之。

針灸　灸三壯。禁針。

五十七、承山

解剖 有腓腸筋。脛骨動脈。脛骨神經。

部位 在委中下八寸。腨肉之間。

主治 頭熱鼻衄。寒熱癲疾。疝氣腹痛。痔腫便血。腰背痛。膝腫脛痠。痞痛。霍亂轉筋。戰慄不能行立。

摘要 『千金』灸轉筋隨年壯神驗『玉龍歌』九般痔漏最傷人。必剌承山效若神。更有長強一穴剌。呻吟大痛穴爲眞。『勝玉歌』兩股轉筋承山剌『席弘賦』陰陵泉治心胸滿。針到承山飲食思。『又』轉筋目眩針魚腹。承山崐崙立便消。『百證賦』針長強於承山。善治腸風新下血『靈光賦』承山轉筋并久痔。『天星祕訣』脚若轉筋并眼花。先針承山次內踝。『又』胸膈痞滿先陰交。針到承山飲食美。『馬丹陽十二訣』善治腰疼痛。痔疾大便難。脚氣并膝腫。轉輾戰疼痠。霍亂及轉筋。穴中剌便安。『肘後歌』五痔原因熱血作。承山針下病無踪。『又』打撲傷損破傷風。須於痛處下針攻。又向承山立作效。『雜病穴法歌』心胸痞滿陰陵泉。鍼到承山飲食美。脚若轉筋並眼花。然谷承山法自古。

取法 以足尖着地。兩手按壁上。於腨腸下人字紋下取之。

針灸 鍼七分。灸五壯。

五十八、飛揚

解剖　有脛骨動脈。脛骨神經。
部位　在外踝上七寸。骨後廉。
主治　痔痛不得起坐。脚痠腫不能立。歷節風不得屈伸。癲疾寒瘧。頭暈目眩。逆氣。
摘要　『百症賦』目眩兮。支正飛揚。
取法　正坐垂足。從外踝後直上七寸取之。
針灸　鍼三分灸三壯。

五十九、跗陽

解剖　有長腓筋。前腓骨動脈。淺腓骨神經。
部位　在外踝上三寸。
主治　霍亂轉筋。腰痛不能立。髀樞股胻痛。痿厥風痺不仁。頭重頞痛。時有寒熱。四肢不舉屈伸不能。
取法　正坐垂足。從外踝後直上三寸取之。
針灸　鍼三分。灸三壯。

六十、崐崙

解剖　此處爲長腓骨筋腱。有後腓骨動脈。脛骨神經。
部位　足外踝後五分。跟骨上陷中。

主治 腰尻脚氣。足踝腫痛。不能步立。頭痛鼽衄肩背拘急。咳喘目眩。陰腫痛產難。胞衣不下。小兒發癇瘈瘲。

摘要 此穴爲足太陽之脈所行爲經火『玉龍歌』紅腫腿足草鞋風。須把崐崙兩穴攻。申脈太谿如再刺。神醫妙訣起疲癃『靈光賦』住喘脚氣崐崙愈。『席弘賦』轉筋目眩針魚腹。承山崐崙立便消『千金』治瘧多汗。腰痛不能俯仰。目如脫項似拔。崐崙主之『又』胞衣不出。針入四分。『捷徑』治偏風『馬丹陽十二訣』轉筋腰尻痛暴喘滿中心。舉步行不得。一動卽呻吟。若欲求安樂。須於此穴針。『肘後歌』脚膝經年痛不休。內外踝邊用意求。穴號崐崙幷呂細『雜病穴法歌』腰痛環跳委中求。若連背痛崐崙試。

取法 正坐垂足。在外踝後取之。

針灸 針三分。灸三壯。孕婦禁鍼。

六十一、僕參

解剖 當外踝之下。有腓骨動脈。脛骨神經。

部位 在崐崙直下。

主治 腰痛足痿不收。足跟痛。霍亂轉筋。吐逆膝痛。

摘要 『靈光賦』後跟痛在僕參求。『雜病穴法歌』兩足痠麻補太谿。僕參內庭盤根楚。

取法 正坐垂足。從崐崙直下一寸五分。跟骨下陷中取之。

針灸　鍼三分不宜灸。

六十二、申脈

解剖　爲跟骨上部。有脛骨神經。腓骨動脈。

部位　在外踝下五陷中。

主治　風眩癲疾。腰脚痛。膝胻寒痠不能坐立。如在舟車中。氣逆腿足不能屈伸。婦人氣血痛。腓部紅腫。

摘要　此穴爲陽蹻脈之所生。『神農經』治腰痛灸五壯。『玉龍歌』紅腫腿足草鞋風。須把崐崙二穴攻。申脈太谿如再刺。神醫妙訣起疲癃。『標幽賦』頭風頭痛。鍼申脈與金門。『瀾江賦』申脈能治寒與熱。頭痛偏正及心驚。耳鳴鼻衄胸中滿。但遇痲木虛卽補。如逢疼痛瀉而迎。『靈光賦』陰蹻陽蹻兩踝邊。脚氣四穴先尋取。陰陽陵泉亦主之。『又』陰蹻陽蹻與三里。諸穴一般治脚氣。在腰玄機宜正取。『雜病穴法歌』頭風目眩項強。申脈金門手三里。『又』脚膝諸痛羨行間。三里申脈金門侈。

取法　外踝直下約四分之部陷中取之。

針灸　鍼三分。不宜灸。

六十三、金門

解剖　爲短總趾伸筋部。有腓骨動脈。脛骨神經。

部位　在申脈之前一寸少。骨下陷中。

主治　霍亂轉筋。尸厥。癲癇。疝氣。膝胻痠不能立。小兒張口搖頭。身反折。

摘要　此穴爲足太陽郄。『百症賦』轉筋兮。金門邱墟來醫『標幽賦』頭風頭痛。鍼申脈與金門『雜病穴法歌』頭風目眩項捩強。申脈金門手三里。「又」耳聾臨泣與金門。合谷鍼後聽人語。『又』脚氣諸痛羨行間。三里申脈金門侈。『肘後歌』瘧疾連日發不休。金門刺深七分是。

取法　從外踝之前方。卽申脈穴之前方五分。灣形陷中。取之。

針灸　鍼三分。灸三壯。

六十四、京骨

解剖　爲小趾第一趾節骨之後部。卽短腓筋腱部。有骨間背動脈。外小趾背神經。

部位　在足外側大骨下。赤白肉際。

主治　腰脊痛如折。髀不可曲。項強不能回顧。筋攣善驚。痎瘧寒熱。目眩內眥赤爛。頭痛鼽衄。癲病狂走。

摘要　此穴爲足太陽之脈所過爲原穴。

針灸　針三分。灸三壯。

六十五、束骨

解剖　爲長總趾伸筋附着之部。有小趾背神經。骨間背動脈。

部位　在小趾外側。

主治　腸癖泄瀉。瘧痔癲癇。發背癰疔。頭痛目眩。內背赤痛。耳聾腰膝痛。項強不可回顧。

摘要　此穴爲足太陽脈之所注爲俞木。『秦承祖』治風熱胎赤。兩目眥爛。『百症賦』項強多惡風。束骨相連於天柱。

取法　小趾本節後陷中取之。

針灸　鍼三分。灸三壯。

六十六、通谷

解剖　有長總趾伸筋附着部。外小趾背神經。

部位　在小趾本節前陷中。

主治　頭痛目眩項痛。衄衂善驚。目䀮䀮。留食。食不化。

摘要　此穴爲足太陽脈之所流爲滎水。東垣曰胃氣不留。五臟氣亂。在於頭。取天柱大杼。不足深取通谷束骨。

取法　小趾本節前陷中取之。

針灸　鍼三分。灸三壯。

六十七、至陰

解剖 有外小趾背神經。骨間背動脈。

部位 在足小趾端外側。去爪甲角如韭葉。

主治 風寒頭重。鼻塞目痛生翳。胸脇痛。轉筋寒瘧。汗不出。煩心足下熱。小便不利。

摘要 此穴爲足太陽之脈所出爲井金。『百症賦』至陰屋翳。療癢疾之疼多。『席弘賦』脚膝腫時尋至陰。『註』婦人橫產手先出。諸符藥不效。爲灸右脚小指尖三壯。炷如小麥。下火立產。『肘後歌』頭面之疾鍼至陰。

取法 小趾外側端爪甲角分許取之。

針灸 針一分。灸三壯。

足少陰腎經穴

本經自足心湧泉起。斜上內踝之後。折而至踝骨之下。復循脛骨之後而上。過膝之內側。上行入腹。抵臍旁而上膈入胸。至俞府穴止。凡二十七穴。左右共計五十四穴。

1.湧泉　2.然谷　3.太谿　4.大谿　5.水泉　6.照海　7.交信　8.復溜

9.築賓　10陰谷　11橫骨　12大赫　13氣穴　14四滿　15中注　16肓俞

17商曲　18石關　19陰都　20通谷　21幽門　22步廊

腎經穴圖

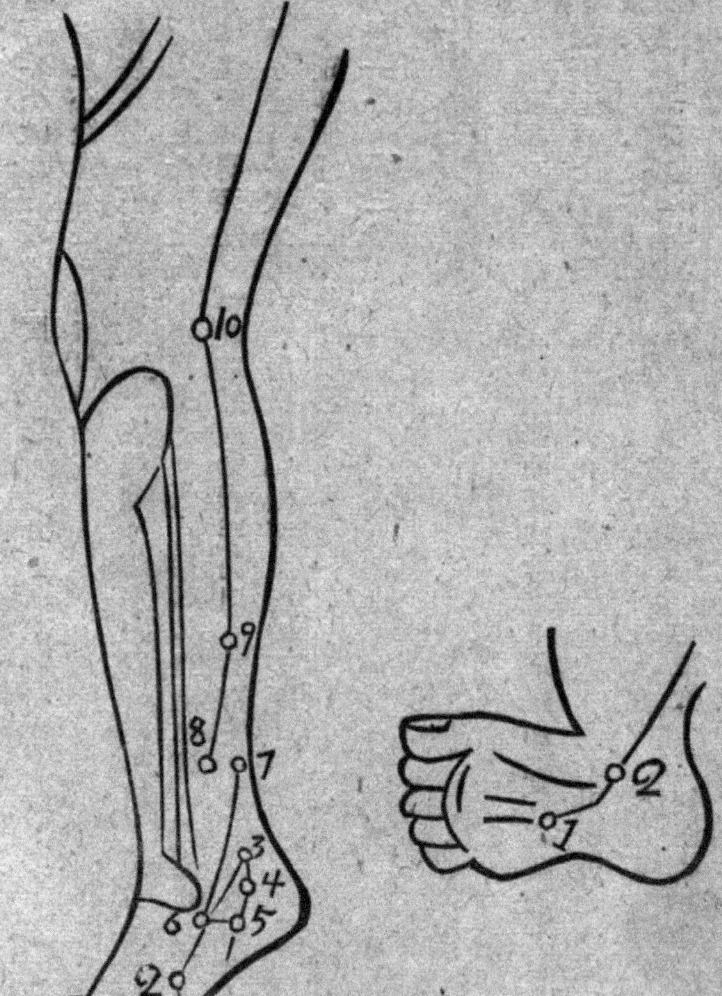

23 神封

24 靈墟

25 神藏

26 彧中

27 俞府

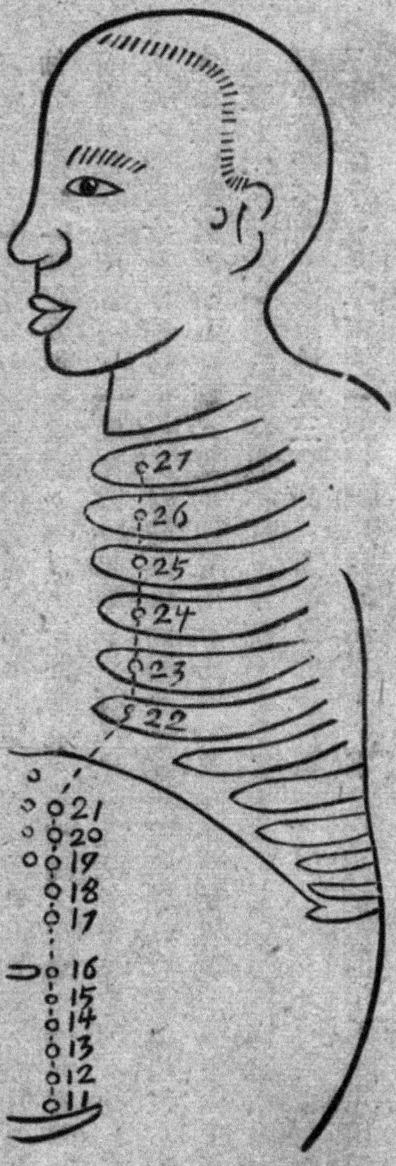

一、湧泉

解剖 爲轉拇筋部。有內足蹠動脈。內足蹠神經。

部位 在足底中央。

主治 尸厥。面黑。喘嗽有血。目視䀮䀮無所見。善恐心中結熱。風疹。風癇。心痛不嗜食。男子如蠱。女子如妊。咳嗽氣短身熱。喉痺目眩。頸痛胸脅滿。小便痛。腸澼泄瀉。霍亂轉胞不得尿。腰痛大便難。轉筋足脛寒痛。腎積奔豚。熱厥。五趾盡痛。足不踐地。

摘要 此穴爲足少陰脈之所出爲井木。足下熱喘滿。淳於意曰此熱厥也。針足心立愈『玉龍歌』傳尸癆病最難醫。湧泉出血免災危「席弘賦」鳩尾能治五般癇。若下湧泉人不死。『又』小腸氣結連臍痛。速瀉陰交莫再遲。良久湧泉針取氣。此中玄妙人少知『百症賦』厥寒厥熱湧泉清。「又」行間湧泉。去消渴之腎竭。『通玄賦』胸結身黃。取湧泉而卽可。『靈光賦』足掌下去尋湧泉。此法千金莫忘傳。此穴多治婦人疾。男蠱女孕兩病痊。『天星祕訣』如是小腸連臍痛。先刺陰陵後湧泉。『雜病穴法歌』勞宮能治五般癇。更刺湧泉疾若挑。『又』小兒驚風刺少商。人中湧泉瀉莫深。『肘後歌』頂心頭痛眼不開。湧泉下針足安泰。『又』傷寒痞氣結胸中。兩目昏黃汗不通。湧泉妙穴三分許。速使週身汗自通。

取法 足底去根。在足掌部之中央。試以足趾踡屈。於掌之中央發現凹陷形。穴卽於此中取之。

針灸 針三分。灸三壯。

二、然谷

解剖 爲長屈拇筋之附着部。有脛骨神經。

部位 在內踝前之高骨下。

主治 喘呼煩滿。欬血。喉痺。消渴。舌縱。心恐。少氣涎出。小腹脹。痿厥。寒疝。足跗腫。胻痠。足一寒一熱。不能久立。男子遺精。婦人陰挺出。月經不調不孕。初生小兒臍風撮口。痿厥洞泄。

摘要 此穴爲足少陰脈之所流爲滎水。主瀉腎藏之熱。『百症賦』臍風須然谷而易醒。」雜病穴法歌』脚若轉筋眼發花。然谷承山法自古。『註』然谷出血。能使立飢。

取法 足內踝之前下方。即足踝前高骨之下。當公孫穴後一寸位。取之。

針灸 針三分。灸三壯。

三、太谿

解剖 爲長總趾屈筋腱部。有後脛骨動脈。脛骨神經。

部位 在內踝後五分。

主治 熱病汗不出。傷寒手足逆冷。嗜臥。欬嗽咽腫。衄血。唾血。溺赤消癉。大便難。久瘧。欬逆煩心不眠。脈沉手足寒。嘔吐不嗜食。善噫腹疼瘠瘦。寒疝痃癖。

摘要 此穴爲足少陰脈之所注爲俞土。『神農經』牙疼紅腫者瀉之。『又』陰股內淫癢生瘡。便毒。先補而後瀉之。「又」腎瘧。嘔吐多寒。閉戶而處。其病難已。太谿大鍾主之。「又」腰脊痛。大便難。手足寒。針太谿與委中與大鍾。「玉龍歌」紅腫腿足草鞋風。須把崐崙兩穴攻。申脈太谿如再刺。神醫妙訣起疲癃。「百證歌」寒瘧兮商陽太谿驗。「雜病穴法歌」兩足痠麻補太谿。僕參內庭盤根楚。

取法　適當內踝後陷中取之。

針灸　針三分。灸三壯。

四、大鍾

解剖　有長總趾屈筋。脛骨神經。

部位　在足跟後踵中。

主治　氣逆煩悶。小便淋閉。洒洒腰脊強痛。大便祕澀。嗜臥。口中熱。虛則嘔逆多寒。欲閉戶而處。小氣不足。胸脹喘息。舌乾。食噎不得下。善驚恐不樂。喉中鳴。欬吐血。

摘要　此穴爲足少陰絡。別走太陽。『百症賦』倦言嗜臥。往通里大鍾而明。『標幽賦』大鐘治心內之癡呆。

取法　從太谿下五分取之。

針灸　針三分。灸三壯。

五、水泉

解剖　為長總趾屈筋腱部。有後脛骨動脈。及脛骨神經。

部位　在內踝後。太谿上一寸。

主治　目䀮䀮不能遠視。女子月事不來。來卽多。心下悶痛。小腹痛。小便淋。陰挺出。

摘要　此穴為足少陰郄。『百症賦』月潮違限。天樞水泉須詳。

取法　從太谿之下向前寸餘。當跟骨之內側陷中取之。

針灸　針四分。灸四壯。

六、照海

解剖　為外轉拇筋之上部。有後脛骨動脈。脛骨神經。

部位　在內踝下四分。

主治　咽乾嘔吐。四肢懈惰。嗜臥。善悲不樂。大風偏枯。半身不遂。久瘧。卒疝腹中氣痛。小腹淋痛。陰挺出。月水不調。

摘要　此穴為陰蹻脈所出。「玉龍歌」大便祕結不能通。照海分明在足中。會把支溝來瀉動。方知妙穴有神功。『神農經』治月事不行。可灸七壯。『蘭江賦』噤口喉風針照海。『雜病穴法歌』胞衣照海內關尋。『百症賦』大敦照海患寒疝而善蠲。「席弘賦」若是七疝小腹痛。照海陰交曲泉針。『通玄賦』四肢之懈惰。憑照海以消除。

取法　坐穩。足底相對。於內踝骨下陷中取之。

針灸　針三分。灸七壯。

七、交信

解剖　爲長總趾屈筋部。有後脛骨動脈。脛骨神經。

部位　在內踝上二寸。與復溜並立。在復溜之後。三陰交下一寸之微後。

主治　五淋癲疝陰急。股腨內廉引痛。瀉痢赤白。大小便難。女子漏血不止。陰挺月事不調。腹痛盜汗。

摘要　此穴爲陰蹻脈之郄。「百症賦」女子少氣漏血。不無交信合陽。『肘後歌』腰膝強痛交信憑。

取法　先取復溜然後向後開三分取之。

八、復溜

解剖　爲後脛骨部。有後脛骨動脈。脛骨神經。

部位　在內踝上二寸。

主治　腸澼痔疾腰脊內引痛不得俯仰。善怒多懈。舌乾。涎出。足痿胻寒不得履。目視䀮䀮。腸鳴腹痛。四支腫。十種水病。五淋。盜汗。齒齲脈微細。

摘要　此穴爲足少陰之脈所行爲經金。『神農經』治盜汗不收。面色痿黃。灸七壯。『玉龍歌』傷寒無汗瀉復溜。『雜病穴法歌』水腫水分與復溜。『勝玉歌』脚氣復溜不須疑。「肘後歌」瘧疾寒多熱少取復溜。『又』傷寒四支厥逆冷。復溜二寸順骨行。「又」自汗發黃復溜憑「席弘賦」復溜氣滯便離腰。復溜治腫如神醫。

取法　正坐垂足。從太谿直上二寸取之。

針灸　針三分。灸五壯。

九、築賓

解剖　爲腓腸筋部。分布後脛骨動脈。脛骨神經。

部位　在內踝上五寸。

主治　小兒胎疝。癲疾吐舌。發狂罵詈。腹痛嘔吐涎沫。足腨痛。『註』此穴爲陰維之郄。

取法　正坐垂足。從太谿直上五寸。直對陰谷取之。

針灸　針三分。灸五壯。

十、陰谷

解剖　爲大股筋連附之部。有關節動脈與股神經。

部位　在膝內輔骨之後。

主治　舌縱涎下。腹脹煩滿。溺難。小腹疝急引陰。陰股內廉痛。爲痿爲痺。膝痛不可屈伸。女人漏下不止。少妊。

摘要　此穴爲足少陰脈之所入爲合水。「通玄賦」陰谷治腹臍痛。「太乙歌」利小便。消水腫。陰谷水分與三里。「百症賦」中邪霍亂。尋陰谷三里之程。

取法　正坐垂足。從膕內橫紋端。小筋與大筋之中央。兩筋之間陷中取之。

針灸　針四分。灸三壯。

十一、橫骨

解剖　有腸骨下腹神經。三稜腹筋。

部位　在大赫下一寸。去中行五分。

主治　五淋小便不通。陰器下縱引痛。小腹滿。目眥赤痛。五臟虛。

摘要　此穴爲足少陰衝脈之會。「百症賦」肓俞橫骨。瀉五淋之久積『席弘賦』氣滯腰疼不能立。橫骨大都宜救急。

取法　仰臥從肓俞之直下五寸。曲骨旁五分取之。

針灸　針三分。灸三壯。

十二、大赫

解剖　有三稜腹筋。腸骨下腹神經。

部位　在氣穴下一寸。去中行五分。

主治　虛勞失精。陰萎下縮。莖中痛。目赤痛。女子赤帶。

取法　仰臥。橫骨上一寸取之。

针灸　針三分。灸五壯。

十三、氣穴

解剖　有腸骨下腹神經。直腹筋。
部位　在四滿下一寸。去中行五分。
主治　奔豚痛引腰脊。瀉痢。經不調。
取法　仰臥。積骨上二寸取之。
針灸　針三分。灸五壯。

十四、四滿

解剖　有直腹筋。下腹動脈。
部位　在中注下一寸。去中行五分。
主治　積聚疝瘕腸癖。切痛。石水。奔豚。臍下痛。女人月經不調。惡血腹痛無子。
取法　仰臥。橫骨上三寸。肓俞下二寸取之。
針灸　針三分。灸三壯。

十五、中注

解剖　有直腹筋。下腹動脈。
部位　在肓俞下一寸。去中行五分。

主治　小腹熱。大便堅燥。腰脊痛。目痛眥。女子月事不調。
取法　仰臥。從肓俞下一寸取之。
針灸　針五分。灸五壯。

十六、肓俞

解剖　有下腹動脈。直腹筋。
部位　臍去旁五分。
主治　腹痛寒疝。大便燥。目赤痛從內眥始。
摘要　「百症賦」肓俞橫骨。瀉五淋之久積。
取法　仰臥。臍心旁五分取之。
針灸　針五分。灸五壯。

十七、商曲

解剖　有直腹筋。上腹動脈。肋間神經枝。
部位　在石關下一寸。
主治　腹中切痛。積聚不嗜食。目赤痛內眥始。
取法　仰臥。肓俞上二寸取之。去中行五分。
針灸　針五分。灸五壯。

十八、石關

解剖　有直腹筋。上腹動脈。肋間神經。
部位　在陰都下一寸。
主治　噦噫。嘔逆。脊強腹痛。氣淋。小便不利。大便燥閉。目赤痛。婦人無子。或藏有惡血。上衝腹痛。不可忍。
摘要　「神農經」治積氣疝痛。可灸七壯。『千金』嘔噫嘔逆灸百壯。『百症賦』無子搜陰交石關之鄉。
取法　仰臥。商曲上一寸取之。
針灸　針一寸。灸三壯。孕婦禁灸。

十九、陰都

解剖　有直腹筋。上腹動脈。第十二肋間神經枝。
部位　在通谷下一寸。
主治　心煩滿。恍惚。氣逆。腸鳴。肺脹。氣喘。嘔沫。大便難。脇下熱痛。目痛。寒熱痎瘧。婦人無子。藏有惡血腹絞痛。
取法　仰臥。石關上一寸取之。
針灸　針五分。灸三壯。

二十、通谷

解剖　有直腹筋。上腹動脈。十二肋神經枝。

部位　在幽門下一寸。

主治　口喎暴瘖。積聚痃癖。胸滿食不化。膈結嘔吐。目赤痛不明。清涕。項似拔。不可回顧。

取法　仰臥。陰都上一寸取之。

針灸　針五分。灸三壯。

二十一、幽門

解剖　爲直腹筋部。其內左爲胃府。右爲肝葉。有上腹動脈十二肋間神經枝。

部位　在巨闕旁五分。

主治　胸中引痛。心下煩悶。逆氣。裏急支滿不嗜食。數欬乾噦。嘔吐涎沫。健忘。洩痢膿血少腹脹滿。女子心痛。逆氣善吐食不下。

摘要　『神農經』治心下痞脹。飲食不化。積聚疼痛。灸四十壯。「百症賦」煩心嘔吐。幽門開徹玉堂明。

取法　仰臥。肓俞上六寸。巨闕旁五分取之。

針灸　針五分。灸五壯。

二十二、步廊

解剖　有肋間動脈。內乳動脈。肋間神經。前胸神經。

部位　在神封下一寸六分。中庭旁二寸。

主治　胸脇滿痛。鼻塞少氣。欬逆不得息。嘔吐不食。臂不得舉。

取法　中庭旁二寸陷中。仰臥取之。

針灸　針三分。灸五壯。

二十三、神封

解剖　有大胸筋。肋間動脈。內乳動脈。肋間神經。前胸神經。

部位　靈墟下一寸六分。去中行二寸。

主治　胸脇滿痛。欬逆不得息。嘔吐不食。乳癰灑洒惡寒。

取法　膻中旁二寸陷中。仰臥取之。

針灸　針三分。灸五壯。

二十四、靈墟

解剖　有大胸筋。肋間動脈。肋間神經等。

部位　在神藏下一寸六分。當三肋間。

主治　胸滿不得息欬逆。乳癰嘔吐。洒淅惡寒不嗜食。

取法　玉堂旁二寸陷中。仰臥取之。

針灸　針三分。灸五壯。

二十五、神藏

解剖　爲大胸筋部。中藏肺葉。分布肋間動脈。內乳動脈。肋間神經。前胸神經。

部位　彧中下一寸六分。

主治　嘔吐欬逆。喘不得息。胸滿不嗜食。

摘要　「百症賦」胸滿項強。神藏璇璣宜試。

取法　紫宮旁二寸陷中。仰臥取之。

針灸　針三分。灸五壯。

二十六、彧中

解剖　爲大胸筋部。分布肋間動脈。內乳動脈。肋間神經。前胸神經。

部位　在俞府下一寸六分。

主治　欬逆不得喘息。胸脇支滿多吐。嘔吐不食。

摘要　「神農經」治氣喘寢瘞。灸十四壯。

取法　華蓋旁二寸陷中。仰臥取之。

針灸　針四分。灸五壯。

二十七、俞府

解剖 有大胸筋。及上鎖骨筋。鎖骨下動脈。胸廓神經。

部位 在璇璣旁二寸。

主治 欬逆上氣。嘔吐不食。胸中痛。

摘要 『玉龍歌』吼喘之症嗽痰多。若用金針疾自和。俞府乳根一樣刺。氣喘風痰漸漸磨。

取法 璇璣旁二寸陷中。仰臥取之。

針灸 針三分。灸五壯。

九　手厥陰心包絡經穴

本經起於胸中。自天池穴始。循腋下臑內。入肘中。下臂。行兩筋之間。入掌中。出中指之端中衝穴止。凡九穴。左右計一十八穴。

·心包經穴圖

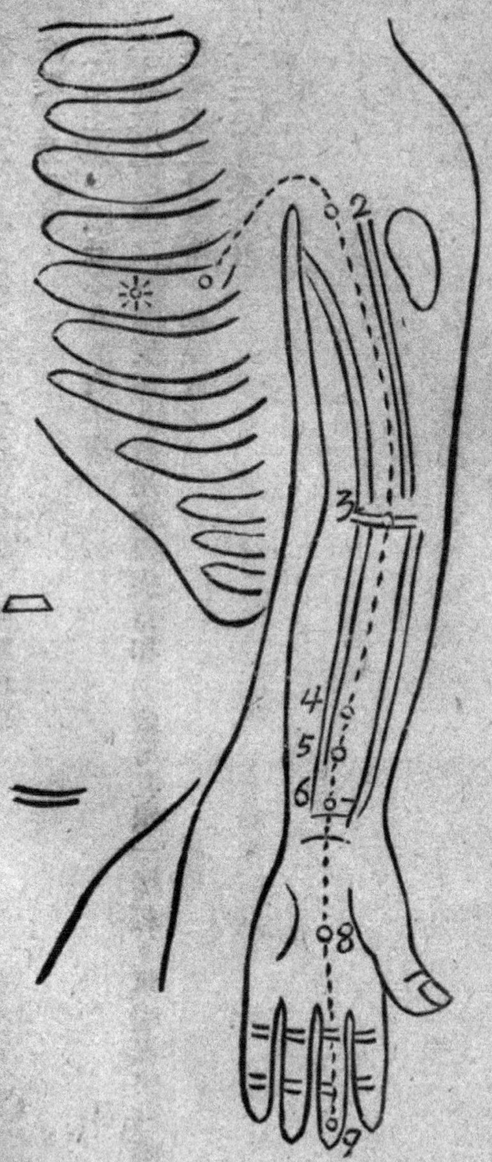

1.天池 2.天泉 3.曲澤 4.郄門 5.郄使 6.內關 7.大陵 8.勞宮 9.中衝

一、天池

解剖 有大胸筋。前大鋸筋。長胸動脈。長胸神經。前胸廓神經。

部位 在乳後一寸。去腋下三寸。第四肋間。

主治 目䀮䀮不明。頭痛胸脇煩滿。欬逆。臂腋腫痛。四肢不舉。上氣。寒熱瘧。熱病汗不出。

摘要 『千金』頸漏瘰癧灸百壯。『百症賦』陽委天池。腋腫針而速散。

取法 仰臥或正坐。從乳頭外開一寸取之。

針灸 針三分。灸三壯。

二、天泉

解剖 爲三頭膊筋部。有上膊動脈。內膊皮下神經。上膊尺骨神經。

部位 在手之內側腋下二寸。

主治 惡風寒。胸脇痛。支滿。欬逆。膺背胛臂間痛。

取法 曲腋之橫紋頭。向肘窩方下二寸。舉臂取之。

針灸 針六分。灸三壯。

三、曲澤

解剖　在二頭膊筋之腱間。有上膊動脈。重要靜脈。正中神經。

部位　在肘內廉下之陷凹中。即尺澤之內側。

主治　心痛善驚。身熱煩渴杯臂肘搖動。掣痛不可伸。傷寒嘔吐氣逆。

摘要　此穴爲手厥陰心包脈之所入爲合水。「百症。」少商曲澤。血虛口渴同施。

取法　肘窩横紋正中筋之內側陷中。取之。

針灸　針三分。灸三壯。

四、郄門

解剖　有內撓骨筋。尺骨動脈。重要靜脈。正中神經。

部位　在大陵上五寸。即去腕五寸。

主治　嘔吐衄血。心痛嘔穢。驚恐。神氣不足。久痔。

取法　從腕横紋正中直上五寸取之。

針灸　針三分。灸五壯。

五、間使

解剖　有內撓骨筋。尺骨動脈。重要靜脈。正中神經

部位　大陵上三寸。即掌後三寸。

主治　傷寒結胸。心懸如飢。嘔沫。少氣。中風氣塞。昏危不語。卒狂。胸中澹澹惡風寒。霍亂乾嘔。腋腫肘攣。卒心痛。多驚。咽中如鯁。婦人月水不調。小兒客忤。久瘧。

摘要　此穴爲手厥陰心包脈之所行爲經金。「千金」乾嘔不止。所食即吐不停。灸三十壯。四肢脈絕不至者。灸之便通。「神農經」脾寒寒熱往來。渾身瘡疥。灸七壯。』百症賦』天鼎間使。失音囁嚅而休遲。『靈光賦』水溝間使治邪顛。『捷徑』熱病頻噦針間使。『肘後歌』狂言盜汗如見鬼。惺惺間使便下針。『又』瘧疾熱多寒少用間使。『勝玉歌』五瘧寒多熱更多。間使大杼眞妙穴。『雜病穴法歌』人中間使去癲妖。

取法　從腕橫紋正中。直上三寸。兩筋間取之。

針灸　針三分。灸五壯。

六、內關

解剖　有尺骨動脈與靜脈。正中神經。

部位　大陵上二寸。兩腕間。

主治　中風失志。實則心暴痛。虛則心煩惕惕。面熱目昏。支滿。肘攣。久瘧不已。胸滿脹痛。

擇要　此穴爲手厥陰心包脈之絡脈。別走少陽者。『神農經』心痛腹脹。腹內諸疾。灸七壯。『玉龍歌』腹中氣塊痛難當。穴法宜向內關防。『雜病穴法歌』舌裂出血尋內關。大冲陰交走上部。『又』腹痛公孫內關爾。「又」一切內傷內關穴。痰火積塊退煩潮。「又」死胎陰交不可緩。胞衣照海內關尋。「席弘賦」肚疼須是公孫妙。內關相應必然瘳。「百症賦」建里內關。掃盡胸中之苦悶。「標幽賦」胸滿腹痛針內關。「蘭江賦」傷寒四日太陰辨。公孫照海一同行。再用內關施絕法。

取法　從腕橫紋正中直上二寸。兩筋間陷中取之。

針灸　針五分。灸五壯。

七、大陵

解剖　占撓骨尺骨之間。有橫腕韌帶動脈與靜脈。

部位　在手腕橫紋之陷中。卽兩骨。『撓骨尺骨』之間。

主治　熱病汗不出。舌本痛。喘欬嘔血。心懸如飢。善笑不休。頭痛氣短。胸脅痛。驚恐悲泣。嘔逆喉痺。目乾目赤。肘臂攣痛。小便如血。

摘要　此穴爲心包脈之所注爲俞土「神農經」治胸中疼痛。胸中瘡疥。。灸三壯『千金』吐血嘔逆。灸五十壯。「又」凡卒患腰腫。附骨癰疽。節腫遊風熱毒。此等疾。但初覺有異。即急灸五壯立愈。「玉龍歌」口臭之疾最可憎。大陵穴內人中瀉。「又」勞宮穴在掌中尋。滿手生瘡痛不禁。心胸之病大陵瀉。氣攻胸腹一般針。「勝玉歌」心熱口臭大陵驅。「註」此穴爲十三鬼穴之四。

取法 腕橫紋正中。兩筋間陷中取之。

針灸 針三分。灸三壯。

八、勞宮

解剖 有棧伸屈指筋。有尺骨動脈之動脈弓。手掌部之正中神經。

部位 在掌心。

主治 中風悲笑不休。熱病汗不出。脅痛不可轉側。吐衄噎逆。煩渴食不下。胸脇支滿。口中腥氣。黃疸。手痺。大小便血。熱痔。

摘要 此穴爲手厥陰心包絡之脈所流爲滎水。『千金』心中懊憹痛鍼入五分補之。「玉龍歌」勞宮穴在掌中尋。滿手生瘡痛不禁。「雜病穴法歌」勞宮能治五般癇。更刺湧泉疾若挑。「靈光賦」勞宮醫得身勞倦。「百症賦」治疸消黃。諧後谿勞宮而看。「通玄賦」勞宮退胃翻心痛以何疑。

取法 以中指無名指屈拳掌中。在二指之尖之間是穴取之。

針灸 針二分。灸三壯。

九、中衝

解剖　有指掌動脈。正中神經。

部位　在中指之端。去爪甲如韭葉。

主治　熱病汗不出。頭痛如破。身熱如火。心痛煩滿。舌強痛。中風不省人事。

摘要　此穴爲手厥陰心包脈之所出爲井木。「神農經」治小兒夜啼多哭灸一壯如麥炷。「百症賦」廉泉中衝。舌下腫疼堪取。「乾坤生意」凡初中風。暴仆昏沉。痰涎壅盛。不省人事。牙關緊閉。藥水不入。急以三稜針刺十井穴。使氣血流通。乃起死回生之妙訣也。

取法　於中指之端取之。

針灸　針一分。灸一壯。

十　手少陽三焦經穴

三焦經穴圖

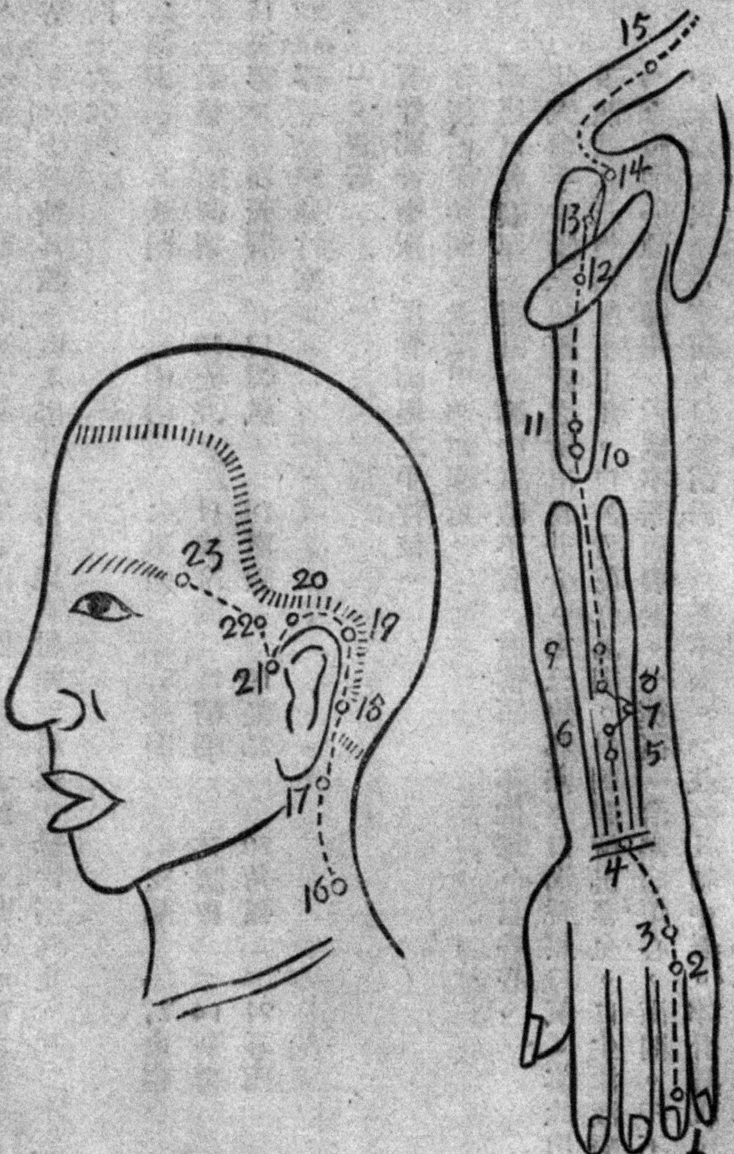

本經起於小指次指之端。關冲穴起。上出兩指之間。循手表腕。出臂外兩骨之間。上貫。肘循臑外上肩。上項挾耳後。直上出耳上角。以下屈頰至眉端。絲竹空穴止。凡二十三穴。計左右四十六穴。

1.關衝　2.液門　3.中渚　4.陽池　5.外關　6.支溝　7.會宗
8.三陽絡　9.四瀆　10天井　11清冷淵　12消濼　13臑會　14肩髎
15天髎　16天牖　17翳風　18瘈脈　19顱息　20角孫　21耳門
22和髎　23絲竹空

一、關衝

解剖　有骨間背動脈。尺骨神經之手背枝。

部位　在無名指外側。去爪甲角如韮葉。

主治　頭痛口乾喉痺。霍亂。胸中氣噎不食。肘臂痛。不能擧。目昏昏。

摘要　此穴爲手少陽三焦經脈之所出爲井金。主三焦邪熱。口渴唇焦口氣。瀉此出血。「玉龍歌」三焦熱氣壅上焦。口苦舌乾豈易調、針刺關衝出毒血。口生津液病俱消。『百證症』啞門關冲。舌緩不語而要緊。「捷徑」治熱病煩心。滿悶。汗不出。掌中大熱如火。舌本痛。口乾消渴。久熱不去。「註」凡初中風。卒仆昏沉。痰涎壅盛。不省人事。牙關緊閉。藥水不下。急以三稜針刺各井穴出血●使氣血流通。乃起死回生之急救妙法。

取法　無名指外側端。去爪甲角一分許取之。

針灸　針一分、灸三壯。

二、液門

解剖　有總指伸筋。骨間背動脈。尺骨神經之手背枝。

部位　在小指次指之間。合縫處陷中。

主治　驚悸妄言。寒厥臂痛。不得上下。痎瘧寒熱。頭痛目眩。赤澀淚出。耳暴聾。咽外腫。牙齦痛。

摘要　此穴爲手少陽脈之所流爲滎水。手臂紅腫出血瀉之。『千金』耳聾不得眠。針入三分補之。「玉龍歌」手臂紅腫連腕疼。液門穴內用針明。「百症賦」喉痛兮。液門魚際可療。

取法　握拳於小指無名指之歧縫上取之。

針灸　針三分。灸三壯。

三、中渚

剖解　有總指伸筋腱。第四骨間背動脈。尺骨神經手背枝。

部位　在無名指小指本節後間陷中。

主治　熱病汗不出。臂指痛不得屈伸。頭痛目眩生翳。目不明。耳聾。咽腫。久瘧。手臂紅腫。

摘要　此穴爲手少陽脈之所注爲俞木。手臂紅腫。瀉之出血。『太乙歌』針久患腰疼背痛。「玉龍歌」手臂紅腫連腕疼。液門穴內用針明。更將一穴名中渚。多瀉中間疾自輕。『席弘賦』久患傷寒肩背痛。但針中渚得其宜。『肘後歌』肩背諸疾中渚下『勝玉歌』髀疼背痛中渚瀉。「雜病穴法歌」脊肩心痛鍼中渚。「通玄賦」脊間心後痛。針中渚而立痊。「靈光賦」五指不伸取中渚。

取法　握拳於第四五掌骨之間取之。

針灸　針三分。灸三壯。

四、陽池

解剖　有小指筋腱。有後下膊皮下神經。尺骨神經。

部位　在手表腕上橫紋陷中。

主治　消渴。口乾。煩悶。寒熱瘧。或因折傷手腕。捉物不得。臂不能舉。

摘要　此穴爲手少陽脈之所過爲原。

取法　第四掌骨之上端。手腕橫紋中。稍偏外些陷中取之。

針灸　鍼三分。不宜灸。

五、外關

解剖　有總指伸筋。骨間動脈。後下膊皮下神經。撓骨神經。

部位　在陽池後二寸兩筋間。

主治　耳聾渾渾無聞。肘臂不得曲伸。五指痛不能握。

摘要　此穴爲手少陽脈絡。別走心主厥陰脈。「雜病穴法歌」一切風寒暑溼邪。頭疼發熱外關起。

取法　陽池上二寸。兩骨縫際取之。

針灸　鍼三分。灸三壯。

六、支溝

解剖　有總指伸筋。骨間動脈。後下膊皮下神經。撓骨神經。

部位　在陽池後三寸。兩筋骨間陷中。

主治　熱病汗不出。肩臂痠重。脅脇痛。四肢不舉。霍亂嘔吐。口噤暴瘖。產後血暈。不省人事。

摘要　此穴爲手少陽脈之所行爲經火。三焦相火熾盛。及大便不通。脇肋疼痛瀉之。『千金』治頸漏馬刀灸百壯。『雜病穴法歌』大便虛祕補支溝。瀉足三里效可擬。『勝玉歌』腹疼祕結支溝穴。「肘後歌」飛虎「卽本穴」一穴通痞氣。『又』兩足兩脇滿難伸。飛虎神灸七分到。

取法　外關上一寸。兩骨罅間取之。
針灸　鍼三分。灸七壯。

七、會宗

解剖　有總指伸筋部。骨間動脈。撓骨神經。
部位　在支溝外傍。
主治　五間耳聾肌膚痛。
取法　支溝向外開一寸。骨邊取之。
針灸　此穴禁鍼。灸三壯。

八、三陽絡

解剖　爲固有小指伸筋部。有骨間動脈。後下膊皮下神經。撓骨神經後枝。
部位　去支溝一寸。
主治　暴瘖不能言。耳聾齒齲。嗜臥身不欲動。
取法　支溝直上一寸。骨罅間取之。
針灸　此穴禁鍼。灸三壯。

九、四瀆

解剖　有骨間動脈。撓骨神經之後枝。

部位　在三陽絡上一寸五分。微前五分。

主治　暴氣耳聾。下齒齲痛。

取法　陽池與肘尖之中間。當骨之外側取之。

針灸　鍼五分。灸三壯。

十、天井

剖解　爲三頭膊筋腱之間。有尺骨副動脈。撓骨神經枝。

部位　在肘尖上二寸陷凹中。

主治　咳嗽上氣。胸痛不得語。唾膿不嗜食。寒熱淒淒不得臥。驚悸悲傷。瘈瘲。癲疾。五癇。風痺頭頸肩背痛。耳聾目銳眥頰肘腫痛。臂腕不得捉物。及瀉一切瘰癧瘡腫癮疹。

摘要　此穴爲手少陽三焦脈之所入爲合土。『勝玉歌』瘰癧少海天井邊。

取法　屈肘按取肘尖上側向上一二寸間之陷中取之。

針灸　鍼三分。灸三壯。

十一、清冷淵

解剖　有三頭膊筋。下尺骨副動脈。撓骨神經後枝。上膊皮下神經。

部位　去天井一寸。

主治　諸痺痛。肩臂肘臑不能舉。

摘要　「勝玉歌」眼痛須覓清冷淵。

取法　天井上一寸取之。

針灸　鍼三分。灸三壯。

十二、消濼

解剖　有三角筋。頭靜脈。後迴旋上膊動脈枝。後膊皮下神經。

部位　在臑會下二寸。

主治　風痺。頸項強急腫痛。寒熱頭痛。肩背急。

取法　正坐從肩後側端下五寸。直對天井取之。

針灸　鍼五分。灸三壯。

十三、臑會

解剖　有三角筋。後迴旋上膊動脈。頭靜脈。後膊皮下神經。腋下神經等。

部位　在肩頭下三寸。

主治　肘臂氣腫。痠痛無力不能舉。項癭氣瘤。寒熱瘰癧。

取法　正坐。肩後側端下三寸取之。

針灸　鍼五分。灸五壯。

十四、肩髎

解剖　有橫肩胛動脈。外膊皮下神經。鎖骨上神經。

部位　在骨與肩胛骨之陷凹處是也。

主治　臂重肩痛不能舉。

取法　正坐從肩顒後一寸餘。當肩後側端取之。試將臂膊上舉。當其陷凹處是也。

針灸　鍼七分灸三壯。

十五、天髎

解剖　有橫肩胛動脈。頸靜脈。肩胛背神經。

部位　在鎖骨上窩之上部。

主治　肩臂痠痛。缺盆痛。汗不出。胸中煩滿。頸項急。寒熱。

取法　從肩胛骨之上部。曲垣之前一寸取之。

針灸　鍼五分。灸三壯。「註」此穴爲手足少陽陽維之會。

十六、天牖

解剖　有後耳靜脈。後耳動脈副神經。頸椎神經。

部位　在風池下一寸微外些。即完骨下髮際上。天容後天柱前。

主治　面腫頭風。項強不得囘顧。

附註　不宜補。不宜灸。若灸之卽面腫眼合。先取譩譆。後針天牖風池。其病卽瘥。

取法　正坐。從天柱與天容之中間。當乳嘴突起之下部取之。

針灸　針一寸。

十七、翳風

解剖　此處爲耳下腺部。有耳後動脈。顏面神經之耳後枝。

部位　在耳根後。距耳約五分之陷凹處。

主治　耳聾。口眼喎斜。口噤不開。脫頷頰腫。牙車急痛。暴瘖不能言。

摘要　耳紅腫痛瀉之。耳虛鳴補之。『百症賦』耳聾氣閉。全憑聽會翳風。

取法　正坐。從耳翼根之後下部。當完骨之下邊取之。

針灸　針三分灸三壯。

十八、瘈脈

解剖　有顳顬筋。耳後動脈。顏面神經之耳後枝。

部位　在翳風上一寸。稍近耳根青絡上。

主治　頭風耳鳴。小兒驚癎瘈瘲。嘔吐瀉痢無時。驚恐目澀多眵。

取法　從翳風上一寸取之。

針灸　針一分。出血如豆汁。禁灸。

十九、顱息

解剖　有顳顬筋。耳後動脈。顏面神經之耳後枝。

部位　在瘈脈上一寸餘。有青絡。

主治　耳鳴喘息。小兒嘔吐瘈瘲。驚恐發癇。身熱頭痛不得臥。

取法　從瘈脈上一寸取之。

針灸　針此穴絡微出血。禁灸。

二十、角孫

解剖　有顳顬筋。顳顬動脈。顳顬神經。

部位　當耳殼上角之陷凹處。以指按之。口開闔時指下覺牽動。

主治　目生翳。齒齦腫不能嚼。唇吻燥。頸項強。

取法　以耳翼摺叠。當摺疊之尖處取之。

針灸　灸三壯。不宜針。

二十一、耳門

解剖　有咀嚼筋。顳顬筋。顳顬動脈。顳顬神經。

部位　在耳前肉峯上缺口外。

主治　耳聾聤耳膿汁。耳生瘡。齲齒唇吻強。

摘要　『席弘賦』但患傷寒兩耳聾。『百症賦』耳門絲竹空。住牙疼於頃刻。『天星祕訣』耳鳴腰痛先五會。次針耳門三里內。

取法　從耳翼前方。耳珠之上缺口部份前陷中。取之。

針灸　針三分。灸三壯。

二十二、和髎

解剖　有顳顬筋。顳顬動脈。顏面神經。

部位　在耳前髮銳尖下。

主治　頭痛耳鳴。牙車引急。頸項腫。口癖瘈瘲。

取法　從耳門之前微上方。髮銳角之部份取之。

針灸　針三分。禁灸。

二十三、絲竹空

解剖　有前頭筋。顳顬動脈枝。顏面神經。

部位　眉毛稍外端陷中。

主治　頭痛。目赤目眩。視物䀮䀮。拳毛倒睫。風前戴眼。發狂吐涎沫。偏正頭風。

摘要　治頭風宜出血。『勝玉歌』目內紅腫苦皺眉。絲竹攢竹亦堪醫。「百症賦」耳門絲竹空治耳疼於頃刻。「通玄賦」絲竹療頭痛難忍。

取法　從眉毛稍外端陷中。取之。

針灸　針三分。禁灸。

十一　足少陽胆經穴

本經起於目外眥角瞳子髎。上抵頭角。下耳後。復反至前額。經頭部下頸。入缺盆。循脇過季脇。下入髀厭中。出循髀陽。下外輔骨之前。直下抵絕骨之端。下出外踝之前。循足跗上。入小趾次趾之間。出其端之竅陰穴止。凡四十四穴。左右計八十八穴。

1.瞳子髎　2.聽會　3.上關　4.頷厭　5.懸顱　6.懸厘　7.曲鬢

胆經穴圖

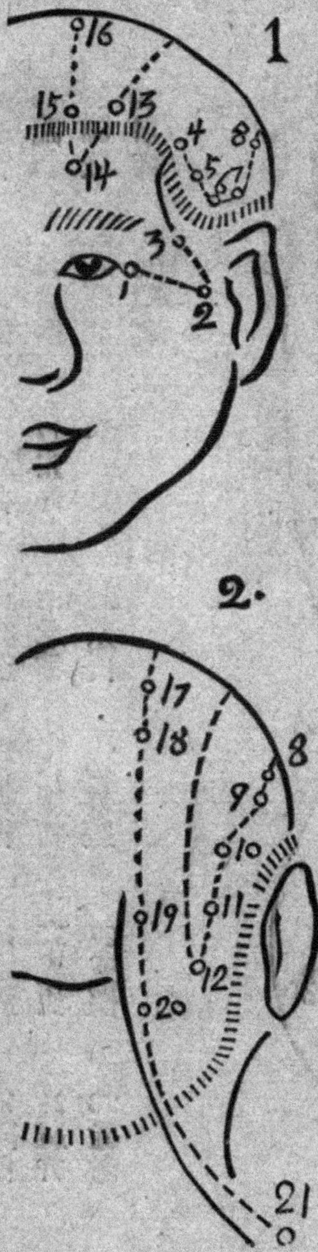

8.率谷
9.天衝
10浮白
11竅陰(首)
12完骨
13本神
14陽白
15臨泣
16目窗
17正營
18承靈
19腦空
20風池
21肩井
22淵液
23輒筋
24日月
25京門
26帶脈
27五樞
28維道
29居髎
30環跳

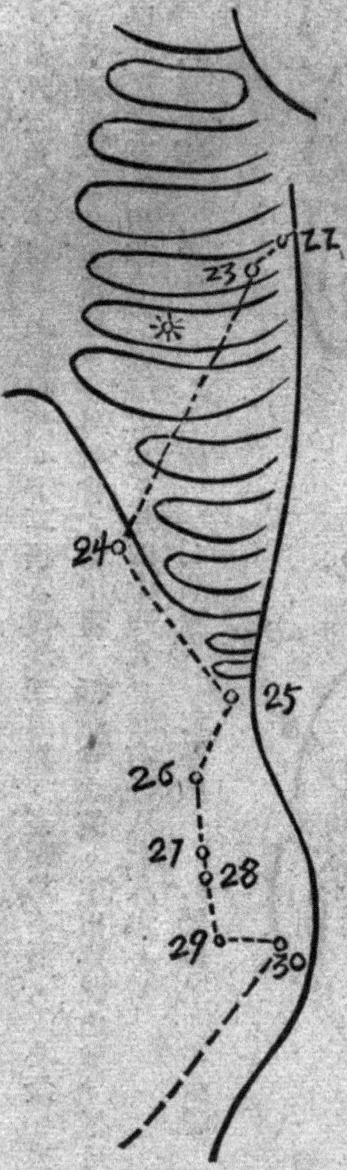

31 風市
32 中瀆
33 陽關
34 陽陵泉
35 陽交
36 外邱
37 光明
38 陽輔
39 懸鐘
40 邱墟
41 臨泣
42 地五會
43 俠谿
44 足竅陰

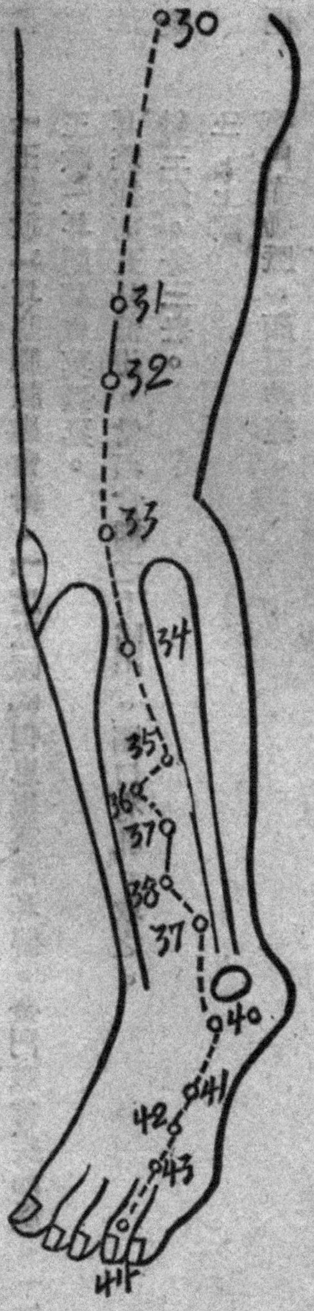

一、瞳子髎

剖解　有眼輪匝筋。顴骨眼窠動脈。顏面神經。三叉神經。

部位　目外眥之五分。

主治　頭痛目癢。外眥赤痛。翳膜青盲。遠視䀮䀮。淚出多眵。

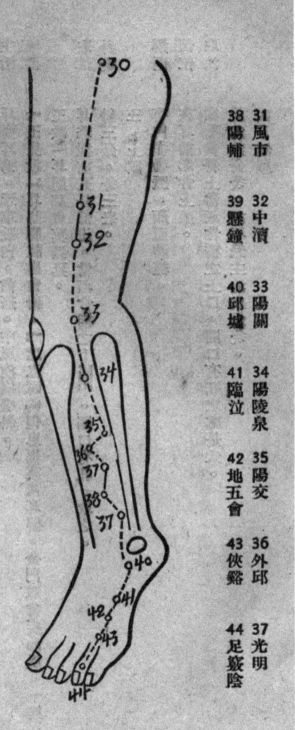

取法　於目眥角五分部份。目眶骨邊陷中取之。

針灸　針三分。不宜灸。

二、聽會

解剖　爲耳下腺之上部。分布顳顬枝。內顎動脈。顏面神經。

部位　耳珠微前陷中。

主治　耳聾耳鳴。牙車脫臼。齒痛。中風瘈瘲喎斜。

摘要　『玉龍歌』耳聾腮腫聽會針。『席弘賦』但患傷寒兩耳聾。金門聽會疾如風。「勝玉歌」耳閉聽會莫遲延。

取法　耳珠微前五分部份。當顴骨橋之下陷中。開口有孔。取之。

針灸　針三分。灸三壯。

三、上關

解剖　有內顎動脈。顏面神經。

部位　在耳前起骨上廉。

取法　從聽會斜上當顴骨橋之上口。開口有孔之處是穴。

此穴禁針灸。故不錄主治與針灸。

四、頷厭

解剖　有顳顬筋。顳顬動脈。顳顬神經。

部位　曲周下顳顬上廉。

主治　頭風。偏頭頸項俱痛。目眩耳鳴。多嚏。驚痫。歷節風。汗出。

摘要　『百證賦』懸顱頷厭之中。偏頭痛止。

取法　髮際曲角。入三分。當頭維之下一寸取之。

針灸　針一二分。不可太深刺。灸三壯。

五、懸顱

解剖　爲前頭骨之顳顬窩部。有顳顬筋。顳顬動脈。顳顬神經。

部位　曲周下顳顬中廉。

主治　頭痛齒痛。偏頭痛。引目。熱病汗不出。

摘要　「百證賦」懸顱頷厭之中。偏頭痛止。

取法　頷厭下六分。微後一分取之。

六、懸厘

解剖　有顳顬筋。顳顬動脈。顳顬神經。

部位　曲周下。顳顬下廉。距懸顱下半寸。

主治　偏頭痛。面腫目銳眥痛。熱病煩心汗不出。

取法　從懸顱下半寸微後些。與上耳根並行處取之。

針灸　針二三分。灸三壯。

七、曲鬢

解剖　有顳顬筋與神經。

部位　在耳上入髮際一寸前些。

主治　頷頰腫引牙車不得開。口噤不得言。項強不得顧。頭角痛。巔風目眇。

取法　從耳上髮際前些。曲隅之陷際。即上耳翼根之微前。取之。

針灸　針二分。灸三壯。

八、率谷

解剖　有顳顬筋。耳上掣筋。耳後動脈。

部位　在耳上入髮一寸五分。

主治　腦痛。兩頭角痛。胃脘寒痰。煩悶嘔吐。酒後皮風膚腫。

取法　從耳上入髮際一寸五分取之。

針灸　針三分。灸三壯。

九、天衝

解剖　有耳上掣筋。耳後動脈。

部位　在率谷之後約三分。「查在耳上者有三穴。最上爲率谷其次爲天衝最下爲角孫」

主治　癲疾風痙。牙齦腫。驚恐頭痛。

摘要　「百證賦」反張悲哭。仗天衝大橫須精。

取法　從率谷之之三分取之。

針灸　針三分。灸三壯。

十、浮白

剖解　有耳上掣筋。耳後動脈。

部位　在耳後入髮際一寸。

主治　欬逆。胸滿。喉痺。耳聾齒痛。項癭痰沫不得喘息。肩臂不舉。足不能行。

摘要　「百證賦」癭氣須求浮白。

取法　天衝之後一寸。耳後入髮際一寸取之。

針灸　針三分。灸三壯。

十一、竅陰（首）

解剖　有耳後動脈。耳後神經。

部位　在浮白下一寸。

主治　四肢轉筋。目痛。頭項痛。耳鳴。癰疽發熱。手足煩熱。汗不出。欬逆喉痺。舌強。脇痛。口苦。

取法　從浮白直下一寸取之。

針灸　針三分。灸三壯。

十二、完骨

解剖　在胸鎖乳嘴筋附著之上部。有耳後動脈與神經。

部位　在竅陰下七分。

主治　頭痛頭風。耳鳴。齒齲。牙嘴急。口眼喎斜。喉痺頰腫。癭氣便赤。足痿不收。

取法　竅陰之下七分。入髮際四分。當乳嘴突起之後下陷中取之。

針灸　針三分灸三壯。

十三、本神

解剖　是處爲前頭骨部。有顳顬動脈。與神經。

部位　在曲差旁一寸五分。入髮際五分。

主治　驚癇吐沫。目眩。項強急痛。胸脇相引不得轉側。偏風癲疾。

取法　從曲差旁一寸五分。入髮際五分取之。

針灸　針三分。灸三壯。

十四、陽白

解剖　有前頭筋。顳顬動脈。顏面神經。
部位　在眉毛上直一寸。
主治　頭痛目昏多眵。背寒慄。重衣不得溫。
取法　從眉之中部直上一寸取之。直對瞳子。
針灸　針三分。灸三壯。

十五、臨泣(首)

解剖　有前頭筋，顳顬動脈。顏面神經。
部位　在目上直入髮際五分。
主治　鼻塞。目眩生翳。眵矆冷淚。眼目諸疾。驚痫反視。卒暴中風。不識人。脇下痛。瘧疾日再發。
摘要　「百證賦」淚出刺臨泣頭維之處。
取法　從瞳子直上。入髮際五分取之。
針灸　針三分。禁灸。

十六、目窗

解剖有前頭筋。前額動脈。前額神經。
部位　在臨泣後一寸五分。

主治　頭目眩痛引外眥。遠視不明。面腫。寒熱汗不出。

取法　從臨泣後一寸五分取之。

針灸　針三分灸三壯。

十七、正營

解剖　皮下有頭蓋之帽狀腱膜。其下爲顱頂骨。有顳顬動脈枝。顏面神經枝。

部位　在目窗後一寸五分。

主治　頭痛目眩。齒齲痛。唇吻強急。

取法　從臨泣後三寸取之。

針灸　針三分。灸三壯。

十八、承靈

解剖　爲後頭骨部。有後頭筋。後頭動脈。與神經。

部位　在正營後一寸五分。

主治　腦風頭痛。鼻塞不通。惡風。

取法　從臨泣後四寸五分取之。

針灸　此穴禁針。灸五壯。

十九、腦空

剖解　當後頭骨外。後頭結節之下面。卽僧帽筋附著之上部。是處有後頭筋。後頭動脈。大後頭神經。

部位　在承靈後四寸五分。玉枕骨之下陷中。

主治　癆瘵身熱羸瘦。腦風頭痛不可忍。項強不得顧。目瞑鼻衄。耳聾驚悸。癲風引目鼻痛。

取法　承靈後四寸五分左右。當腦戶旁二寸取之。

針灸　針四五分。灸五壯。

二十、風池

解剖　當後頭骨下部之陷凹處。僧帽筋之外側。有後頭神經與動脈。

部位　在腦空之後部。髮際之陷凹處。

主治　中風偏正頭痛。傷寒熱病汗不出。痎瘧頸項如拔。痛不得回。目眩赤痛。淚出。鼽衄。耳聾。腰背俱痛。傴僂引項。肘力不收。脚弱無力。

摘要　「玉龍歌」凡患傴者補風池。瀉絕骨。「勝玉歌」頭痛頭風灸風池。『席弘賦』風府風池尋得到。寒傷百病一時消。「通玄賦」頭暈目眩覓風池。「捷徑」治溫病煩滿汗不出。

取法　腦空之下。項筋之旁。陷中取之。「當天柱完骨之中間」

針灸　針四五分。灸三壯。

二十一、肩井

解剖　有橫頸動脈。外頸靜脈。上肩胛骨神經。

部位　在肩上陷解中。

主治　中風氣塞涎上。不語。氣逆。五勞七傷。頭項頸痛。臂不能舉。或因撲傷腰痛。氣上攻。若婦人難產墜胎後。手足厥冷。針之立愈。

摘要　「席弘賦」若針肩井須三里。不刺之時氣未調。『百證賦』肩井乳癰而極效。『通玄賦』肩井除兩臂難任。『標幽賦』肩井曲池。甄權針臂痛而復射。「天星祕訣」脚氣痠疼肩井先。次尋三里陽陵泉。

取法　從缺盆上大骨前一寸半部位。以三指按取之。當中指之下是穴。正坐取之。

針灸　針四五分。不可太深。孕婦禁針。灸三壯。

二十二、淵液

解剖　有肋間筋。肩胛下神經。肋間神經。

部位　在腋下三寸。

取法　腋窩正中直下三寸。肋罅間取之。此穴禁針灸。故不錄其主治與針灸。

二十三、輒筋

解剖　有大胸筋。小胸筋。深部有內外肋間筋。分布長胸動脈。側胸皮下神經。長胸神經。

部位　在脇下三寸。復前向乳房一寸。

主治　太息多唾。善悲。言語不正。四肢不收。嘔吐宿汁吞酸胸中暴滿不得臥。

取法　淵腋前行一寸。肋間陷中取之。

針灸　針六分。灸三壯。

二十四、日月

解剖　當附着第八肋歀骨部之下寸許。介於直腹筋與外斜腹筋之間。有上腹動脈。肋間神經。

部位　在期門下五分微外開些。

主治　太息善唾。小腹熱。欲走多吐。言語不正。四肢不收。

取法　巨闕旁三寸五分。再下五分取之。當第八肋軟骨之下。

針灸　針六分。灸七壯。「註此穴爲胆之募穴。」

二十五、京門

解剖　爲外斜腹筋端部。分布上腹動脈。及長胸神經。

部位　在俠脊季脇之端。卽臍上五分旁開九寸五分也。

主治　腸鳴洞泄。水道不利。少腹急痛。寒熱䐜脹。肩背腰髀引痛不得俛仰久立。

取法　按取季脇之端。卽臍上五分旁開九寸五分部位。側臥屈上足。伸下足。舉臂取之。

針灸　針三分灸三壯。「註」此穴爲腎之募穴。

二十六、帶脈

解剖　爲外斜腹筋部。有上腹動脈。長胸神經。肋間神經枝。

部位　去臍旁八寸。

主治　腰腹腫溶溶如坐水中狀。婦人小腹痛急瘛瘲。月經不調。赤白帶下。兩脇氣引痛背。

取法　側臥臍旁八寸取之。

針灸　針六分。灸五壯。

二十七、五樞

解剖　有下腹動脈。長胸神經。肋間神經枝。

部位　在帶脈下三寸。

主治　痃癖。小腸膀胱氣攻兩脇。小腹痛。腰腿痛。陰疝睪丸上入腹。婦人赤白帶下。

摘要　『玉龍歌』肩背風氣連臂疼。背縫二穴用針明。五樞亦治腰間痛。得穴方知病頓輕。

取法　側臥。帶脈下三寸微斜向外側取之。

針灸　針五分。至一寸。灸五壯。

二十八、維道

解剖　有內外斜腹筋。下腹動脈。

部位　章門直下五寸三分。

主治　嘔逆不止。三焦不調。不食。水腫。

取法　五樞下五分取之。

針灸　針八分。灸三壯。

二十九、居髎

解剖　有內外斜腹筋。下腹動脈。

部位　維道下三寸。

主治　痛引胸臂。攣急不得舉。腰引小腹痛。

摘要　「玉龍歌」環跳能治腿股風。居髎二穴認真攻。

取法　維道下三寸。外開五分。橫直環跳。相間一關節。

針灸　針三分。灸三壯。

三十、環跳

解剖　在臀股部。有大臀筋。上臀神經。

部位　在髀樞中。通京門之下。並兩足而立。腰下部有陷凹處。

主治　冷風溼痺不仁。胸脇相引。半身不遂。腰胯痠痛。膝不得伸。遍身風疹。

摘要　『玉龍歌』環跳能除腿股風。『天星祕訣』冷風溼痺針何處。先取環跳次陽陵。『百證賦』後谿環跳。腿疼刺而卽輕。「勝幽賦」懸鐘環跳。華陀針躄足而能行。『席弘賦』冷風冷痺疾難愈。環跳腰俞針與燒。「勝玉歌」腿股轉痠難移步。妙穴說與後人知。環跳風市及陰市。瀉却金針病自除。「雜病穴法歌」腰痛環跳委中求。『又』腰連脚痛怎生醫。環跳行間與風市。『又』冷風溼痺針環跳。「又」脚連脇腋痛難當。環跳陽陵泉內杵。「馬丹陽十二訣」折腰莫能顧。冷風并溼痺。腿髖連腨痛。轉側重歔欷。若人針灸後。頃刻病消除。

取法　側臥。伸下足。屈上足。於大腿關節間陷中取之。

針灸　針一寸五分至二三寸。灸十壯。

三十一、風市

解剖　有外大股筋。上膝關節動脈。前股皮下神經。

部位　膝上外廉兩筋中。

主治　腿膝無力。脚氣。渾身搔痒麻痺。厲風症。

摘要　『勝玉歌』腿股轉痠難移步。妙穴說與後人知。環跳風市及陰市。瀉却金針病自除

「雜病穴法歌」腰連脚痛怎生醫。環跳風市與行間。

取法　大腿外側之正中線上之中部。約當中瀆之上二寸。兩手下垂。中指盡處取之。

針灸　針五分。灸五壯。

三十二、中瀆

解剖　有外大股筋。股動脈分枝。

部位　在髀骨外膝上五寸。

主治　寒氣客於分肉間。攻痛上下。筋痺不仁。

取法　屈膝橫紋外角。直上五寸。與環跳成一直線。

針灸　針五分。灸三壯。

三十三、陽關

解剖　有外大股筋。外關節動脈。股神經。

部位　在陽陵泉上三寸。

主治　風痺不仁。股膝冷痺痛。不可屈伸。

取法　膝關節之旁。當陽陵上三寸部分取之。

針灸　針五分。禁灸。

三十四、陽陵泉

解剖　當脛骨之外側。有膝關節動脈。淺腓骨神經。

部位　在膝下外側。尖骨前之陷凹處。

主治　偏半身不遂。足膝冷痺不仁。無血色。脚氣筋攣。

摘要　此穴爲足少陽胆經脈之所入爲合土。「玉龍歌」膝蓋紅冷鶴膝風。陽陵二穴亦堪攻。『席弘賦』最是陽陵泉一穴。膝間疼痛用針燒。「又」脚痛膝腫針三里。懸鍾二陵三陰交。「百證賦」半身不遂，陽陵遠達於曲池。「雜病穴法歌」脅痛只須陽陵泉。「又」脚連腰熱痛難當。環跳陽陵泉內杵。『又』冷風溼痺針環跳。陽陵三里燒針尾。「又」熱閉氣閉先長強。大敦陽陵堪調護。『通玄賦』脇下肋痛者。剌陽陵而卽止。「天星祕訣」冷風溼痺針何處。先取環跳次陽陵。「又」脚氣痠疼肩井先。次尋三里陽陵泉。「馬丹陽十二訣」膝腫幷麻木。冷痺及偏風。舉足不能起。坐臥似衰翁。針入六分止。神功妙不同。

取法　正坐垂足。膝外側關節之下陷中。取之。

針灸　針六分。灸七壯。

三十五、陽交

解剖　有長總趾伸筋。前脛骨動脈。深腓骨神經。

部位　在外踝上七寸。沿太陽經一面。峴崙之直上。

主治　胸滿喉痺。足不仁。膝痛寒厥。驚狂面腫。

取法　正坐垂足。從崐崙直上。外踝邊量上七寸取之。

針灸　針六分。灸三壯。

三十六、外邱

解剖　有長腓筋。前脛骨動脈。淺腓骨神經。

部位　外踝上七寸。與陽交相並。陽交在後。外邱在前。相去五分。

主治　頸項痛。胸滿、痿痺。癲風。惡犬傷毒不出。

取法　正坐垂足。從外踝直上七寸取之。（去髀計）

針灸　針三分。灸三壯。

三十七、光明

解剖　有長總趾伸筋。前腓骨動脈。深腓骨神經。

部位　外踝上五寸。

主治　熱病汗不出。卒狂嚼頰。淫濼脛胻痛不能久立。虛則痿痺。偏細。坐不能起。實則足胻熱膝痛。身體不仁。

摘要　此穴爲足少陽絡別走厥陰。「席弘賦」睛明治眼未效時。合谷光明不可缺。「標幽賦」眼癢眼疼。瀉光明於地五。

取法　正坐垂足。外踝上去踝五寸取之。

針灸　針六分。灸五壯。

三十八、陽輔

解剖　有長總趾伸筋。前腓骨動脈。深腓骨神經。

部位　在外踝上四寸。

主治　腰溶溶如水浸。膝下膚腫。筋攣。百節痠疼。痿痺。馬刀頸項痛。喉痺汗不出。及汗出振寒。痎瘧腰脇痠痛不能行立。

摘要　此穴爲足少陽胆脈所行爲經火。

取法　外踝上四寸微前三分取之（去踝計）

針灸　針三分。灸三壯。

三十九、懸鍾

解剖　爲短腓筋部。有前腓骨動脈。與神經。

部位　在外踝上三寸。

主治　心腹脹滿。胃熱不食。喉痺。欬逆頭痛。中風虛勞。頸項痛。手足不收。腰膝痛。脚氣筋骨攣。

摘要　『玉龍歌』凡患傴者補風池。瀉絕骨。「又」寒溼脚氣不可熬。先針三里及陰交。

再將絕骨穴兼刺。腫痛頓時立見消。『席弘賦』脚氣膝腫針三里。懸鐘二陵三陰交。「標幽賦」環跳懸鍾。華陀鍼躄足而立行「天星祕訣」。足緩難行先絕骨。次針條口及衝陽。「肘後歌」傷寒須補絕骨是。熱則絕骨瀉無憂。『勝玉歌』踝跟骨痛灸崑崙。更有絕骨共坵墟。「雜病穴法歌」兩足難移先懸鐘。條口後針能步履。

取法　從外踝上（去踝）三寸取之。

針灸　針五分。灸五壯。

四十、坵墟

解剖　當長總趾伸筋腱之後部。有前外踝動脈。淺腓骨神經。

部位　在外踝下微前陷中。

主治　胸脇滿痛不得息。寒熱。目生翳膜。頸腫。久瘧振寒。痿厥腰腿痠痛。髀樞中痛。轉筋足脛偏細。小腹堅卒疝。

摘要　此穴爲足少陽脈之原。「玉龍歌」脚背疼起坵墟穴。「靈光賦」髀樞疼痛瀉坵墟。「百證賦」轉筋兮金門坵墟來醫。「勝玉歌」踝跟骨痛灸崑崙。更有絕骨共坵墟。

取法　第四趾直上。外踝骨前橫紋陷中。

針灸　針五分。灸五壯。

四十一、足臨泣

解剖　有蹠骨動脈。中足背皮神經。

部位　在足小趾次趾本節後。

主治　胸滿氣喘。目眩心痛。缺盆中及腋下馬刀瘍。痺痛無常。厥逆。痎瘧日西發者。胻痠洒洒振寒。婦人月經不調。季脇支滿乳癰。

摘要　此穴爲足少陽脈之所注爲俞木。「玉龍歌」小腹脹滿氣攻心。內庭二穴要先針。兩足有水臨泣瀉。「雜病穴法歌」赤眼迎香出血奇。臨泣太冲合谷侶。

取法　小次趾本節後歧骨間陷中取之。

針灸　針二分。灸三壯。

四十二、地五會

解剖　有骨間背動脈。中足背皮神經。

部位　去俠谿一寸。

主治　腋痛內損吐血。足外無膏澤。乳癰。

摘要　『席弘賦』耳內蟬鳴腰欲折。膝下明存三里穴。後再補瀉五會間。「標幽賦」眼癢眼疼。針光明於地五。『天星祕訣』耳內蟬鳴先五會。次針耳門三里內。

取法　小次趾本節後陷中。臨泣前五分位取之。

針灸　針二三分。禁灸。

四十四、俠谿
解剖　有趾背動脈與神經。
部位　在小次趾本節前陷中。
主治　胸脅支滿。寒熱病。汗不出。目赤頷腫。胸痛耳聾。
摘要　此穴爲足少陽脈之所流爲滎水。『百症賦』陽谷俠谿。頷腫口噤並治。
取法　小次趾本節前陷中取之。
針灸　針二分。灸三壯。

四十四、足竅陰
解剖　有趾背動脈。趾背神經。
部位　在第四趾外側爪甲角。
主治　脅痛欬逆不得息。手足煩熱。汗不出。癰疽。口乾口痛。喉痺舌強。耳聾。轉筋肘不可舉。
摘要　此穴爲足少陽脈之所出爲井金。
取法　第四趾外側爪甲角一分許取之。
針灸　針一分。灸三壯。

十二　足厥陰肝經穴

本經起於足大趾之端。大敦穴起。上循足跗上廉。上踝。抵膕內廉。循股陰入毛中。抵少腹。上挾胃。至期門穴。計一十四穴。左右共二十八穴。

1.大敦　2.行間　3.太冲　4.中封　5.蠡溝　6.中都　7.膝關
8.曲泉　9.陰包　10五里　11陰廉

肝經穴圖

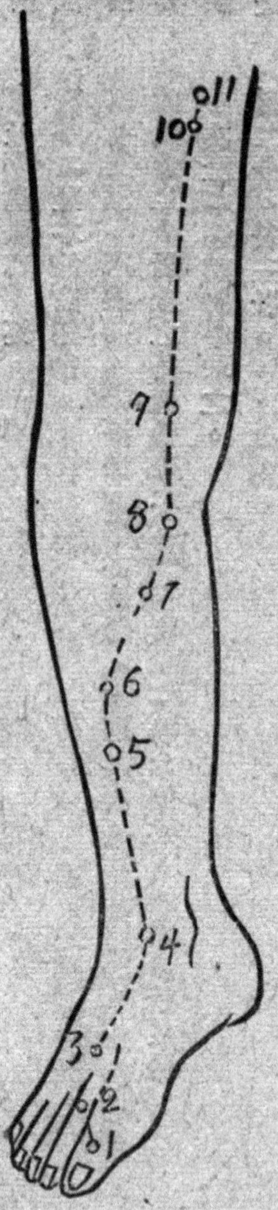

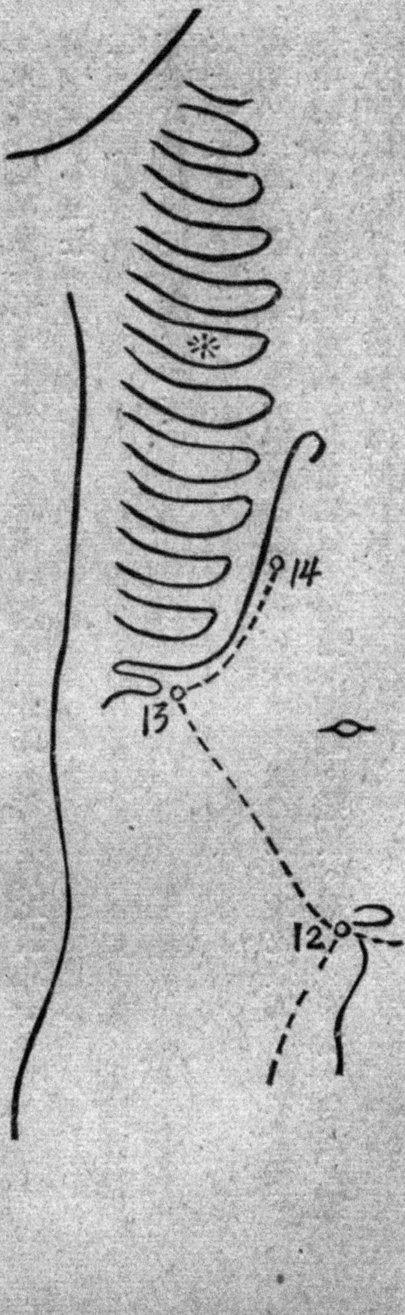

12 急脈　13 章門　14 期門

一、大敦

解剖　有長大趾伸筋。趾背神經。淺腓骨神經。

部位　在大趾端。爪甲後之叢毛中。按之有陷。

主治　卒心痛汗出。腹脹腫滿。中熱喜寐。五淋七疝。小便頻數不禁。陰痛引小腹。陰挺出。血崩。尸厥如死。

摘要 此穴爲足厥陰脈之所出爲井木。凡疝氣腹脹足腫者。皆宜灸之。以洩肝木之氣。而安脾胃。「玉龍歌」七般疝氣取大敦。「席弘賦」大便祕結大敦燒。「百症賦」大敦照海。患寒疝而善蠲。「通玄賦」大敦能治七疝之偏墜。「雜病穴法歌」七疝大敦與太冲。『天星祕訣』小腸氣痛先長強。後刺大敦不用忙。「勝玉歌」灸罷大敦除疝氣。「雜病穴法歌」熱閉氣閉先長強。大敦陽陵堪調護。

取法 足大趾外側爪甲根部。去爪甲分許微內。再上分許。當關節之前陷中。

針灸 針一分。灸三壯。

二、行間

解剖 有趾背動脈。淺在腓骨神經。

部位 大趾次趾合縫後五分。動脈陷中。

主治 嘔逆。咳血。心胸痛。腹脅脹。色蒼蒼如死狀。中風口喎。嗌乾煩渴。瞑不欲視。目中淚出。太息癲疾短氣。肝積肥氣。痎瘧。洞泄。遺尿。癃閉。崩漏。白濁。寒疝少腹腫。腰痛不可俯仰。小兒驚風。

摘要 此穴爲足厥陰肝脈所溜爲滎火。「百證歌」雀目肝氣。睛明行間而細推。「又」行間湧泉。治消渴之腎竭。「通玄賦」行間治膝腫目疾。「雜病穴法歌」脚膝諸痛羨行間。『勝玉歌』行間可治膝腫病。

取法　足大趾本節後外側。離縫約五分。

針灸　針三分。灸二壯。

三、太衝

解剖　在第一蹠骨之部。有前脛骨筋。淺腓骨神經枝。

部位　在行間後。

主治　虛勞嘔血。恐懼氣不足。嘔逆發寒。肝瘧令人腰痛。嗌乾胸脇支滿。太息。浮腫小腹滿。腰引少腹痛。足寒。或大小便難。陰痛遺溺。溏泄。小便淋癃。小腹疝氣。腋下馬刀瘍瘻。胻痠踝痛。女子月水不通。或漏血不止。小兒卒疝。

摘要　此穴爲肝脈所注爲俞土。產後出汗不止針太衝亟補之。『席弘賦』手連肩脊痛難忍。合谷針時要太冲。「又」腳痛膝腫針三里。懸鍾二陵三陰交。更向太冲須引氣。指頭麻木自輕飄。「又」咽喉最急先百會。太冲照海及陰交。『標幽賦』心脹咽痛。針太冲而必除。「通玄賦」行步難移。太冲最奇。「勝玉歌」若人行步苦艱難。中封太冲針便痊。『肘後歌』股膝腫起瀉太冲。「雜病穴法歌」赤眼迎香出血奇。臨泣太冲合谷侶。「又」鼻塞鼻痔及鼻淵。合谷太冲隨手取。「又」舌裂出血尋內關。太冲陰交走上部。「又」手指連肩相引疼。合谷太冲能救苦。「又」七疝大敦與太冲。『馬丹陽十二訣』動脈知生死。能醫驚癇風。咽喉幷心脹。兩足不能行。七疝偏墜腫。眼目似雲蒙。亦能療腰痛。針下有神功。

取法　足大趾外側歧骨之間。當一二蹠骨接濟部微前。

針灸　針三分。灸三壯。

四、中封

解剖　有前脛骨筋。內踝動脈。大薔薇神經。

部位　在內踝前一寸微下些。屈足見踝前下面有陷凹處便是。

主治　痎瘧。色蒼蒼如死狀。善太息。振寒。溲白。大便難難便腫痛。五淋。足厥冷。不嗜食。身體不仁。寒疝痿厥。筋攣。失精。陰縮入腹引痛。或身微熱。

摘要　此穴爲足厥陰肝脈所行爲經金。「勝玉歌」若人行步苦艱難。中封太冲針便痊。「玉龍歌」行步艱難疾轉加。太冲二穴效堪誇。更針三里中封穴。去病如同用手抓。

取法　內踝之前陷中。當解谿內開四五分相平。

針灸　針四分。灸三壯。

五、蠡溝

解剖　脛骨之內側。有比目魚筋。脛骨動脈。脛骨神經。

部位　在內踝前上五寸。

主治 疝痛小腹滿痛癃閉。臍下積氣如杯。數噫。恐悸。少氣。足脛寒痠。屈伸難。腰背拘急不可俯仰。月經不調。溺下赤白。

摘要 此穴爲足厥陰絡別走少陽者。

取法 內踝之上五寸。即脛骨前面內側之中央陷中。

針灸 針二分。灸三壯。

六、中都

解剖 有比目魚筋。脛骨動脈。脛骨神經。

部位 在蠡溝上二寸。

主治 腸澼㿉疝。少腹痛。溼熱足脛寒。不能行立。婦人崩中。產後惡露不絕。

針法 內踝之上七寸。脛骨內面之陷中。約當脛前內側三分之一之部。

取灸 針二分。灸五壯。

七、膝關

解剖 爲腓腸筋部。有內下膝關節動脈。脛骨神經。

部位 在內犢鼻下二寸。向裏橫開寸半之間陷中。

主治 風痺。膝內腫痛。引臏不可屈伸。及寒溼走注。白虎歷節。風寒不能舉動。咽喉中痛。

取法　內犢鼻下二寸。再向內開一寸五分陷中。卽膝關節之內側。曲泉之下約二寸。正坐屈膝垂足取之。

針灸　針四分。灸三壯。

八、曲泉

解剖　有膝關節動脈。腓骨神經。半膜狀筋。

部位　在膝內輔骨邊。屈膝橫紋上陷中。

主治　癀疝。陰股痛。小便難。少氣。洩痢膿血。胸脇支滿。膝痛筋攣。四支不舉。不可屈伸。風勞失精。身體極痛。膝脛冷。陰莖痛實則身熱。目痛。汗不出。目䀮䀮。發狂衂血。喘呼。痛引咽喉。女子陰挺出少腹痛。陰癢血瘕。

摘要　此穴爲足厥陰肝脈所入爲合水。「席弘賦」男子七疝小腹痛。照海陰交曲泉針。更不應時求氣海。關元同瀉效如神。「肘後歌」風痺痿厥如何治。大杼曲泉眞是妙。

取法　正坐垂足。於膝部內緣之中央部份。當膝橫紋之上陷中取之。

針灸　針七分。灸三壯。

九、陰包

解剖　有內大股筋。外廻旋股動脈。股神經。

部位　在膝上四寸。股內廉兩筋間。

主治　腰尻引小腹痛。小便難。遺尿。月水不調。
摘要　「肘後歌」中滿如何去得根。陰包如刺效如神。
取法　膝上四寸。股之內廉。當大腿內側二分之一部。正坐垂足取之。
針灸　針六分。灸三壯。

十、五里

解剖　有長內轉股筋。循行股動脈。閉鎖神經。
部位　氣冲之下三寸。
主治　腸風。熱閉不得溺。風勞嗜臥。四肢不能舉。
取法　仰臥伸足。從氣冲之旁五分。再下三寸部位取之。
針灸　針六分。灸三壯。

十一、陰廉

解剖　在鼠蹊部之下。有恥骨筋。外陰部動脈。股伸筋閉鎖神經。
部位　在陰部之旁。皮肉之下。有如核者名曰羊矢骨。穴在其下。去氣冲二寸。
主治　婦人不孕。若經不調未有孕者。灸三壯。
取法　氣冲之旁五分。再下二寸。仰臥取之。
針灸　針六分。灸三壯。

解剖　十二、急脈
部位　有三稜腹筋。下腹神經。
主治　在陰器之旁開二寸五分。
取法　癩疝小腹痛。
針灸　仰臥氣冲之旁五分取之。
灸三壯禁針。

十三、章門
解剖　爲內外斜腹筋部。卽胃府之外側。貫通上腹動脈。有第八至第十二肋間之神經枝。
部位　在季肋之端。
主治　兩脇積氣如卵石。膨脹腸鳴。食不化。胸脇痛煩熱。支滿。嘔吐。欬喘不得臥。股脊冷痛不得轉側。肩臂不舉。傷飽身黃瘦弱。洩瀉。四支惰。善恐。少氣厥逆。
摘要　此穴爲脾之募穴。「百證賦」胸脇支滿何療。章門不用細尋。「勝玉歌」經年或患勞怯者。痞滿臍旁章門決。
取法　仰臥臍上二寸。外開六寸。取之。

十四、期門
解剖　有內外斜腹筋。循行上腹動脈。第八至十二肋間神經。

部位 在不容旁一寸五分。乳下第二肋端。

主治 傷寒胸中煩熱。奔豚上下。目青而嘔。霍亂。瀉痢。腹硬胸脇積痛。支滿。嘔酸。善噫。食不下。喘不得臥。

摘要 「席弘賦」期門穴主傷寒患。六日過經猶未汗。但向乳根二肋間。又治女人生產難。「百證賦」項強傷寒。溫溜期門而主之。「通玄賦」期門退胸滿血膨而可止。「天星祕訣」傷寒過經不出汗。期門通里先後灸。「肘後歌」傷寒痞結脇積痛。宜向期門見深功。

取法 仰臥從巨闕旁三寸五分取之。

針灸 針四分。灸五壯。

十三 任脈穴

本脈起於兩陰之間會陰穴。上行經腹。過胸入咽。絡唇下。承漿穴止。計中行凡二十四穴。

1.會陰 2.曲骨 3.中極 4.關元 5.石門 6.氣海 7.陰交
8.神闕 9.水分 10下脘 11建里 12中脘 13上脘 14巨闕
15鳩尾 16中庭 17膻中 18玉堂 19紫宮 20華蓋 21璇璣
22天突 23廉泉 24承漿

任脈穴圖

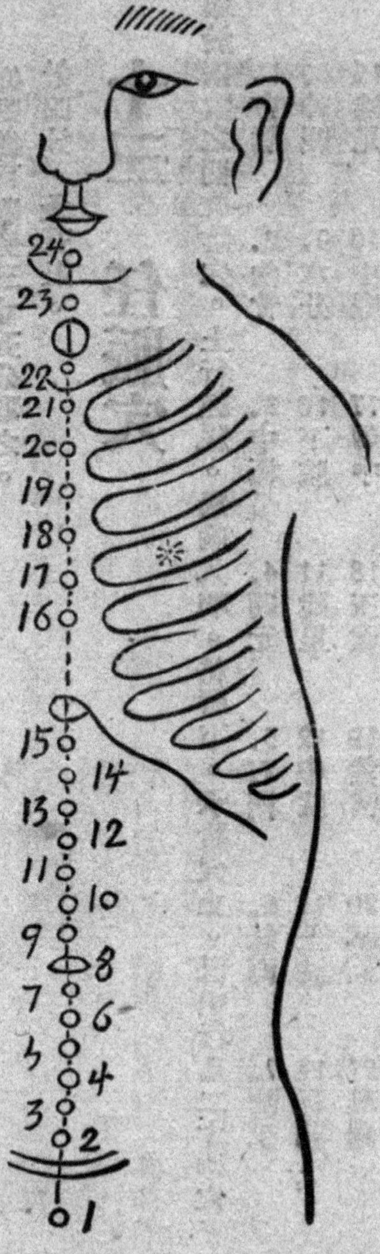

一、會陰

解剖　有海棉體球筋。外痔動脈。內陰部神經。

部位　在兩陰之間。

主治　陰汗。陰中諸病。前後相引痛。不得大小便。穀道病久痔不通。男子陰寒冲心。女子陰門痛。月經不通。卒死溺死。

取法　俯伏兩陰之間。縫中取之。

針灸　針一寸不灸。

二、曲骨

解剖　爲恥骨軟骨之合縫部。有外陰動脈。腸骨下腹神經。

部位　在中極下一寸陰毛中。

主治　小便脹滿。小便淋澀。血癃。㿉疝。小腹痛。失精。虛冷。婦人赤白帶下。

取法　仰臥於橫骨邊上際取之。

針灸　針八分至一寸二分。灸五壯。

三、中極

解剖　有表在深在之下腹動脈。腸骨下腹神經。

部位　在關元下一寸。

主治　陽氣虛憊。冷氣時上衝心。尸厥恍惚。失精。無子。腹中臍下結塊。水腫。奔豚疝瘕。五淋。小便赤澀不利。婦人下元虛冷。血崩白濁。因產惡露不行。胎衣不下。經閉不通。血積成塊。子門腫痛。轉脬不得小便。

取法　仰臥曲骨上一寸取之。

針灸　針八分至一寸二分。灸五壯。

四、關元

解剖　有下腹動脈。下腹神經。

部位　石門下一寸。

主治　積冷。諸虛百損。臍下絞痛。漸入陰中。冷氣入腹。少腹奔豚。夜夢遺精。白濁。五淋。七疝。溲血。小便赤澀。遺瀝。轉胞不得溺。婦人帶下瘕聚。經水不通。不姙。或姙娠下血。或產後惡露不止。或血冷。月經斷絕。

摘要　「玉龍歌」傳尸癆病最難醫。湧泉出血免災危。痰多須向豐隆瀉。象喘丹田亦可施。『席弘賦』小便不禁關元妙。「又」若是七疝小腹痛。照海陰交曲泉針。關元同瀉效如神。「玉龍歌」腎氣冲心得幾時。若得關元并帶脈。「又」腎強疝氣發甚頻。關元兼刺大敦穴。

取法　仰臥中極上一寸取之。

針灸　針一寸二分。灸五壯。

五、石門

解剖　有下腹動脈與神經。

部位　在氣海下半寸。

主治　腹脹堅硬。水腫。支滿。氣淋。小便黃赤不利。小腹痛。泄瀉不止。身寒熱。欬逆上氣。嘔血。卒疝疼痛。婦人因產惡露不止。遂結成塊。崩中漏下血淋。

取法　仰臥。關元上一寸取之。

針灸　針六分。灸三壯。婦人不宜針灸。

六、氣海

解剖　有小腸動脈。交感神經叢枝。

部位　陰交下半寸。

主治　下焦虛冷。上冲心腹。或爲嘔吐不止。或陽虛不足。驚恐不臥。奔豚。七疝。小腸膀胱癖瘕結塊狀如覆杯。臍下冷氣。陽脫欲死。陰症傷寒。卵縮。四肢厥冷。小便赤澀。羸瘦。白濁。婦人赤白帶下。月事不調。產後惡露不止。繞臍腹痛。小兒遺尿。

摘要　『席弘賦』氣海專能治五淋。更針三里隨呼吸。「百證賦」針三陰於氣海。專司白濁從遺精。「靈光賦」氣海血海療五淋。「勝玉歌」諸般氣症從何治。氣海針之灸亦宜。

取法　石門上五分。仰臥取之。

針灸　針一寸。灸百壯。

七、陰交

解剖　有小腸動脈與神經。

部位　臍下一寸。

主治　衝脈生病。從少腹冲心而痛。不得小便。疝痛。陰汗溼癢奔豚。腰膝拘攣。婦人月事不調。崩中帶下。產後惡露不止。繞膝冷痛。

摘要　『玉龍歌』水病之疾最難熬。腹滿虛脹不肯消。先灸水分幷水道。後針三里及陰交。『席弘賦』若是七疝小腹痛。照海陰交曲泉針。『又』小腸氣寒痛連臍。速瀉陰交莫再遲。「又」咽喉最急先百會。照海太冲及陰交。『百症賦』無子搜陰交石關之鄉。

取法　仰臥臍下一寸取之。

針灸　針八分。灸五壯。

八、神闕

解剖　當臍中央。中有小腸。

部位　臍中。

主治　陰證傷寒。中風不省人事。腹中虛冷。陽纏腸鳴泄瀉不止。水腫鼓脹。小兒乳痢不止。復大風癎。角弓反張。脫肛。婦人血冷不受胎者。灸此永不脫肛。

摘要　灸此穴須納鹽塡臍中灸之。灸百壯以上。幷可灸霍亂。

取法　臍之正中。仰臥取之。

針灸　可灸不可針。

九、水分

解剖　有上腹動脈。肋間神經。

部位　在臍上一寸。下脘下一寸。

主治　水病腹堅。黃腫如鼓。氣衝胸不得息。繞臍痛。腸鳴泄瀉。小便不通。小兒陷顖。

摘要　『玉龍歌』水病之疾最難熬。腹滿虛脹不肯消。先灸水分幷水道。『百證賦』陰陵水分。去水腫之臍盈。『天星祕訣』肚腹浮腫脹膨膨。先灸水分瀉建里。『靈光賦』水腫水分灸卽安。

取法　臍上一寸。仰臥取之。

針灸　宜灸不宜針。

十、下脘

解剖　有上腹動脈。肋間神經。

部位　在建里下一寸。

主治　臍上厥氣堅痛。厥脹滿。完穀不化。虛腫癖塊。瘦弱少食。翻胃小便赤。

摘要　『靈光賦』中脘下脘治腹堅。『百證賦』腹內腸鳴。下脘陷谷能平。『勝玉歌』胃冷下脘却爲良。

取法　臍上二寸。仰卧取之。

針灸　針八分。灸五壯。孕婦忌灸。

十一、建里

解剖　有上腹動脈。肋間神經。

部位　在中脘下一寸。

主治　腹脹身腫。心痛上氣。腸鳴嘔逆不食。

摘要　『百證賦』建里內關。掃盡胸中之苦悶。『天星祕訣』肚腹浮腫脹膨膨。先灸水分并建里。

取法　臍上三寸。仰卧取之。

針灸　針五分。灸五壯。孕婦忌灸。

十二、中脘

解剖　中藏胃府。有上腹動脈。肋間神經。

部位　在上脘下一寸。

主治　心下脹滿。傷飽食不化。噎膈翻胃不食。心脾煩熱疼痛。積聚痰飲面黃。傷寒飲水過多。腹脹氣喘。溫瘧。霍亂吐瀉。寒熱不已。或因讀書得奔豚。氣上攻。伏梁心下。寒癖結氣。凡脾冷不可忍。心下脹滿。飲食不進不化。氣結疼痛雷鳴者。皆宜灸之。

摘要　『玉龍歌』九種心痛及脾疼。上脘穴內用神針。若還脾敗中脘補。『又』脾家之症有多般。致成翻胃吐舌難。黃疸亦須尋脘骨。金針必定奪中脘。『肘後歌』中脘回還胃氣痛。「雜病穴法歌」霍亂中脘可入深。『靈光賦』中脘下脘治腹堅。

取法　臍上四寸仰臥取之。

針灸　針八分至一二寸深。灸七壯。

十三、上脘

解剖　有上腹動脈。與肋間神經。

部位　在臍上五寸。

主治　心中煩熱。痛不可忍。腹中雷鳴。飲食不化。霍亂翻胃嘔吐。三焦多涎。奔豚伏梁氣脹積聚。黃疸。驚風。心悸。嘔血身熱汗不出。

摘要　「玉龍歌」九種心痛及脾疼。上脘穴內用神針。「百證賦」。發狂奔走。上脘同起於神門。「勝玉歌」心疼脾痛上脘先。

取法　臍上五寸。仰臥取之。

針灸　針八分。灸五壯。

十四、巨闕

解剖　有上腹動脈與神經。
部位　去鳩尾一寸。
主治　上氣欬逆。胸滿氣疼。九種心痛。冷痛。少腹疰痛。痰飲咳嗽。霍亂腹脹。恍惚發狂。黃疸。膈中不利。煩悶。卒心痛。尸厥。蠱毒。息賁。嘔血。吐痢不止。
摘要　『百證賦』膈痛飲蓄難禁。膈中巨闕便針。
取法　臍上六寸。仰臥取之。
針灸　針六分。灸七壯。

十五、鳩尾
解剖　胸骨劍狀突起端。有上腹動脈。肋間神經。
部位　在歧骨下一寸。
主治　心驚悸。神氣耗散。癲癇狂病。
摘要　鳩尾能治五般癇。若下湧泉人不死。
取法　歧骨下一寸。仰臥或正坐取之。
針灸　不可輕針。必欲針。須使其兩手高舉。而後進針。針三分。灸三壯。

十六、中庭
解剖　有內乳動脈之分枝。肋間神經。

部位　在膈中下一寸六分。

主治　胸脇支滿。噎塞吐逆。食入還出。小兒吐乳。

取法　膻中下一寸六分。正坐或仰臥取之。

針灸　針三分。灸三壯。

十七、膻中

解剖　有內乳動脈之分枝。肋間神經。

部位　在玉堂下一寸六分。兩乳之間。

主治　一切上氣短氣。痰喘哮嗽。欬逆。噎氣。膈食翻胃。喉鳴氣喘。肺癰。嘔吐涎沫膿血。婦人乳汁少。

摘要　「百證賦」膈痛飲蓄難禁。膻中巨闕便針。「勝玉歌」膻中七壯除膈熱。

取法　正坐或仰臥於兩乳之中間取之。

針灸　禁鍼。灸七壯。

十八、玉堂

解剖　有內乳動脈。肋間神經。

部位　在紫宮下一寸六分。

主治　胸膺滿痛。心煩欬逆。上氣喘急。不得息。喉痺咽壅。水漿不入。嘔吐寒疾。

摘要　『百症賦』煩心嘔吐。幽門開徹玉堂明。
取法　膻中上一六寸分取之。
針灸　針三分灸五壯。

十九、紫宮

解剖　有內乳動脈。肋間神經。
部位　在華蓋下一寸六分。
主治　胸脇支滿膺痛。喉痺咽塞。水漿不入。欬逆上氣。吐血煩心。
取法　膻中上三寸二分取之。
針灸　針三分。灸五壯。

二十、華蓋

解剖　有內乳動脈。肋間神經。
部位　在璇璣下一寸六分。
主治　欬逆喘急上氣。哮嗽。喉痺。胸脇滿痛。水飲不下。
摘要　『百症賦』脇肋疼痛。氣戶華蓋有靈。
取法　膻中上四寸八分取之。
針灸　針三分。灸五壯。

二十一、璇璣

解剖　有內乳動脈。肋間神經。

部位　在天突下一寸。

主治　胸脇滿。咳逆上氣。喘不能言。喉痺咽腫。水飲不下。

摘要　『席弘賦』胃中有積刺璇璣。三里功多人不知。「雜病穴法歌」內傷食積鍼三里。璇璣相應塊亦消。

取法　天突下一寸取之。

針灸　針三分。灸五壯。

二十二、天突

解剖　即胸骨半月狀切痕部。有上甲狀腺動脈。上喉頭神經。

部位　在結喉之下凹陷中。

主治　上氣。哮喘。咳嗽。喉痺。噎氣。肺癰咯吐膿血。咽腫暴瘖。身寒熱。咽乾。舌下急不得食。

摘要　「玉龍歌」天突膻中醫喘嗽。「靈光賦」天突膻中治痰喘。「百症賦」欬嗽連聲。肺俞須迎天突穴。

取法　結喉下。胸骨上。凹陷中取之。

針灸　針五分。灸二壯。

二十三、廉泉

解剖　有甲狀腺動脈。上喉頭神經。

部位　在頷下。舌本之下結喉之上。

主治　欬嗽喘息上氣吐沫。舌縱。舌下腫。舌根急縮。

摘要　『百症賦』廉泉中衝。舌下腫疼可取。

取法　結喉上方。頸横紋之上。仰而取之。

針灸　針三分。灸三壯。

二十四、承漿

解剖　爲下顎骨部。分布頤上掣筋。口冠狀動脈。面顏神經。三叉神經。

部位　在下唇下之陷凹中。

主治　偏風。半身不遂。口眼喎斜。口禁不開。暴瘖不能言。

摘要　「百症賦」承漿瀉牙疼而即移。「通玄賦」頭項強。承漿可保。

取法　下唇之陷凹中。開口取之。

針灸　針三分。灸七壯。

十四 督脈穴

本脈起於尾閭端之長強。循脊直上。過項入巔頂。而前經額鼻而至齒之齦交穴止。中行凡二十八穴。

1.長強　2.腰俞　3.陽關　4.命門　5.懸樞　6.脊中　7.中樞

8.筋縮　9.至陽　10靈台　11神道　12身柱

督經穴圖

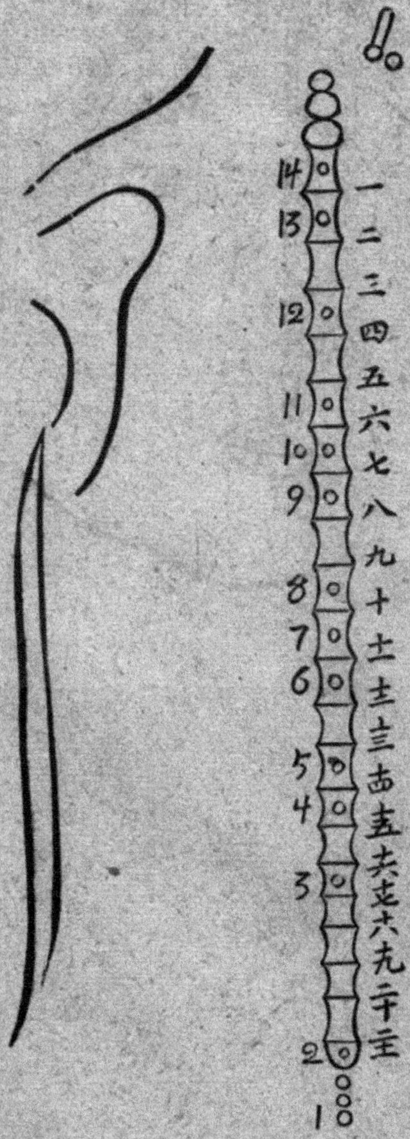

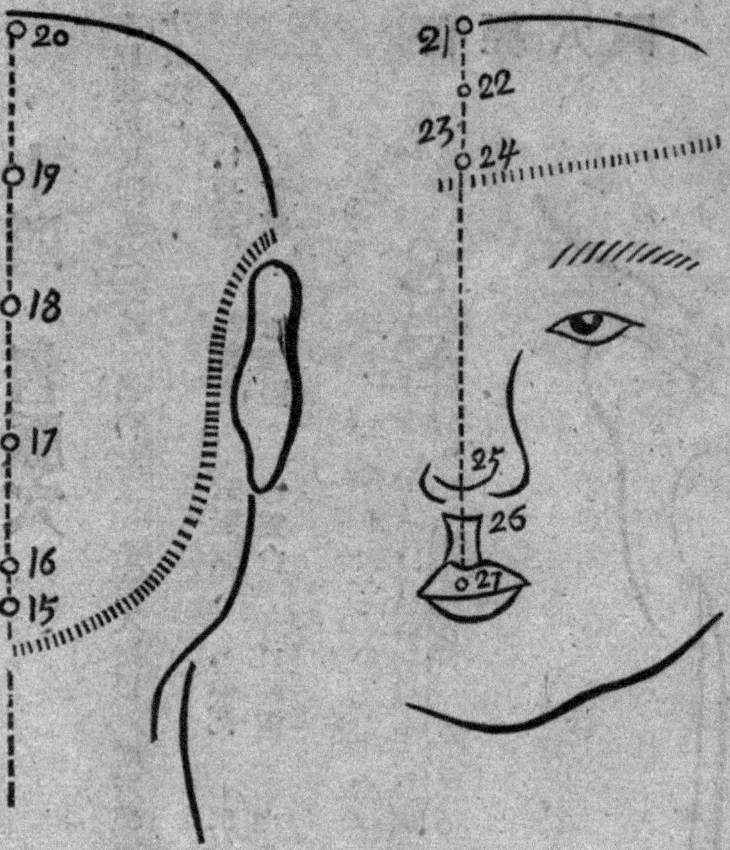

13 陶道
14 大椎
15 啞門
16 風府
17 腦戶
18 強間
19 後頂
20 百會
21 前頂
22 顖會
23 上星
24 神庭
25 素髎
26 人中
27 端交
28 兌齗

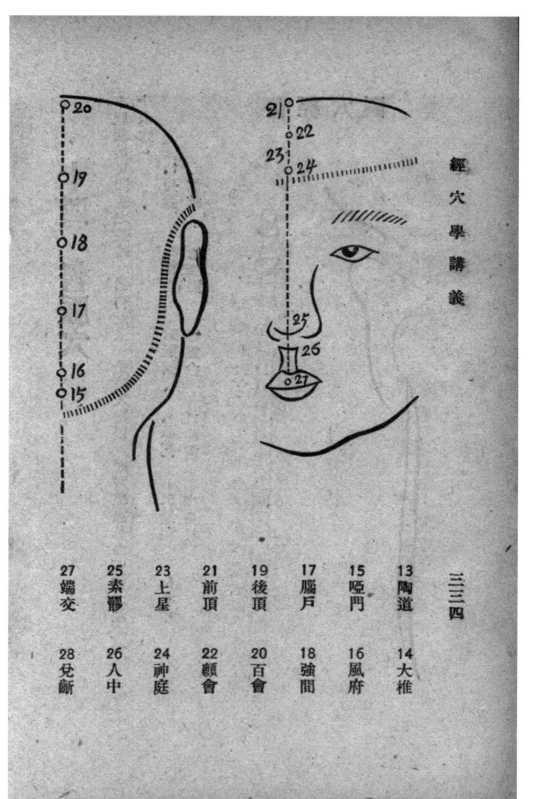

一、長強

解剖 有大臀筋。下臀動脈。尾閭骨神經。

部位 尾閭骨端五分之處。肛門之上。

主治 腰脊強急不可俯仰。狂病。大小便難。風腸下血。五痔五淋。下部疳蝕。洞泄。失精。嘔血。小兒顖陷。驚癇瘈瘲。脫肛瀉血。

摘要 「玉龍歌」長強承山。灸痔最妙。「席弘賦」大敦若連長強尋。小腸氣痛卽行針。「又」小兒脫肛患多時。先灸百會後尾閭。「百症賦」針長強與承山。善主腸風新下血。『又』脫肛趨百會尾閭之所。「靈光賦」百會龜尾治痢疾。「天星祕訣」小腹氣痛先長強。後刺大敦不用忙。

取法 尾骶之端。肛門之後陷中。伏而取之。

針灸 針五分。灸二三十壯。

二、腰俞

解剖 大臀筋之起始部。有下臀動脈。薦骨神經。

部位 在尾閭骨之上部。二十一椎之下。

主治 腰脊重痛。不得俯仰。腰以下至足冷痺不仁。強急不能坐臥。灸隨年壯。

摘要 『席弘賦』冷風冷痺疾難愈。環跳腰俞針與燒。（燒針尾）

取法　二十一椎之下。伏而取之。
針灸　針三分。灸五壯。

三、陽關

解剖　爲第四腰椎部。有下臀動脈。薦骨神經枝。
部位　在第十六椎下。
主治　膝痛不可屈伸。風痺不仁。筋攣不行。
取法　十六椎下。伏而取之。
針灸　針五分。灸五壯。

四、命門

解剖　當第二腰椎部。有肋間動脈。脊椎神經。
部位　第十四椎下。
主治　腎虛腰痛。赤白帶下。男子洩精。耳鳴。手足冷痺攣急。驚恐頭眩。頭痛如破。身熱如火。骨蒸汗不出。痎瘧痰瘧。裏急腹痛。
摘要　「標幽賦」取肝俞與命門。能使瞽士視秋毫之末。痔漏下血。脫肛不食。洩痢。血崩。帶下。淋濁。皆宜灸之。惟年滿二十四者。灸之有絕子之患。
取法　十四椎下。正對臍中。伏而取之。

针灸　針三分。灸三至數十壯。

五、懸樞

解剖　爲第一腰椎部。有脊椎神經。

部位　在第十三椎下。

主治　腰脊強不得屈伸。腹中積氣。上下疼痛。水穀不化。瀉痢不止。

取法　十三椎下。伏而取之。

針灸　針三分。灸三壯。

六、脊中

解剖　有胸背動脈。肩胛下神經。

部位　在十一椎下。

主治　風癇癲邪。腹滿不食。五痔。積聚下痢。小兒痢下赤白。秋末脫肛。每廁則肛痛不可忍。灸之。

取法　十一椎下。伏而取之。

針灸　針三分。灸三壯。

七、中樞

解剖　有胸背動脈。肩胛下神經。

部位　第十椎之下。

取法　第十椎之下。俯而取之。

此穴不針灸。

八、筋縮

解剖　在胸背動脈。肩胛下神經。

部位　在第九椎下。

主治　癲疾驚狂。脊強風癇目下視。

摘要　脊強分。水道筋縮。

取法　第九椎下。俯而取之。

針灸　針五分。灸三壯。

九、至陽

解剖　有胸背動脈。肩胛下神經區。

部位　在第七椎下。

主治　腰脊強痛。胃中寒不食。少氣難言。胸脅支滿。羸瘦身黃。脛痠四肢重痛。寒熱解㑊。

摘要　「勝玉歌」黃疸至陽便能離。「玉龍歌」至陽郤疸。善治神疲。「一云」灸三壯。

喘氣立已。

取法　第七椎下。俯而取之。

針灸　針五分。灸三壯。

十、靈台

解剖　有胸背動脈。肩胛下神經。

部位　有第六椎之下。

主治　今俗以灸氣喘不能臥。及風冷久嗽。火到便愈。

取法　第六椎下。俯而取之。

針灸　針三分。灸三壯。

十一、神道

解剖　有横頸動脈之下行枝。肩胛背神經。

部位　在第五椎之下。

主治　傷寒頭痛。寒熱往來。痎瘧悲愁。健忘驚悸。牙車急。口張不合。小兒風癇瘈瘲。

摘要　風癇當發。神道還須心俞甯。

取法　第五椎下。俯而取之。

針灸　灸五壯。不宜鍼。

十二、身柱

解剖　有橫頸動脈之下行枝。肩胛背神經。

部位　在第三椎之下。

主治　腰背痛。癲癇狂走。怒欲殺人。瘈瘲身熱。忘見忘言。小兒驚癇。

摘要　「玉龍賦」身柱蠲嗽。能除膂痛。「百證賦」癲疾仗身柱本神之合。同陶道。肺俞。膏肓。爲治肺癆要穴。

取法　第三椎下。俯而取之。

針灸　針三分。灸五壯。

十三、陶道

解剖　有橫頸動脈。肩胛背神經。

部位　在第一椎之下。

主治　痎瘧寒熱。洒淅脊強。煩滿汗不出。頭重目瞑。瘈瘲。恍惚不樂。

摘要　「百症賦」歲熱時行。陶道復求肺俞理。「又」兼身柱。肺俞。膏肓。爲治療肺癆之要穴。「一云」此穴善退骨蒸之熱。

取法　第一椎下。俯而取之。

針灸　針五分。灸五壯。

十四、大椎

解剖 有橫頸動脈。及肩胛背神經。

部位 在第一椎上之陷凹中。

主治 五勞七傷乏力。風勞食氣。痎瘧久不愈。肺脹脅滿。嘔吐上氣。背膊拘急。項頸強。不得囘顧。

摘要 能瀉胸中熱。及諸熱氣。一云治身痛寒熱。風氣痛。又能治氣短不語。

取法 第一椎上陷中。正坐取之。

針灸 針五分。灸三壯。

十五、啞門

解剖 有項韌帶橫頸動脈。肩胛背神經。

部位 入髮際五分。

主治 頸項強急不語。諸陽熱盛。衄血不止。脊強反折。瘈瘲癲疾頭風疼痛汗不出。寒熱風痙。中風。尸厥暴死。不省人事。

摘要 『百症賦』啞門關冲。舌緩不語而要緊。

取法 正坐。入髮際五分。當兩筋之間取之。

針灸 針二三分。不宜深。深則令人失音。不宜灸。灸之令人啞。

十六、風府

解剖　有後頭筋。後頭動脈。大後頭神經。

部位　在項後入髮際一寸。腦戶後一寸五分。

主治　中風舌緩。暴瘖不語。振寒汗出身重。偏風。半身不遂。傷風頭痛。項急不得囘顧。目眩反視。鼻衄咽痛。狂走悲恐驚悸。

摘要　主瀉胸中之熱。『席弘賦』風府風池尋得到。寒傷百病一時消。「又」陽明二日尋風府。『通玄賦』風傷項急求風府。『肘後歌』腿脚有疾風府尋。

取法　啞門上五分。正坐取之。

針灸　針三分。禁灸。

十七、腦戶

解剖　爲後結節之下部。

部位　在枕骨下。強間後一寸五分。

取法　正坐。風府直上一寸五分取之。

針灸　此穴禁針灸。

十八、強間

解剖　爲後頭顱頂之縫合部。

部位　在後頂後一寸五分。
主治　頭痛項強。目眩腦旋。煩心嘔吐涎沫。狂走。
摘要　「百症賦」強間豐隆之際。頭痛難禁。
取法　腦戶上一寸五分。百會後三寸。正坐取之。
針灸　針二分。禁灸。

十九、後頂

解剖　有顳顬動脈後枝。後頭神經。
部位　在百會後一寸半。
主治　頸項強急。額顱上痛。偏頭痛。惡風目眩不明。
取法　正坐。百會後一寸五分取之。
針灸　針二分。灸五壯。

二十、百會

解剖　有帽狀腱膜。顳顬動脈後枝。後頭神經。
部位　當頭正中。
主治　頭風頭痛。耳聾鼻塞。鼻衄。中風語言蹇澀。口噤不開。或多悲哭。偏風。半身不遂。風癇。卒厥。角弓反張。吐沫。心神恍惚。驚悸健忘。痎瘧。女人血風。胎前

摘要　產後風疾。小兒痫風驚風。脫肛久不瘥。「靈光賦」百會龜尾治痢疾。「席弘賦」小兒脫肛患多時。先灸百會後尾骶。『又』咽喉最急先百會。「玉龍歌」中風不語最難醫。髮際頂門穴要知。更向百會明補瀉。即時甦醒免災危。「勝玉歌」頭疼眩暈百會好。「雜病穴法歌」尸厥百會一穴美。

取法　正坐。從耳尖之直上。當頭之正中取之。

針灸　針二三分。灸宜多壯。

二十一、前頂

解剖　有顳會動脈後枝。及前額神經。

部位　在顖會後一寸五分。

主治　頭風目眩。面赤腫。小兒驚痫。瘈瘲。鼻多清涕。頸項腫痛。

摘要　『百症賦』面腫虛浮。須仗水溝前頂。

取法　正坐。百會前一寸五分取之。

針灸　針三分。灸五壯。

二十二、顖會

解剖　為前頭骨。顱頂骨之縫合部。

部位　在上星一寸。

主治　腦虛冷痛。頭風腫痛。項痛目眩。鼻塞不聞香臭。驚癇戴目。

摘要　「百症賦」顖會玉枕。頭風療以金鍼。「玉龍歌」卒暴中風。顖門百會。

取法　百會前三寸取之。

二十三、上星

解剖　有前頭筋。前頭神經。三叉神經之第一枝。

部位　在鼻之直上。入髮際一寸。

主治　頭風頭痛。頭皮腫。面虛。惡寒。痎瘧。寒熱汗不出。鼻衄鼻涕。鼻塞不聞香臭。目眩睛痛。不能遠視。以三稜針刺之。

摘要　「勝玉歌」頭風眼痛上星專。『玉龍賦』頭風鼻淵。上星可用。

主治　正坐。前髮際入髮一寸取之。

針灸　針三分。不宜多灸。

二十四、神庭

解剖　有前頭筋。前頭神經。三叉神經。

部位　入髮際半寸。

主治　發狂。登高妄走。風癇癲狂。角弓反張。目上視。不識人。頭風鼻淵。流涕不止。

摘要　頭痛目淚。煩滿喘咳。驚悸不得安臥。

「玉龍賦」頭風鼻淵。上星可用。「又」神庭理乎頭風。

取法　正坐。前髮際入髮五分取之。

針灸　此穴禁針。灸三壯。

二十五、素髎

解剖　有外鼻神經。分歧口角動脈。

部位　鼻端準頭。

主治　鼻中瘜肉不消。喘息不利多涕。衄血。霍亂。

取法　於鼻端取之。

針灸　此穴禁灸。針一分。

二十六、水溝

解剖　上顎骨部。有口輪匝筋。鼻中隔動脈。下眼窠神經。

部位　鼻下溝之正中。

主治　中風口噤。牙關不開。卒中惡邪。不省人事。癲癇卒倒。消渴多飲水口眼喎斜。俱宜針之。若風水面腫。針此一穴出水盡立愈。

摘要　「玉龍歌」人中委中。除腰脊痛閃之難制。「又」大陵人中頻瀉。口氣全除。『百症賦』面腫虛浮。須仗水溝前頂。「靈光賦」水溝間使治邪癲。

取法　正坐。於鼻下水溝上端取之。

針灸　針三分。不宜灸。

二十七、兌端

解剖　為口輪匝筋部。循行上唇冠狀動脈。

部位　在上唇之端。

主治　癲癇吐沫。齒齦痛。消渴。衄血。口噤。口瘡。

摘要　『百症賦』小便赤澀。兌端獨瀉太陽經。

取法　於上唇尖端取之。

針灸　針三分。不灸。

二十八、齦交

解剖　上顎骨齒槽突起之粘膜部。有口冠狀動脈。三叉顏面神經。

部位　在唇內齒上齦縫中。

主治　面赤心煩痛。鼻生瘜肉不消。頸額中痛。頸項強。目淚多眵赤痛。牙疳腫痛。小兒面瘡。

摘要　『百證賦』鼻痔必取齦交。

取法　上唇之內。上齒之上。齦縫之中取之。
針灸　針三分。逆鍼之。不灸。

第三章　附錄篇

一　帶脈穴　六穴

一　帶脈　見足少陽胆經　二　五樞　同上　三　維道　同上

二　陽蹻脈穴　二十穴

一　申脈　膀胱　二　僕參　同上　三　跗陽　同上　四　居髎　胆

肩　肩顒　大腸　六　巨骨　同上　七　臑俞　小腸　八　地倉　胃

九　巨髎　胃　十　承泣　胃

三　陰蹻脈穴　四穴

一　照海　腎　二　交信　同上

四　陽維脈穴　二十八穴

一　金門　膀胱　二　陽交　胆　三　臑俞　小腸　四　天髎　三焦

五　肩井　胆　六　陽白　胆　七　本神　胆　八　臨泣　胆

九　目窗　胆　十　正營　胆　十一　承靈胆　十二　腦空胆

十三　風池胆　十四　日月胆　十五　風府督　十六　啞門督

五　陰維脈穴　十四

一　築賓　腎　二　腹哀　脾　三　大橫　脾　四　府舍　脾
五　期門　肝　六　天突　任　七　廉泉　任

六　衝脈穴　二十二

一　幽門　腎　二　通谷　腎　三　陰都　腎　四　石關　腎
五　商曲　腎　六　肓俞　腎　七　中注　腎　八　四滿　腎
九　氣穴　腎　十　大赫　腎　十一　橫骨　腎

任督二脈穴見第二章一四一至一六〇頁

經外奇穴摘穴

一　患門

主少年陰陽俱虛。向黃體瘦。飲食無味。咳嗽遺精。潮熱盜汗。心胸背引痛。五勞七傷等症無不效。先用臘繩一條。以病人男左女右脚板。從足大踇趾頭齊量起。向後隨脚板當心貼肉直上。至膝灣大橫紋中截斷。次令病人解髮勻分兩邊。平身正立。取前繩子。從鼻端齊引繩向上。循頭縫下腦後貼肉。隨脊骨直下至繩盡處。以墨點記。別用桿心。接於口上。兩頭至吻。却鈎起桿心。中心至鼻端根。如人字樣。齊兩吻截斷。將此桿展直。於先點墨處。取中橫量。勿令高下。於桿心兩頭盡處。以墨記之。此是灸穴。初灸七壯。累灸至百壯。

又法

治虛勞羸瘦。令病人平身正直。用草於男左女右自脚中趾尖量過脚心。而上至䐐紋大處虛切斷。却將此草自鼻尖量。從頭正中至脊。以草盡處。用墨點記。別用草一條。令病入自然合口。量闊狹切斷。却將此草於墨點上平摺。兩頭盡處是穴。灸時隨年多一壯。

二　四花穴

治病同患門。令病人平身正立。稍縮臂膊。取臘繩繞項向前平結喉骨。後大杼骨。俱墨點記。向前雙垂與鳩尾齊卽切斷。却翻繩向後。以繩原點大杼墨。放結喉墨上。結喉墨放大杼骨上。從背脊中雙繩頭貼肉垂下。至繩頭盡處。以墨點記。別取桿心令病人合口勿動。橫量齊兩吻切斷。還於背上墨記處。摺中橫量。兩頭盡處點之。此是灸穴又將循脊直量上下點之。此是灸穴初灸七壯。累灸百壯。但瘡愈病未愈依前法復灸。故云累灸百壯。

注意灸此等穴。初只可三五壯。並須灸足三里以瀉火氣。

附崔知悌四花穴法

以草桿心量口吻切斷。以如此長裁紙成四方形。當中翦小孔。別用長桿踏脚下。與脚大指爲齊。後取至曲脈橫紋中爲止。斷了。却以之環在結喉下。垂向背後。看桿止處。卽以前小孔紙當中安停。紙之四角。卽灸穴也。

又法

先橫量口吻取長短。以所量草。就背上三椎骨下。直量至草盡處。兩頭用筆點記。再量中指長短爲準。却將量中指草橫直量兩頭。用草圈四角。其圈者是穴。不圈者不是穴。可灸七七壯。

按此灸法皆陽虛所宜。華陀云。風虛冷熱。惟有虛者亦不宜灸。但方書云。虛損癆瘵只宜早灸膏肓四花。乃虛損未成之際。如瘦弱兼火。雖灸亦宜灸內關足三里。以散其痰火。早年陰虛不宜灸。

三　騎竹馬灸法

專主癰疽發背。腫毒瘡瘍。瘰癧癘風。諸風。一切無名腫毒。灸之散毒。瀉心火。先從男左女右臂腕中橫紋起。用薄篾條量至中指盡肉處切斷。却令病人脫去上下衣裳。以大竹扛一條跨定。兩人徐徐扛起足要離地五寸許。兩傍更以兩人扶定。勿使動搖不穩。却以前量竹篾貼定竹扛豎起。從尾骶骨貼脊量至篾盡處。以墨點記。却比病人同身指寸篾二寸平摺。於前點墨上。自中橫量兩傍各開一寸是穴。可灸三七壯。

四 腰眼

此穴一名遇仙穴。又名鬼眼穴。治痨瘵已深之難治者。點此穴令病者解去上體衣服。於腰上兩旁微陷處謂之腰眼穴。直身平立。用筆點定。然後上床合面而臥。每灼小艾炷七壯。灸之。能九壯十一壯最妙。瘵虫或吐出或瀉下卽安。或令病人去衣舉手向上。略轉後些。則腰間兩旁自有微陷可見。灸時必須癸亥日子時前一刻並不能令人知。

五 太陽

此穴治頭風頭痛赤眼在兩額角眉後青筋上。須刺出血。

六 海泉

治消渴。在舌下中央脈上。須刺出血。

七 左金津右玉液

治消渴。口瘡舌腫。在舌下兩邊紫脈上。須刺出血。

八 機關

凡卒中風口噤不開。灸之。在耳下八分微前。灸五壯立愈。

九 百勞

治瘰癧聯珠瘡在大椎向髮際二寸點記。各開一寸。灸七壯神效。

附灸瘰癧法

百勞灸三七壯或百壯。肘尖百壯。又間明初出核以針貫核中。即以石雄黃末和熟艾作炷。灸核上針孔三七壯。諸核從此消矣。

十　肘尖

治腸癰瘰癧。屈兩肘尖骨頭。各灸百壯。

十一　通關

左燃能進飲食。右燃能和脾胃。專治噎膈。此穴在中脘穴旁各五分。針有四效。下針良久。後覺脾磨食。又覺針動爲一效。次覺病根腹中作聲爲第二效。次覺流入膀胱爲三效。四覺氣流爲四效。

十二　直骨

治遠年咳嗽。炷如小豆大。灸三壯。男左女右。不可差誤。其咳即愈。不愈不可治。穴在乳下。大約離一指頭。看其低陷之處。與乳直對不偏者是穴。婦人按其乳直向下。看乳頭所到之處是正穴。

十三　夾脊

治霍亂轉筋。令病者合面臥。伸兩手着身。以繩横牽兩肘尖。當脊間繩下兩旁。各開一寸半。灸百壯。無不瘥者。此華陀法也。

十四　精宫

專治夢遺。灸七壯。有神效。在背第十四椎下。各開三寸。

十五　足太陰太陽

治婦人逆產。足先出。刺太陰入三分。足入。乃出針。穴在內踝後白肉際。骨陷委宛中。胞衣不出。刺足太陽入四分。在外踝後一寸委宛中。

十六　鶴頂

主兩足癱瘓無力。灸七壯。穴在膝蓋骨尖上。

十七　足小趾尖

治婦人難產不下。灸足小趾尖卽下云。

十八　中魁

中魁穴。在中指上第二節骨尖。屈指得之。治五噎翻胃吐食。灸七壯。

十九　大小骨空

大骨空在手大指中節上。屈指當骨尖陷中。小骨空在手小指第二節尖。統治目久病。生翳膜。內障。流淚眼癬等。灸七壯

二十　痞根

。痞根在背十一椎旁開三寸五分。治痞塊有神效。左患灸左。右患灸右。灸每次須二七壯。

經穴異名表

一　同名異穴

頭之臨泣	足之臨泣	頭之竅陰	足之竅陰
手之三里	足之三里	背之陽關	足之陽關
手之通谷	足之通谷	手之五里	足之五里

二　一穴二名

神庭	髮際	曲差	鼻衝	後頂	交衝	通天	天白
腦空	顳顬	強間	大羽	目窗	至榮	顱息	顱顖
瘈脈	資脈	竅陰	枕骨	素髎	面王	迎香	衝陽

地倉 會維　大迎 髓孔　顴髎 兌骨　懸顱 髓孔

人迎 天五會　水突 水門　扶突 水穴　天鼎 天項　天窗 窗籠

中膂 脊內俞　缺盆 天蓋　肩井 膊井　大椎 百勞　神道 臟俞

三陽絡 通間　心俞 背俞　膂俞 高蓋　中髎 中空　會陽 利機

前谷 手太陽　魄戶 魂戶　志室 精宮　志堂 玉英　俞府 輸府

漏谷 太陰絡　乳中 當乳　乳根 薜息　巨闕 心募　下脘 幽門

血海 百虫窠　幽門 上門　石關 石闕　商曲 高曲　四滿 髓府

五里 尺之五間　大巨 腋門　歸來 谿穴　氣衝 氣街　期門 肝募

厥陰俞 闕俞　大橫 腎氣　淵腋 液門　天池 天會　維道 外樞

少商 鬼信　太淵 鬼心　列缺 童玄　間使 鬼路　天泉 天溫

少衝 經始　少海 曲節　商陽 絕陽　二間 間谷　三間 少谷

合谷 虎口　陽谿 中魁　肘髎 肘尖　陽池 別陽　支溝 飛虎

少澤 小吉　地機 脾舍　中封 懸泉　蠡溝 交儀　陰包 陰胞

湧泉 地衝　粱丘 跨骨　陰市 陰鼎　僕參 安邪　懸鍾 絕骨

金門 梁關　附陽 附陽　飛揚 厥陽　承扶 肉郄

三　一穴三名

竹絲空　巨髎　目髎
聽宮　多所聞　窗籠
衝門　慈宮　上慈宮
下巨虛　下廉　巨谷
巨虛　上廉　上巨廉
水分　中守　分水
大赫　陰維　陰關
尺澤　鬼受　鬼堂
曲池　鬼臣　陽澤
大敦　水泉　大順
衝陽　會屈　會湧
陽交　別陽　足髎
承筋　腨腸　直腸

絡却　強陽　腦蓋
禾髎　禾髎　長頻
承泣　鼷穴　面髎
脊中　神宗　脊俞
天突　玉戶　天瞿
神闕　臍中　氣舍
橫骨　下極　屈骨
大陵　心主　鬼心
臂臑　頭衝　頸衝
中都　中郄　太陰
伏兔　外勾　外丘
跳環　臏骨　分中
足三里　下陵　鬼邪

睛明　泪孔　淚空
廉泉　本池　舌本
臑會　臑髎　臑交
命門　屬累　竹杖
中脘　太倉　胃募
氣穴　胞門　子戶
日月　胆募　神光
温溜　逆注　蛇頭
隱白　鬼壘　鬼眼
然谷　龍淵　然骨
陽輔　絕骨　分肉
中脈　鬼路　陽蹻
三陰交　承命　太陰

四　一穴四名

中府　膺中俞　肺募　府中俞
上星　鬼堂　神堂　明堂

膻中　元兒　上氣海　元見
中極　氣原　玉泉　膀胱募
曲骨　胞尿　屈骨　屈骨端
睛子髎　太陽　前關　後曲
陰交　少關　橫戶　丹田
京門　氣府　氣俞　腎募
復溜　伏白　昌陽　外命
陽關　關陵　陽陵　關陽

勞宮　五里　鬼路　掌中
腦戶　匝風　會額　合顱
頰車　機關　鬼床　曲牙
顖會　顖上　顖門　鬼門
氣海　脖胦　下肓　丹田
神門　兌沖　中都　銳中
太谿　呂細　照蹻　陰海
承山　魚腹　肉柱　傷山

五一五名

風府　舌本　鬼枕　鬼穴　曹谿
瘂門　舌立　舌厭　瘖門　舌腫
承漿　天地　鬼市　懸漿　垂漿
上關　客主人　客主　客主　太陽
肩髃　扁骨　肩尖　偏骨　中肩井
鳩尾　尾翳　髑骭　神府　骬骭

中脘　胃脘　上紀　胃管　上管
會陰　屏翳　金門　下極　平翳
腹結　腹屈　腸結　腸窟　陽窟
章門　長平　脅窌　脾募　肋髎
委中　郄中　委中央　血郄　腿凹

六一　五名與數名

水溝　人中　鼻人中　鬼宮　鬼客廳　鬼市
攢竹　員在　始光　夜光　明光　元柱
石門　利機　精露　丹田　命門　三焦募
關元　下紀　次門　丹田　大中極　小腸募
天樞　長谿　谷門　大腸募　循際　長谷
百會　鬼門　泥丸宮　巔上　天滿　三陽　五會　維會
腰俞　背解　髓空　腰戶　髓孔　腰柱　髓俞　髓府
長強　窮骨　骶上　骨骶　龜尾　龍虎穴　河車路
橛骨　尾閭　脊端　陽始

鍼灸治療講義

分門取穴

疾病之生。不離氣血。故湯液治病。有入血分之藥。有入氣分之藥。病之變化多端。則又不離寒熱虛實四則。寒則溫之。熱則清之。虛則補之。實則瀉之。此爲治病之不二法門。故藥物治病。有寒熱補瀉之別。鍼灸亦然也。故鍼灸之取穴。無異湯液之擬藥。爰將普通常用之穴。分別氣血寒熱虛實六門。言其主要切用。俾臨症時易於採取焉。

氣門

少商宣泄肺氣，左大指內側，去爪甲如韭叶，中府理肺利氣，在乳頭直上三寸，旁開一寸，雲門開胸降氣，在中府上一寸六分，經渠降肺氣，治氣逆，在腕後五分，商陽泄大腸之氣，兼泄肺氣，在食指內側，去爪角如韭葉，合谷宣泄肺氣之鬱結，在虎口歧骨間，曲池行氣，在肘外輔骨之陷中，內庭疏通腸胃之氣，在次趾中趾之間，豐隆泄瀉肺氣，治哮喘在外踝上八寸，足三里升氣降氣調中氣，在膝眼下三寸，隱白升陽氣，治嘔逆，大趾內側去爪甲如韭葉，公孫治脾胃之氣上逆，而止嘔吐，在大趾本節後一寸，風門驅風，治嘔逆上氣，喘臥不安，在第二椎下，旁開一寸五分，肺俞專治肺病，宣泄肺氣，治咳嗽喘嘔，在第三椎下，旁開一寸五分，厥陰俞治胸中膈氣，嘔吐，在第四椎下，旁開一寸五分，肝俞專治肝病，能泄肝氣，治肝氣之橫逆，在第九椎下，旁開一寸五分，膽俞泄肝膽之氣上逆，治翻胃食不下，在第十椎下，旁開一寸五分，大腸俞能疏通腸中氣化，在第十六椎下，旁開一寸五分，膀胱俞能疏通膀胱之氣化，而通調小便，在第十九椎下，旁開一寸五分，照海能引氣下行，在內踝下五分，俞府開肺氣治欬逆上氣，嘔吐不食，在璇璣旁二寸，內關能調肺胃之氣，治嘔逆上氣，在大陵上二寸，陽陵泉行氣導濁，在膝下一寸，外尖骨前之陷凹處，足臨泣泄肝氣，治胸滿氣喘，在足小趾次趾本節後，氣海通治一切氣病，振陽氣，利氣，在臍下一寸五分，建里理中焦之氣，治心痛上氣嘔逆不食，在中脘下一寸，中脘專理腸胃之氣而助消化，在臍上四寸，下脘功用同上，在建里下一寸，上脘功用同上，在臍上五寸，巨闕治咳逆上氣，胸滿氣痛，在臍上六寸，膻中治一切氣病氣喘，短氣，喘哮，咳逆，噎氣，翻胃，膈食，在兩乳之中間，天突治氣上熱咳嗽哮喘在結喉下一寸，大椎調和衛氣，在第一椎下，

血門

尺澤止血，治吐血，在肘中約紋之中心，魚際治吐血，咳血，在大指本節後，赤白肉際，太淵治咳嗽，咳血，在寸口前橫紋上，少商刺出血，能使氣血流通，商陽刺出血，功用同上，二間能治鼻衄，在食指第三節之前內側，合谷治牙衄，在虎口歧骨間，曲池行血，治婦人經水不行，在屈肘橫紋頭，迎香治鼻衄血

，在鼻孔旁五分，天樞治嘔血，衝氣上逆，女子月水不調，漏下，或血結成塊，在臍旁二寸，足三里破瘀血，治吐血，咳嗽血在膝眼下三寸，內庭治齒衄，鼻衄，在次趾中趾之間，三陰交通經行瘀，清血，生血，涼血，固血，在內踝三寸，地機治月事不調，在膝五寸內側，血海功用同上在膝臏上二寸，腹哀治大便濃血，在中脘旁四寸，少冲剌出血，能通行氣血，在小指內廉之端，在爪甲如韭叶，少澤剌出血，功用同上，在小指外側爪甲旁，風門治鼻衄不止，在第二椎下旁一寸五分，肺俞治咳嗽，吐血，在第三椎下旁開一寸五分，心俞治嘔血，咳血，在第五椎下，旁開一寸五分，肝俞治嘔血，咳血，在第九椎下，旁開一寸五分，膈俞通治一切血病，凡屬血症，均宜取之，在第七椎下，旁開一寸五分，委中清血，解血中之毒，在膝膕窩之正中，合陽治女子漏血不止，在委中下二寸，照海腎氣虛寒，灸之治月事不行，在內踝骨下四分，交信功用與合陽同，在內踝上二寸，大陵治喘咳嘔血在手腕橫紋之陷中，中衝剌出血，能通行氣血，在中指之端，去爪甲如韭葉，關冲功用同上，在無名指外側，去爪甲如韭叶，大敦治血崩，漏下不止，在大趾爪甲後叢毛中，行間行瘀，破血結，在大趾次指合縫後五分，太冲通經行瘀，養血涼血，在行間後寸半，曲泉清血，涼血，養血，在屈膝橫紋陷中，中極治婦人血崩不止，或月事不通，或產後惡露不行，血結成塊，在臍下四寸，關元功用同上，在中極上一寸，氣海功用同上，在臍下寸半，陰交功用同上，在臍上一寸，

虛門 虛則補之

大淵生津液潤肺，天樞灸之，治虛損勞弱，足三里補脾胃，益氣血，上巨虛益胃，隱白補脾益氣，公孫補中運脾陽，三陰交補三陰之虛損，益精生氣血，灸之，則補陽氣，漏谷益精治失精，在三陰交上三寸，地機補脾，益陰精，在膝下五寸內側，少冲養精液，肺俞補肺，治虛癆，心俞補氣血之不足，膈俞養血，生血，肝俞益肝，補氣血，魄戶治虛癆肺痿，在第三椎下，旁開寸半，膏肓俞補虛損，益精氣，治虛羸瘦損，夢遺，在第四椎下，旁下三寸，脾俞補脾胃，助消化，在第十一椎下，旁開寸半，胃俞功用同上，在第十二椎下，旁開寸半，腎俞益精，補腎陰，灸之，壯腎陽，在十四椎下，旁開寸半，湧泉補腎，益精，滋陰，退虛熱，在足掌心中，關元俞補虛，腸胃虛寒泄瀉，在十七椎下旁開寸半，中膂俞補腎陰，治腎虛消渴，在二十椎下旁開寸半，太谿益腎滋陰，在內踝後五分，交信補腎滋陰，在內踝上二寸，復溜功用同上，在內踝上二寸，間使治陰虛，盜汗，支溝生津液，潤大便，在陽池後三寸，行間益肝滋陰，在大次趾合縫後五分，太冲養肝陰，在行間後寸半，曲泉養肝補血，在膝內側，屈膝橫紋與頭陷中，中極治下元虛冷，在臍下四寸，曲骨補腎氣益精，在中極下一寸，關元固下元，益精氣，治諸虛百損，在中極上一寸，氣海固下元，益陽氣，補腎陰，在臍下寸半，神闕灸之，益陽氣，治陽氣之欲脫，在臍中，中脘補胃助消化，在臍上四寸，上脘功用同上，在中脘上一寸，下脘功用同上，在中脘下二寸，命門補腎，益精，虛損，退骨蒸，癆熱，在十四椎下，

實門

實則瀉之

神門在腕後豌豆骨之下陷中 少冲小指內側， 通里俱瀉心在腕側後一寸， 湧泉在足心， 然谷在公孫後一寸， 太谿俱瀉腎，在內踝後五分， 公孫
大趾本節後下一寸， 商邱在內踝骨下微前陷凹中， 陰陵泉俱瀉脾，在膝下內輔骨下陷中， 大陵在手腕橫紋之陷中， 勞宮在掌心， 內關在大陵上二寸，
曲澤在肘內廉下之陷凹中， 中衝俱瀉心包，中指之端， 中府在乳上三寸，外開一寸， 少商 魚際 尺澤 列缺俱瀉肺， 行間
太衝在大趾節半寸， 曲泉俱瀉肝，在曲膝之橫紋端， 商陽 二間 合谷 曲池瀉大腸， 內庭 足三里俱瀉
胃， 少澤 小海俱瀉小腸，在尺骨之端，去肘尖五分陷中， 委中瀉膀胱， 關冲 外關腕後二寸， 支溝俱瀉三焦，腕後三寸， 竅陰在
四趾外側爪甲角， 足臨泣在足小趾次趾本節後，去俠谿一寸五分， 陽陵泉俱瀉膽，在膝下一寸，外尖骨前之陷凹處， 膻中 氣海俱瀉氣， 血海
膈俞俱瀉血， 關元瀉膀胱， 天樞泄胃腸，通腸逐穢， 中脘瀉府導濁， 豐隆瀉痰濁，通大便， 上脘瀉胸膈， 期門瀉肝，

寒門 寒則溫之

中脘溫中暖府，治腸胃有寒，及腹一切寒冷， 氣海治腹中一切寒冷，溫則下三焦， 關元溫下焦暖子宮，振陽氣， 章門治臟寒積，在臍旁季肋端， 心俞振陽氣，
溫氣血， 神闕溫暖腸胃而回陽， 足三里治胃寒腹中寒冷， 三陰交溫中下焦，治血寒一切寒冷， 公孫理心腹寒， 陰陵泉理脾寒溫中焦， 隱白溫脾

壯陽理中下焦寒，曲泉理血寒腹中寒冷，然谷溫下元助腎火，命門 腎俞功用同上，大椎解表寒，後谿同上，陶道同上，大敦溫肝治寒疝，

熱門 熱則清之

少商　尺澤　魚際　肺俞俱清肺熱，列缺　經渠退表熱，商陽　二間清陽明經熱，退身熱，合谷清氣分及頭面諸竅之熱，曲池退身熱，清氣血，退諸熱，天樞清腸胃之熱，足三里清胃腑熱，豐隆降胃熱，化熱痰，解谿清胃熱，在足腕上繫鞋處，內庭功用同上，衝陽毫鍼刺出血，能退熱，在足跗上五寸，足背最高之部，厲兌清胃熱，大都清脾熱，三陰交清血熱，平肝熱，陰陵泉清脾熱及胸中血熱等，血海清血熱，神門　通里　少府俱清心熱，少冲刺出血，清血熱，少澤功用同上，後谿清表熱，大杼驅表熱，風門清胸背之熱，心俞清心熱，瀉五臟之熱，膈俞清血熱，肝俞清肝熱，主瀉五臟之熱，脾俞功用同上，腎俞功用同上，小腸俞清腸中之熱，中膂俞清腎熱，委中刺出血，清血中之熱毒，主瀉四肢之熱，涌泉清腎熱治病後餘熱不解，及熱厥，大谿清熱養陰，曲澤清心包之熱，治身熱煩渴，間使清心包解胸中熱，內關功用同上，勞宮清心包，退身熱，中衝刺出血，清血熱，關冲功用同上，外關治一切外感身熱，支溝清三焦之熱，絲竹空清頭目熱在眉毛梢外端陷中，陽陵泉降肝胆熱，懸鍾清三陽及腦熱在外踝上三寸，足臨泣清肝胆熱，竅陰功用同上，行間清肝腎之熱，上脘清心胃中熱，

脘清胃熱，命門清虛熱，陶道解表熱，退身熱，大椎功用同上，百會清頭部熱及腦熱，金津玉液出血清心胃熱而生津液，舌下紫絡，

氣病分門取穴

六氣者。風。寒。暑。溼。燥。火。是也。以其能病人。故曰六淫。又曰外邪。六氣之中、寒氣則於寒門中酌量取穴治療之。熱氣則於熱門中求之。燥與火可於虛門與虛門之清熱生津之穴治療之。惟風與溼則不能概括於四門中。茲再彙集治風治溼諸穴。分別二門。

風門

魚際解外感風寒之邪，列缺解外感風邪，治頭風，合谷解表驅風寒，頭維驅風治頭痛，大杼解表驅風，風門能治一切風症，肺俞驅風邪治風寒咳嗽，風池治頭風外感風邪，環跳搜經絡之風，在髀樞之宛陷中，肩顒搜周身四肢經絡之風，曲池搜周身風邪，風市治腰腿之風，在膝下外廉兩筋中，陽陵泉舒經絡搜四肢之風，風府專治風病，凡感風邪，及驚風中風等均能治之，百會治頭風及暴中風，水溝治暴中風，及頭面風邪，在鼻下溝之正中，委中治腰腿風，足三里搜四肢風，

溼門

足三里燥溼祛溼，上巨虛祛溼在三里下三寸，下巨虛功用同上，在三里下五寸，三陰交化溼行溼，陰陵泉滲溼利小便，脾俞化寒溼醒脾快胃，胃俞功用同上，委中利溼，承山化脾胃之溼·而助胃化，在委中下八寸腨肉之間，陽陵泉行溼，崑崙功用同上，太谿利溼，然谷功用同上，復溜，化溼內關利溼，治溼痰滯於肺胃，懸鍾祛溼，水分利小便滲溼，而治水腫，中脘化脾胃之溼，天樞功用同上至陽化腸胃之溼，

傷寒門

難經曰。傷寒有五。曰中風。曰傷寒。曰溼溫。曰熱病。曰溫病。故傷寒者。概括外感諸症而言也。凡疾病之由外受者。謂之外感。外感之邪。由皮毛而腠理。而後傳入經絡臟腑。引起人身之內臟。血液神經等起變化。此傷寒之所由作也。漢時張仲景。將傷寒之症狀。分屬於太陽。陽明。少陽。太陰。少陰。厥陰。六經論治。三陽症中。則有表症腑症。三陰正中。則有寒化熱化。六經之中。復有合病。併病。傳變。等等。分條縷析。於所著傷寒論中。言之極詳。爲後世醫家治療傷寒之正宗。惟全書洋洋數萬言。非短期間所能研究。玆挈六經之提綱。舍其湯藥之方劑。參入鍼灸之治法。分別言之。欲得其詳者。非讀傷寒論全書不可。

太陽

症狀。頭項強痛。惡寒。脈浮。如兼體痛嘔逆。無汗脈緊者。爲傷寒。如兼發熱。汗出惡風脈緩者。爲中風。

病因。傷寒有廣義狹義二種。廣義之傷寒。概括外感諸病而言。狹義之傷寒。卽本條太陽病之傷寒症也。外感之邪。侵入人身之表部。名太陽病。爲風寒襲入化病之第一期也。人身感受外界之寒邪。血管收縮。故脈浮緊。血液凝固。故頭項強痛。寒邪外束。周身之毛孔閉塞。故無汗。肺氣不宣。故嘔逆。毛孔閉塞。體溫不能外達。故惡寒。如感受風邪。則風屬溫化。能使神經興奮。促進汗腺之排泄機能。故汗出。汗腺弛張。毛孔不閉。故惡風。體溫因汗出而外達。故發熱。

治療。風府　針瀉　合谷　同上　頭維　同上　風門　針灸

治理。風寒之邪。侵襲肌表。治宜解表。故針風府驅逐風寒。合谷疏表發汗。風門頭維。治頭項之強痛。以其能直達病灶。而疏通該部之凝固也。諸穴合針。則有疏解表邪。和榮諸衞之功。

太陽腑病

症狀。太陽病發汗後。脈浮。發熱。渴欲飲水。水入則吐。少腹硬痛。小便不利。此爲蓄

水症。若少腹硬痛。脈微而沉。小便自利。其人如狂。此爲蓄血症。

病因

太陽之腑爲膀胱。俗稱尿胞。爲貯尿之囊。其底旁左右各有輸尿管一條。通於腎臟。人身飲食之水。由腎臟分泌後。再由輸尿管而入膀胱。貯蓄既滿。則由膀胱之排尿口從尿道泄出。若病邪入膀胱。則排尿口因病邪之刺激。而括約閉鎖。是以小便不利。愈積愈多。因而痕滿。故少腹發硬而痛。同時腎臟因膀胱不能排泄。其分泌機能。亦受障礙。既不能分泌。自不能吸收。故雖渴欲飲水。而水入卽吐也。若蓄血症。則因病邪。入於血管。腎臟分泌不能得力。則熱邪幷入血中。自膀胱而出。若一時盡下。則病自解。無容醫治。故傷寒論有太陽病不解。熱結膀胱。其人如狂。血自下。下之則癒之明文。若結於膀胱而不下。或下而不盡。故雖小便通利。而少腹仍硬痛也。

治療

蓄水——大椎 針 曲池 同上 陰陵泉 足三里 小腸兪 中極 膀胱兪 以上均針

蓄血——中極 三里 神門 內關 膀胱兪 以上均針

治理

蓄水蓄血。原屬二症。症雖各異。然蓄於膀胱則一也。故宜鍼中極膀胱兪二穴。以行膀胱中所結之血與水也。足三里宜洩膀胱之氣化。而使之下行也。蓄水者。則佐陰陵與小腸兪通利小便。大椎。曲池。退熱止渴。蓄血者。則加鍼神門。內關。以二穴能安神定志。清熱以治其狂也。

陽　明

症狀　壯熱。煩躁。不惡寒。大渴引飲。大汗出。脈洪大而數。唇口乾燥。此爲陽明經病。如日晡潮熱譫語。口臭氣粗。腹痛拒按。矢氣頻轉。大便祕結。小便短少。脈沉實有力。甚則沉伏。此爲陽明府症。

病因　（經病）有由於太陽病。失於調治。轉屬陽明。或由體氣衰弱。風寒之邪。長驅直入而成。蓋風寒之邪。襲入人身。體溫不能外達。故發熱。久而不解。則體溫亢盛。故壯熱。表寒已罷。故不惡寒。臟腑受高熱薰灼。故煩躁。因其熱度過高。津液受其蒸迫。故大汗大熱。津液被奪。臟腑肌肉。失其滋潤。故唇舌乾燥。而口發渴。欲飲水以自救也。熱盛則心房張縮強而速。故脈亦洪大而數。

（府病）陽明之腑爲胃。良由熱邪深伏於腸胃。故肌膚反不覺大熱。而爲發作有時之潮熱。胃中之迷走神經。受高熱之剌激。影響於腦。腦神經失其正常之知覺。故譫言妄語。神識模糊。熱則灼津。腸胃枯燥。失其蠕動之能力。不能滋潤糟粕以排泄之。結於腸中。而成燥屎。故大便不行。穢臭之氣。則由肛門泄出。故矢氣頻轉。因燥屎停滯腸中。故腹痛而拒按。津液爲大熱所刼。腎臟無從吸收水分。分泌量減少。故小便短少。

治療　二間　三間　合谷　曲池　內庭　解谿　中脘　足三里　支溝

均針瀉，照海

治理　陽明經病。爲熱邪蘊於腸胃。其主要症爲熱。故取大腸經之二間。三間。曲池。及胃經之內庭。解谿等穴。以瀉其熱。此治經病之法也。腑病不但腸胃熱。且腸中有燥屎。則其主要症爲燥屎。仲師有急下存津之法。故取支溝照海。以通大便。佐中脘足三里。以疏通腸胃之氣。兼鍼經病各穴以清熱。此治府症之法也。

少陽

症狀　寒熱往來。胸脅苦滿。默默不欲飲食。心煩喜嘔。口苦咽乾。頭痛在側。目眩耳聾。脈弦細。或弦數。

病因　或由太陽轉變而來。或由風寒直入而成。太陽之邪在表。故曰表症。陽明之邪在裏。故曰裏症。少陽之邪。既不在表。又不在裏。而在於胸膜肋膜。及橫膈膜等處軀殼之內。臟腑之外。介乎表裏之間。故曰半表半裏症。邪在表則惡寒。在裏則發熱。少陽之邪。在半表半裏。故有表症之惡熱。復有裏症之發熱。而成寒熱往來之現象。因其邪在胸膜肋膜橫膈膜等處。附近之肝脾膵三臟。亦因之而腫大。氣血亦不能暢行。故胸脅部自覺滿悶。同時胃之消化機能。亦受病邪之影響。故默默不欲食。橫膈膜痙攣。故欲嘔。少陽之腑爲胆。胆得熱則分泌力亢進。胆汁上溢。故口苦。胸脅部發熱。故心煩而咽乾。病邪上激。頭部血管鬱血。故頭痛。耳部之聽神經。與目部之視神經。因受邪之影響。而發生變化。故目眩耳聾。

治療 足臨泣　足竅陰　期門　中渚　間使

臨泣爲少陽之俞。能治胸滿目眩。竅陰爲少陽之井。能治耳聾口乾心煩。中渚泄少陽之氣。間使除寒熱。期門宣泄胸脅中之邪。以其位居乳下。故能直達病灶。而清胆中之熱。

治理 按傷寒三陽經中。太陽陽明各有經病腑病。前人區別甚詳。惟少陽腑症獨缺。謝利恆先生謂目眩口苦。係胆火上炎。胸脅苦滿。係胆火擾胃。寒熱往來。係三焦不和。是少陽見症之目眩耳聾脅痛爲經絡病。經病腑病。往往齊見而混合。故小柴胡湯一方。亦經腑合治而不分。并非少陽無腑病也。

又按俞根初先生通俗傷寒論。則謂熱寒往來。耳聾脅痛爲經病。目眩咽乾。口苦善嘔。膈中氣塞爲腑病。二說雖略有不同。而經腑每多合病。不必爲之強分也。本篇少陽條。亦經腑合而言之。而治療條中。所取各穴。亦已概括經病腑病之治法矣。

太陰

症狀　腹滿而吐。食不下。時腹自痛。自利不渴。脈遲或微。舌苔白。是爲寒化。兼壯熱煩渴。舌焦黃。脈洪數者爲熱化。

病因　凡病邪侵入人身。正氣出而抵抗。正邪相搏而發生種種現象。是謂病症。然人之體質有強弱。年齡有盛衰。年富質強者。正氣之力有餘。與病邪相抵抗。「則成機能亢進之現象是爲陽症。即熱化也。年老質衰者。正氣之力不足。與病邪相抵抗」則顯機能衰減之現象。是爲陰症。即寒化也。故受病之原因雖同。而爲寒化熱化。則每因病者體質之強弱爲各異也。夫太陰者脾臟也。古人以上列諸症爲脾病。實則即腸胃病也。寒化症。乃由體質孱弱。冷氣內侵。或飲食生冷。以致腸胃受寒。飲食留滯於中。不能消化。故腹脹滿而痛。而飲食不進也。因其爲寒化。故口不渴。血液得寒則凝泣。血行慢緩。故脈遲或細。若夫熱化。則體溫增高。故壯熱。水分因熱而消奪。故口渴舌焦。此寒化熱化之別也。致於吐利。爲寒化熱化皆有之症。蓋胃腸得寒。則血管收縮。失其吸收作用。故上逆而爲吐。下注而爲利。得熱則蠕動亢進。血管不及吸收。故亦爲吐利也。

治療　寒化　隱白　公孫　足三里　中脘　章門　熱化　少商　三陰交

治理　隱白　大都　中脘　天樞

隱白爲太陰之井。故能治腹滿。公孫與足三里。能引氣下行。以止嘔吐。佐章門直達病灶。則止嘔吐之功益偉。中脘促進腸胃之消化與分泌機能。而治自利。灸之則增加溫度之驅寒。熱化則取少商以泄熱。三陰交清熱而養津液。隱白大都。止嘔而泄太陰之熱。中脘天樞。直泄腸胃之熱邪。而制止其蠕動之亢進。則無吐利之患矣。

少陰

症狀　目瞑踡臥。聲低息微。不欲食。身重惡寒。四肢厥逆。腹痛泄瀉。自利清谷。口不渴。脈細緩。舌白。此爲挾水而動之寒化症。若心煩不寐。肌膚灼燥。小便短數。脈虛數。舌光紅。少津液。此爲挾火而動之熱化症。

病因　腎虛之體。外邪侵襲腎經。腎陽虛者。則挾水而動。腎陰虛者。則挾火而動。挾水而動者。是爲寒化。爲全體機能衰減之病也。下焦虛寒。體溫減低。不能達於四肢。故惡寒而四肢厥逆。寒邪過盛。血流緩滯。心臟衰弱。故聲低息微。不欲言語。而脈細緩。四肢之神經與血管。得寒而收縮。故身痛而踡臥。腸胃不能消化。腎臟失於吸收。故泄瀉而自利清谷。挾火而動者。是爲熱化。則因體溫亢進。津液大傷。故肌膚灼燥。神經因熱而興奮。故心煩而不能安寐。津液少則血管空虛。體溫高則血行迅速。故脈虛數。

治療　寒化　腎俞　肓俞　關元　太谿　復溜　各穴俱針均灸　熱化　湧泉　照海　復溜　至陰　通谷　神門　太谿

治理　寒化屬腎陽虛。故灸腎俞以溫腎。關元驅腸胃之寒。佐肓俞所以治腹痛也。太谿爲少陰之俞。復溜爲少陰之經。灸之能治身重惡寒。熱化刺湧泉照海復溜太谿以泄少陰之熱。而生津液。至陰爲膀胱之井。通谷爲膀胱之滎。鍼之以泄膀胱之熱。少陰病而取膀胱之穴者。腎與膀胱相表裏故也。

厥陰

症狀　張目直視。煩躁不眠。熱甚不惡寒。口臭氣粗。四肢厥冷。心胸灼熱。熱甚厥深。或下利濃血。或喉爛舌腐。脈弦數而洪。舌紅或紫或絳。此爲純陽症。若四肢厥冷。爪甲青黑。腹中拘急。下利清谷。嘔吐酸苦。脈細遲或沉。此爲純陰症。若腹中痛攣。四肢厥冷。吐利交作。心中煩熱。渴喜飲冷。飲下即吐。煩渴躁擾。脈象細弦。或細數不靜。舌或黃或白。舌質紅似潤而齒乾。此爲陰陽錯雜症。

病因　厥陰爲六經之極裏。陰之盡。陽之生。故有純陽症。有純陰症。又有陰陽錯雜症。純陽症。由熱邪傳變而來。純陰症爲寒邪直中而得。陰陽錯雜症。爲直中之寒邪。與傳變之熱邪。互相錯亂而成。玆分別言之。

（純陽症）熱邪傳入厥陰。體溫極高。故熱甚而不惡寒。厥陰屬肝。肝熱上激。故目開而直視。熱盛則氣血沸騰。故煩躁不眠。心胸灼熱。因其內有急劇之熱。氣血內趨以事救濟。不能充達於四肢。故四肢反覺清冷。內熱愈盛則冷亦愈甚。故曰熱深者厥亦深。喉舌爲熱邪所薰灼。而喉爛舌腐。熱邪入腸中。腸壁發炎。腸膜潰爛。故下利膿血。

（純陰症）寒邪直中厥陰。體溫之生成因之減少。不能達於四末。故四肢厥冷。與純陽症之因寒而厥者。適得其反。其辨別之法。先熱而後厥者。爲熱厥。不熱而厥者爲寒厥。寒邪盛則血行瘀滯。故爪甲青黑。傷胃得寒而不運化。故下利清谷。嘔吐酸水。陰陽錯雜症。陰陽錯雜。寒邪互見。故有陰症之吐利。厥冷。腹中痛攣等症。復有有陽症之心中煩熱。渴欲引冷等症。然非純熱。故雖飲下即吐也。

治療　純陰症　肝俞　關元　行間　中極　期門　五穴用灸治之

純陽症　大敦　中封　期門　靈道　肝俞

陰陽錯雜症　中封　靈道　關元　間使　肝俞

治理　純陽症爲熱邪。故宜鍼以瀉之。大敦爲厥陰之井。中封爲厥陰之經。鍼之所以清泄厥陰之熱也。期門肝俞泄肝氣。靈道退身熱。純陰症爲寒邪。故宜灸以温之。灸肝俞行間期門者。驅厥陰之寒邪也。灸中脘關元爲直接驅除腸胃之寒邪。而治下利嘔吐腹部拘急等症。陰陽錯雜症爲寒邪互見。故針中封靈道以泄熱。灸關元間使以驅寒。

温熱

傷寒與温熱皆外感病也。惟外邪之侵襲人身。因其所入之部位不同。或所受之氣邪各異。其所病則異焉。夫傷寒爲感受外界之寒邪。由毛竅而入。漸次傳裏。初起必有惡寒見症。入陽明始從熱化。故其發現大熱時。必在數日以後。其發也緩。而温熱則不然。蓋温熱之邪。從口鼻而入。初起少惡寒症狀。即有之亦甚微而易解。旋即大熱口渴。或神昏譫語。相繼而來。其發也暴。此傷寒温熱辨別之大要也。茲復採戴北山廣温熱論中。傷寒與温熱之辨法五種。撮要錄之如下。

一、辨氣。　傷寒由外入內室。有病人無病氣。間有有病氣者。必待數日之後。轉入陽明經腑之時。若温熱之病氣。從中蒸發於外。病初即有病氣觸人。以人身藏府津液。逢蒸而。(下略)此節言傷寒無臭氣。温病則有臭氣也。

二、辨色。　風寒主收歛。面色多光潔。温病主蒸散。面色多垢晦。或如油膩。或如烟蒸。望之可憎者。皆温熱之色也。

三、辨舌。　風寒在表。舌多無苔。卽使有苔。亦薄而滑。漸傳入裏。方由白而轉黃。轉燥。轉黑。温熱頭痛發熱。舌上便有白苔。且厚而不滑。或色兼淡黃。或粗如積粉。傳入陽明。則兼二三色。或白苔且燥。又有至黑不燥者。則以兼色之故。（下略）

四、辨神。　風寒中人。自知所苦而神清。傳裏入胃。始有神昏譫語之時。温病初起。便令人神情異常。而不知所苦。大概煩燥者居多。且或擾亂驚悸。及問何所苦。則不自知。卽間有神清而能自主者。亦多夢寐不安。閉目若有所見。（下略）

五、辨脈。　温熱之脈。傳變後與風寒頗同。初起時與風寒迥別。風寒初起脈無不浮。温邪從中道而出。一二日脈多沉數。

讀戴氏文。則温熱與傷寒之辨別。已甚明了。然所謂温熱者。乃一切温病熱病之總稱。病之屬於温熱者。則有風温。暑温。温毒。温疫。溼温。秋温。冬温等等。揆其致病之原有二。一曰外感温熱。一曰伏氣温熱。外感温熱者。卽感受温熱之邪。隨感隨發者是也。伏氣温熱者。乃感受外邪而不卽病。潛伏人身。至相當時期而發。內經所謂冬傷於寒。春必病温。冬不藏精。春必病温等是也。夫病邪既襲人身。安可潛伏不動。相安無事。而經過此長期。始爲病貌。視之殊屬妄談。然借證於西學。則知其爲不謬。我中醫之所謂病邪。卽西醫之所謂細菌。細菌侵襲人身。人身之體質強健。抵抗力強。則細菌亦末由施其技。而寄生於血液。或藏府間。因而蕃殖。是謂潛伏期。發育既多。抵抗力不能支持。其病乃作。是謂發作期。伏氣温熱之原。良有以也。

風温

病狀　微惡寒。發熱頭痛。咳嗽胸悶。自汗出。或見鼻衂。舌黃或白。脈浮數。

病因　經云。冬傷於寒。春必病温。良由內有伏邪。至春令時屆温暖。因受外邪之引誘而發。此乃伏邪爲病。其原理已述於前。亦有內無伏邪。因春時氣候温暖。人身之陽氣外泄。腠理漸疏。猝遇時感。致成此疾。夫所謂風温者。乃風中夾熱氣。人感觸之。由口鼻而入於肺。肺氣不宣。故胸悶不舒。病邪積蓄肺部。氣管因之不利。故發咳嗽。若熱度較高。鼻部血管。乃充血而破裂。血溢於外。故鼻衂。熱量充實肌腠。故發熱。頭痛者。血中廢物內蘊腦部。毛細管鬱血。故頭部覺痛也。

治療　魚際　經渠　尺澤　二間　針瀉

治理　魚際爲太陰之滎。功能解表熱。經渠爲肺之經。能治咳嗽而除寒熱。尺澤爲肺之合。所以泄肺中風熱之邪。肺與大腸相表裏。故取大腸之滎穴二間以泄熱。且此穴亦有宣泄肺氣之功。針之以爲諸穴之佐使也。

暑温

症狀　頭痛壯熱。煩渴引飲。瞀悶喘促。甚有神志不清。汗出如瀋。脈象洪數。或虛數。舌光絳。

病因　温病之發於正夏者。名曰暑温。蓋炎夏暑熱當令。赤日懸空。酷熱如焚。人在氣交之中。感受暑熱之氣。因而成病者。是謂暑熱。暑熱之邪。侵襲人身。由肺直入。體温增高。故壯熱。熱邪蒸迫津液外出。故汗出如瀋。煩渴引飲者。大熱傷津也。瞀悶喘促者。熱粟肺。肺氣膨痕而從氣管以排泄也。熱邪激越。腦神經被刺激。故神志不清。熱盛則脈洪數。津傷則脈虛數。舌光而色絳者。亦熱重津傷之故也。

治療　經渠　神門　湧泉　委中　陶道　支溝　神志不清者加鍼人中

治理　針經渠取其能泄肺之熱邪。而治瞀悶喘促也。湧泉能清熱而增津。委中刺血。以清血中暑熱之邪。支溝陶道退身熱。諸穴合針。則有清暑熱。增津液之功。神門一穴。則專治神志不清。鍼而瀉之。亦有退熱之效。如神志不清者。則加鍼人中穴。以醒神昏。以爲神門之佐使。則其功效益佳也。

温毒

症狀　壯熱面赤。大渴引飲。口氣穢濁。咽痛喉腫。目紅。氣出如火。中心煩燥。神昏譫語。舌黃或紅。脈象洪數。

病因　溫熱之邪。兼夾穢濁之毒。觸之成病。直干心包內臟。而入血分。其熱尤甚於暑溫。故不但壯熱煩渴。神昏譫語。更覺心中煩熱。呼出之氣如火也。咽喉受熱毒之薰灼。因而發炎。熱毒上乘。目部因而充血故目赤。此症爲溫熱病中最危最重之候。正如火之燎原。非大清其熱毒不足濟也。

治療　少商　商陽　中衝　關冲　少冲　少澤　委中　俱刺出血　支溝
合谷　勞宮針瀉

治理　少商爲肺經之井。商陽爲大腸經之井。中衝爲心包絡之井。關冲爲三焦之井。少冲爲心之井。少澤爲小腸之井。刺出血。所以泄各經之熱毒也。委中出血則清血分之熱。合谷泄氣分之熱。勞宮爲心包絡之榮。鍼之以清心包之熱。支溝爲三焦之合。能泄三焦之熱。熱毒退。神志清諸恙自解。

秋燥

病狀　初起惡風寒。發熱無汗。煩躁。痰嗽胸悶。口唇渴燥。舌無苔而燥。甚則喘促咳逆。咯血。脅肋膺乳掣引而痛。不能轉側。

病因　燥氣爲病。多起秋令。蓋金風飄拂。燥烈之氣大行。人感之則成病。或暑熱內伏。復感外邪而發。凡燥氣傷人。首先犯肺。次傳於胃。燥邪傷肺。故痰喘胸悶。甚則喘促咳逆。肺熱過重。肺絡破裂。血從氣管外溢。故咯血。肺臟受病而波及附近之脅肋膺乳等處。故亦掣引作痛也。

治療　少商　魚際　尺澤　內庭　金津　玉液

治理　少商爲肺之井。鍼之則泄肺之燥熱。而兼治脅肋等處之痛。魚際尺澤合谷清泄肺熱。尤能止咯血。內庭清陽明之熱。金津玉液則能生津止燥。各穴相合。大有清燥熱潤肺止血之妙用。

冬温

症狀　身熱微惡寒自汗。或不惡寒。頭痛咳嗽。煩熱而渴。或咽痛或頰面腫。甚則神昏譫語。舌黑齒燥脈浮數。

病因　立冬以後。立春以前。所發之温病。即名冬温。夫冬月嚴寒。理無温病。良由氣候反常。應寒而反温。其不正之氣。中於人而發出。或平素嗜食温熱之品。致內有蓄熱。兼感外邪。而發温邪。在肺則肺失清肅。温邪鬱結於肺。故咳嗽咽痛。温邪上越。則面浮頰腫。温邪在胃。則口渴引飲。熱盛犯腦。則神昏譫語。津液枯涸。則舌黑齒乾。多温見此。則爲危篤之候。頗難調治。亟宜清熱養津。或可挽救。

治療　魚際　合谷　液門　內庭　復溜　神門　間使

治理　魚際合谷清泄肺中温邪。液門清熱而能治咽腫。復溜清熱而生津液。內庭則泄胃中之熱邪。如神昏譫語者則鍼神門間使以清之。若舌黑齒乾。速宜刺金津玉液。以復津液。不然鮮不僨事也。

溼温

症狀　初起微惡熱。繼則發熱。飲食少思。午前較輕。午後則劇。身痛頭重。脘腹胸脅痞滿。小溲短赤。面色垢濁。渴不多飲。神志糢糊。甚則言語譫妄。舌苔厚膩垢濁。口糊兩脈濡細或濡數。

病因　溼温病多患於長夏秋初之時。蓋此時既多暑熱。每多淫雨。暑熱與雨溼交蒸。化生溼熱之邪。人感觸之。輒病溼温。或飲食厚味。腸胃吸收作用減退。因而生溼。復感外邪而成。夫溼温之邪。侵襲人身、則汗液停蓄而起鬱血。故初起有微惡寒及身痛頭重等症。惟不若傷寒之惡寒重也。溼熱之邪與體温相鬱蒸。故繼則蒸蒸發熱。熱度有時而升降。有時而減輕。有時加劇。溼熱留於腸胃。運化失職。故不思飲食。胃中之飲食腐敗發酵故脘腹脹滿。津液停滯而爲痰濁。積貯於肺。故胸脅不舒。

。凡腸胃之病。舌苔必厚。以其熱濁之氣上薰也。故溼温之舌苔亦厚膩。若舌質紅絳無苔則爲精液大傷。熱毒亢盛之症。溼温見此。勢難樂觀。若神志模糊。言語譫妄者。則爲熱毒犯腦。亦屬重候。然有溼温初起。卽模糊譫語者。則爲温痰蒙蔽神經使然。與盛熱犯腦之症。不可一例觀也。

治療 間使　太淵　期門　章門　中脘　大椎　曲池　合谷

治理 大椎曲池退身熱。太淵合谷宣泄肺中之熱。而化痰濁。期門章門治胸脅痞滿。中脘促進腸胃之消化與吸收。使溼邪不致停留。間使不但能淸熱。且有治神昏之功用。故神昏譫語者。更不可不針也。

温瘧

症狀 先熱後寒。熱重寒微。或但熱不寒。口渴引飲。骨節煩疼時嘔。病以時作。起伏似瘧。舌苔黃或絳。脈弦數。

病因 古人謂此症。由於冬月感受風寒之邪。潛伏人身。至夏月因暑熱之引誘而發。實則卽感受之温熱邪而成温熱性之瘧疾也。故其症狀與普通瘧相類。惟其純屬熱邪。故但熱不寒。或發輕微之寒。不若普通瘧疾之惡寒戰慄也。故有口渴引飲。舌乾或絳等等。皆爲熱邪傷津之徵。時嘔者則爲熱邪犯胃也。

治療　後谿　大椎　間使

治理　大椎爲手足三陽之會。功能泄熱。復能除寒熱。間使後谿亦爲退熱之要穴。三穴合用則能清泄温熱之邪。且通治一切瘧疾。頗具偉效。但治普通瘧疾。多加艾灸。用於本症。則單針以泄熱。不可灸也。

温疫

症狀　發熱惡寒。口渴心煩。頭暈咽痛。面色赤。舌上隱起紅點。胸悶身倦。甚則神昏譫語。舌黑唇焦。咽喉癰爛。爲流行性之温病。且爲温熱病中危亟之症也。

病因　疫。厲氣也。厲氣之結。或由天地之造成。或由人事之感招。其發也。每多各鄉各鎮。沿門闔戶。相繼而發。病狀相同。如役使然。故稱疫病。温疫者。乃瘟疫熱性之疫病。其中於人也。由口鼻而入心肺。熱毒鴟張。血液沸騰。故初起即現發熱。口渴心煩咽腫等症。變化迅速。若不亟治。津液枯燥則舌黑唇焦。咽喉腫爛。神昏譫語等症相繼而來。可畏孰甚。

治療　十二井穴或十宣穴　俱刺出血　大椎　合谷　神門　內關　尺澤

治理　十二井穴或十宣穴。刺出血者。所以泄血分中之熱毒。以防其內陷也。大椎曲池合谷。所以退身熱也。神門內關尺澤。取其能清心肺之熱。而療神昏譫語也。

附白㾦

白㾦一症。每多發於溼温病中。伏暑春温冬温等症。間或有之。然不多見。蓋溼温之邪。侵襲人身。最爲纏綿難愈。故古人有溼爲黏膩之邪。不易速愈之說也。遷延日久。則因微汗頻濡。皮膚鬆浮。若一經大汗。則汗孔之皮膚內含汗液。錠起而爲白㾦。色如晶瑩小粒如粟。捫之纍纍。汗多㾦密。汗少㾦疏。無論其爲多爲少。皆爲病邪欲解之佳象也。毋庸調治。兼有他症未罷者。則治他症。不須顧慮白㾦。茲特述其病狀以爲臨症時之參考也。

附 癍

癍症多見於温毒。温疫。暑温等症中。良由熱盛或誤治而成温熱之邪。温伏血液。血液不潔。得熱而沸騰。藉肌表以爲透發之地。於是乎癍點出焉。色鮮紅。有跡無形。多發於胸腹肢體。爲熱盛之徵。色紫者熱毒更盛也。若色黑則爲熱極不治之症。古人謂斑黑胃爛者是也。治癍之法則惟清泄血熱。爲不二法門。取穴宜委中。尺澤。十二井穴等。均刺出血。庶乎血中之熱毒減而癍亦退也。

暑病

暑爲六氣之一。內經謂之暑。傷寒與金匱則謂之暍。暑爲陽邪。熱病居多。夏至以先天未大熱。故經以先夏至日爲病溫。後夏至日爲病温。誠以赤帝當令。天暑炎炎。地熱蒸蒸。人感觸之。即成暑病。然則富貴之家。避暑於深堂水閣密樹濃陰。似可不生暑病。殊不知大扇風車。任情悅性。過襲陰涼。此所謂靜而得之者爲陰暑。貧賤之軀。則雖盛暑烈日之時。農夫田野。行商長途。奔走勞役。不辭辛苦。暑病固所難免。此所謂動而得之者爲陽暑。他如口腹之不節。恣食生冷。或起居失調。夜臥當風。此皆暑病之起因也。考古人之言暑。文有中暑。暑厥。伏暑等稱。茲分解之。

中暑

症狀　身熱或微惡寒。汗出而喘。煩渴多言。倦怠少氣。面垢齒燥。脈孔。兼風。則發熱惡風。身體疼痛。兼溼則身熱疼痛。胸悶頭痛。

病因　夏月炎帝司令。暑熱高懸。爍石流金。吾人感之輒成中暑。多由太陽而入。陽明其應。故初起時。或間有太陽表症之惡寒。隨即轉陽明而發熱也。夫暑爲熱邪。最易耗氣傷津。氣耗則倦怠少氣。津傷故口渴齒燥。津氣兩傷。血管空虛。故脈孔。兼風者名暑風。風束肌表。體溫不能外達。故惡寒較甚。兼溼者名暑溼。溼邪內阻。氣機呆滯。故胸悶頭重也。

治療　少澤　合谷　曲池　內庭　行間

治理　少澤合谷。泄暑熱而定喘。曲池退身熱。內庭淸陽明之熱。行間淸熱而養津液。兼風者加入風門以驅風。兼溼者。加鍼中脘以化溼。

暑厥

症狀　四肢厥逆。面垢齒燥。二便不通。神志昏迷。脈滑而數。舌光紅。或一厥而熱便得汗解。或再三厥而熱。但頭汗出。此熱深厥亦深也。

病因　暑穢鬱蒸。人感觸之則成暑厥。蓋暑熱之邪。兼夾穢氣。直入人身內部。則血內趨以事救急。不能達於四肢。故四肢厥逆。腸胃之蠕動力。與腎藏之分泌機能。受病邪之影響。失司其職。故二便不通。暑熱犯腦。則神志昏迷。若得汗出。則病邪由外透發。氣血外達。故四肢亦得不厥。若再三厥而熱者。則內熱深重故也。

治療　人中　關冲　少商　氣海　百會

治理　百會人中。能治卒中惡邪。不省人事。故本症用之以治神志昏迷。關冲瀉三焦之暑熱。少商泄肺中之熱。氣海通調下焦之氣化。氣化行則二便自利也。

伏暑

症狀　發熱頭痛脘悶。漸至唇燥齒乾。內熱煩渴。舌白或黃膩。或如霍亂。吐瀉或腹痛下痢。或寒熱似瘧。亦有暑毒深入。熱結在裏。譫語煩渴。不欲近衣。大便不行。小便赤濇。

病因　先受暑邪。潛伏於裏。繼爲風寒所閉。不能外發。或秋或冬。久而始病。有謂懸書曬衣。暑氣未消。隨即收藏。至秋冬近之而發。則近乎附會矣。伏氣亦爲伏氣。其理已於温熱門中言之。可不再贅。惟暑爲熱邪。且自內而發。故內熱煩渴。漸則津傷而成唇燥齒乾等症。如暑熱而夾溼者。阻滯腸胃。腸胃失運化之權。故如霍亂吐瀉。或爲下痢。夾風者則暑風相搏。故寒熱如瘧。若暑熱結於腸胃。則大便不行。小便短赤。其症狀病理。與傷寒陽明府實症同。譫語煩渴。不欲近衣等症。皆爲熱甚之徵也。

治療　湧泉　少澤　合谷　曲池　絕骨　行間　大椎

吐瀉如霍亂者。照熱霍亂條鍼治之。寒熱如瘧者。照温瘧條鍼治之。熱結在裏。大便不行者。依照陽明府實條治之。

治理　湧泉少澤淸暑熱而生津。合谷曲池泄內熱而止煩渴。大椎退身熱。行間絕骨亦能淸熱生津。而爲各穴之佐使也。

霍亂

四時皆能生病。而夏秋爲尤多。百病均可傷人。而霍亂爲最烈。發多倉卒。變在須臾。治或差誤。補救莫及。考古書之記載者甚多。內經有霍亂論。傷寒有霍亂篇。後世諸子百家。頗多言及。可謂詳且備矣。按霍亂爲腸胃病也。良由飲食不節。起居不時。穢濁雜邪。傷其正氣。擾亂中焦。脾胃之升降失調。揮霍撩亂而成此症。故有霍亂之名。金元諸大家。則有乾霍亂溼霍亂之分。有清王孟英氏。復創熱霍亂。寒霍亂之說。玆申述之。

附寒熱霍亂之辨法

霍亂之症。有屬於寒。有屬於熱。患之輕者。正氣未傷。邪未深入。神識尚清。不難因症辨別。患之重者。病毒深入。則脈伏音啞。舌苔濁膩。揚手擲足。煩燥喜飲。肢體厥冷。吐瀉幷作。目眶低陷。汗出如雨。寒症有此見症熱症亦有此見症。苟非於似同中而辨其異點。則毫厘千里。生死立判。可不危哉。如同是聲啞。屬熱者則氣粗語數。或其言語有壯厲之氣。屬寒則語遲氣微。有懶語呻吟之態。同是揚手擲足。屬熱者則坦腹仰臥。兩足排開。手不近身。惡近衣被。轉側便利。屬寒者。則每多踡臥。膝腿偎依。手或按腹。臂或附腋。喜近衣被。身體重着。同是舌苔濁膩。屬寒者。則浮白而腐。屬熱者。則糙而微黃。或舌底尖邊現絳氣。同是煩燥欲飲。屬熱則喜飲冷。飲熱則胸中似怔。入口即吐。飲冷則胸悶頓暢。嘔亦遲慢。屬寒則喜飲熱。飲冷則胸格似痛。作嘔大吐。飲熱則胸中暢適。而不作惡。同是吐瀉。屬熱者則腹痛少。痛多拒按。所出之物酸穢異常。而出亦迅速。屬寒則腹痛喜按。所出之物。不甚穢臭。而出亦稍緩。寒熱之辨。大略如此。

寒霍亂

症狀　腸胃絞痛。或吐或瀉。或吐瀉交作。四肢厥冷。汗出而冷。而唇色青。膚枯螺癟。渴喜熱飲。甚則目陷轉筋。兩目失神。音啞脈伏。舌白或黑而潤。

病因　恣食生冷之物品。飽受寒冷之風露。以致腸胃受寒而成斯症。蓋腸胃司消化食物分泌水液之職。若遇寒冷之侵襲。則不消化。不分泌。致成上吐下瀉之霍亂病。若但吐不瀉。則病灶偏於胃。若但瀉不吐。則病灶偏於腸。四肢厥冷者。寒邪在內。體溫降低。不能充達於四肢也。汗出而冷者。表部神經失括約機能。水分由汗線而排泄。所謂陽虛則自汗也。水分由汗吐下三者之消失。無以滋潤各組織。毛細管乾枯。故膚枯螺癟。眼球筋乾枯收縮。故目陷失神聲帶缺乏津液之滋潤。故聲啞。轉筋者。肌肉痙攣而筋絡抽痛也。渴者亦水分消失之故。然爲寒邪。故喜熱飲。脈伏者水分消失過多。血液濃厚。血行障礙。故脈停止也。

治療　神闕　灸　中脘　合谷　太冲　委中　以上俱針
吐者加針　內關　內庭　足三里　瀉者加灸　天樞　章門　陰陵

崑崙

轉筋　加鍼　承山　絕骨　太冲

治理　灸神闕能除胃腸之寒。而振陽氣。中脘促進胃腸消化與分泌機能。益胃氣而散寒邪。合谷疎腸胃之氣。而調理中宮。委中太冲取其能淸血也。吐則加針內關。取其能宣泄胸膈之氣。足三里引胃氣下行。使不上逆。且有升清降濁之功。內庭泄腸胃之穢濁。瀉則加灸天樞章門取其能除胃腸之寒也。陰陵泉崑崙去脾胃之溼。而治瀉泄也。

熱霍亂

症狀　發熱煩渴。氣喘胸悶。上吐下瀉。螺癟支冷。躁渴不安。神識昏迷。頭腹痛。舌黃糙或紅。脈沉或伏或代。

病因　本症原因。多由飲食雜進。腸胃運化失職。食物停滯於中。醞釀腐敗。更受外界之暑熱。淸濁混淆。亂於腸胃而成。或體質懦弱。抵抗力衰弱。因受他人傳染而成。其見症與寒霍亂相似。已辨別於前。其所以發現種種症狀者。亦無非大吐大瀉。水分消失所致。惟其因於暑熱。故治法當用淸泄。與寒霍亂不同也。若至目陷螺癟。額汗肢冷。脈伏等症。則爲至危之候。再進一層。則全身厥冷而死。故見以上各症。不分寒霍。皆爲吐下後心藏衰弱。陽氣欲脫之候。急當灸其神闕。以復其陽。庶可挽救。其灸法先將食鹽塡滿臍孔 。再將艾團置臍孔灸之。以肢溫汗止。脈起爲度。

治療　少商　關冲　委中　刺出血　合谷　大都　曲池　陰陵　中脘

絕骨　素髎　承山

治理　少商　關冲　委中　刺出血　淸血中之熱毒也。合谷大都曲池淸太陰陽明之熱。陰陵分利小便。而淸暑熱。中脘通調腸胃之氣。且能治腹痛。素髎穴善治霍亂。其理殊難究測。絕骨承山能淸熱。復爲治轉筋之特效穴。

乾霍亂

症狀　腹中絞痛。欲吐不得吐。欲瀉不得瀉。爪甲靑紫。煩躁不安。甚則四肢厥冷。舌黃或白。脈多沉伏。

病因　暑熱穢濁之氣交蒸。壅閉中焦。邪蘊於胃。縱橫肆虐。賁門幽門。因受刺激而閉鎖。故欲吐不得。欲瀉不能。而腹中絞痛。煩躁不安之症狀見矣。較之吐瀉之溼霍亂。其危益甚。因病毒深入血分。血液中含毒素。血不淸潔。故變其正常之色或靑或紫。氣機失宣。血行瘀滯。故脈沉厥。而四肢厥冷。此症俗名絞腸痧。若不亟治。

必脹滿而死。

治療　人中　少商　十宣穴　委中　刺出血　合谷　曲池　素髎　太冲　內庭　中脘　間使

治理　此症在藥物治療上。大多用探吐法。頗有效驗。蓋探吐可以宣泄氣機也。若針灸治療。則但取人中。少商。十宣。委中等穴刺出血。可以泄腸胃暑熱穢濁之氣。而清血中之毒。取合谷。曲池。中脘。內庭。宣泄暑熱之氣結而泄暑之邪。間使絕骨。等穴。佐使各穴。清暑熱。解穢濁者也。

中風

中風症素問名厥巔疾。亦曰大厥。其原文曰血之與氣。交幷於上。則爲大厥。厥則爲暴死。氣復反則生。不反則死。又曰厥成爲巔疾。至漢時張仲景。始有中風之名。更有中經絡。中血脈。中藏府之別。以分病之深淺。後世諸家。復有內風。外風。眞中。類中之分。外界風邪之中於人而病者。爲外風。爲眞中。肝風內動。非中外風而成者。則曰內風。爲類中。於是乎諸子百家有言中風盡屬外風者。有言屬內風者。亦有言北方多眞中風。南方多類中風者。其論病理也。有言痰者。有言氣者。有言火者。言說多端。實難枚舉。雖各有見地，未免使後之學者有其誰適從之慨。玆據西學解剖所得。方知此病屬於腦。謂係腦充血。或貧血。良以腦爲神經之總樞。吾人之知覺與運動。全賴乎神經。若腦已起變化。則神經亦隨之。故有卒然昏仆。不省人事。手足不用等等見症。然究內經命名厥巔疾者。頗有深義。巔者巔頂也。蓋謂巔頂之疾。雖未明言腦病。然已指腦之部位而言矣。但西學所言係腦病。乃不過由病者之檢驗而得、其所以致腦病者。則又不能脫離古人所言內氣外風也。玆據金匱之說。分中經絡。中血脈。中藏府。復加類中。別爲四條而言之。

中經絡

症狀　形寒發熱。身重疼痛。肌膚不仁。筋骨不用。頭痛項強。角弓反張。病起卒暴。兩脈弦浮。舌苔薄白。

病因　風爲陽邪。人身腠理不固者。則從皮毛而入經絡。剌激神經。神經受重大之剌激。直奔腦系。故卒然昏厥。同時全身之神經均受其影響。如運動性神經。失其功用。則筋骨不用。知覺性神經。失其功用。則肌膚不仁。致於項強角弓反張者。內經則曰督脈爲病。脊強反張。考中醫之所謂督脈。實則脊髓神經。發源於腦。由脊骨而下行。腦既受病。則影響脊髓神經。而發生緊張或攣急。故項強或反張如角弓之狀。頭痛者則因腦藏於頭故也。

治療　合谷　曲池　陽輔　陽陵　內庭　風府　肝俞

治理 合谷解寒熱而驅風。風府不特能驅風而又直刺脊髓神經。以治項強反張。肝主筋。筋會陽陵。故鍼肝俞陽陵。以治筋骨不用。陽輔爲其佐使也。內經曰。中於面則下陽明。中於項則下少陽。中於背則下太陽。夫風之中人。三陽經絡當其衝。故所取各穴。多屬三陽經之穴。而內庭所以泄陽明也。

中血脈

症狀 口眼歪斜。或半身不遂。或手足拘攣。或左癱右瘓。脈弦或滑。舌白或紅。

病因 中血脈之較輕者。爲中經絡。較重者爲中血脈。最重者爲中藏府。古人立此名目。蓋所以別病邪之深淺也。然其病因病理。初無二致。本條之種種見症。亦屬神經爲病。蓋人身運動神經分左右爲兩邊。密布周身。若一邊神經爲病。則爲半身不遂之症。病於左者名之曰癱。病於右者。名之曰瘓。所謂癱瘓者。實即半身不遂。不過辨別左右之名稱也。

治療 口眼歪斜　地倉　頰車　斜左者鍼右斜右者鍼左或直接灸亦可

半身不遂　百會　合谷　曲池　肩髃　手三里　崑崙　絕骨　陽陵　足三里　肝俞　左癱右瘓　治法同上

足拘攣或麻木　行間　坵墟　崑崙　陽輔　陽陵　足三里

手拘攣或麻木　手三里　肩髃　曲池　曲澤　間使　後谿　合谷

治理　以上各條。皆根據其灶病而取穴。無甚深意。蓋病某部。而鍼刺某部。如手部麻木拘攣。則於手部取穴治之。足部拘攣麻木。則於足部取穴治之。若直達病灶。而恢復神經之功用。故收效偉捷。惟口眼歪斜。斜左鍼右。斜右鍼左者。則因斜左者右邊之神經弛緩也。故宜右邊之頰車地倉二穴。或針或灸。以刺激之。而使其恢復原狀。歪右者則反之。惟不宜針灸大過。不然則反向針灸之一邊歪斜矣。

中臟府

症狀　口噤不開。痰涎上湧。喉中雷鳴。不省人事。四支癱瘓。不知疼痛。言語謇澀。便溺不覺。脈或有或無。

病因　此爲中風之重症。多由其人飲食不節。起居失宜。或奉養過厚。及有煙酒等嗜好。以致生痰生溼。體氣不充。或體胖之人。形豐質脆。每多痰溼。外觸乘虛直入臟腑經絡。夾固有之痰溼。上冲於腦。故卒然昏仆。不省人事。喉間痰聲漉漉。有若雷鳴。便溺不覺。乃因膀胱括約筋弛緩。以致尿自遺出。此爲中風不良之現象。言語謇澀。乃舌部神經痙攣。舌本強直。掉動不靈之故也。四肢癱瘓。不知疼痛。亦神經失去功用也。

治療　口噤不開　頰車　灸　百會　灸　人中　灸

痰涎上壅　關元　灸十數壯或數十壯　氣海　灸十數壯　百會　灸三四壯

言語不知疼痛　神道　灸百壯至二三百壯

言語蹇澀　啞門　針　關冲　針

治理　百會爲治中風之要穴。蓋中風爲腦病。百會位居腦部。直達病所。頗有特效。今則於昏厥時刺之。立能清醒。故亦爲中風之要穴。口噤不開者。原屬上下牀骨相接處之拘攣。適當頰車之部位。故頰車灸之有特效。痰涎上壅原屬下元虧損。故宜灸氣海關元以固元氣。而引痰濁下行。啞門部位。附近舌本故能治舌強不語。神道關冲爲啞門之使。亦能治言語蹇澀也。

類中風

症狀　舌瘖神昏。痰壅氣逆。口開目合。髮直頭搖。脈沉或伏。

病因　此症非由風邪外襲。多由腎虛多慾之人。陰分大衰。不能涵陽。以致肝陽暴發。氣血上升。痰濁壅滯，驟然昏仆。以其形似中風。故曰類中風。口開目合。髮直頭搖。乃肝風內動。元氣欲脫之勢。近今所謂神經發虛性之興奮也。中風見此。皆爲難治。若老人精神虛竭。心臟衰弱。驟然厥脫而成類中者。則非鍼藥所能挽救矣。

治療　按照中藏府條施治然亦十中難救一二。

附中風之預兆及不治症

凡陰虛陽旺。或形豐質弱之人。易患中風。如其人覺坐臥不安。或頭痛眩昏。或噁心嘔吐。或怔忡手振。或口苦舌乾。或便祕溺赤。或四支痲木。乃中風之預兆。亟宜從事預防、若病發時面見瞳孔放大。面色晄白。口噤遺尿。目停口開。汗出清冷。痰聲如鋸等症。兼見一二。均屬不治。

驚風

驚風之名。創於金元。實卽金匱之痙病也。蓋因小兒卒受驚恐。易成痙病。故名曰驚風。然其原因頗多、有因外感風邪者。有因內傷飲食者、若夫受驚而成。僅其一種耳。驚風之中。復有急慢之別。急驚多屬外感實邪、慢驚則屬內傷虛症。發作時症狀略似、而虛實懸殊。治法迥異。苟非明辨。誤人多矣。

急驚風

症狀　身熱面紅。煩哭手足抽搐不定。口中氣熱。喉有痰聲。大便燥結。小便黃赤。脈弦滑數。舌苔黃或糙。鼻樑筋現青紫。虎口脈紋紅紫。甚則竄覗。口噤角弓反張。不哭脈伏。

病因　本症屬腦神經病。其原因頗多。約言之。可分三種。一爲外感。小兒肌肉之組織不堅。外衞不固。故易受外邪。因而發熱。小兒之神經柔嫩。熱度稍高。則起強度之興奮。而成抽搐反張等症。且小兒有疾。不能自述其痛苦。故古人有啞科之稱。醫者不加細察。每易誤治。如外感風寒。久而不解。寒必化熱。或誤用辛熱之劑。則內熱熾炭。而影響於神經。此古人所謂熱盛生風。風生則痰動。熱度客於胸膈間。寒火相搏。故抽搐發動者是也。二爲飲食內傷。王孟英曰小兒之疾。熱與痰二端而已。蓋純陽之體。日抱懷中。衣服加溫。又襁褓之類。皆用火烘。內外俱熱。熱盛生風。火風相煽。乳食不歇。則必生痰。痰得火煉。則堅如膠漆。而乳仍不斷。則新舊之痰日積。必致痕滿。啼哭又強之食乳以止其哭。從此胸高氣塞。目瞪手搐。以成驚風。三爲受驚。小兒心氣未足。若耳聞異聲。如雷霆巨聲。或目睹異物。頓生驚恐。以其腦髓未實。神經易致緊張。故成抽搐反張等症。此皆急驚之原因也。

治療　少商　曲池　人中　大椎　湧泉　中脘　委中　微刺

治理　驚風之原因雖多。然總不外乎停痰宿食鬱熱三者。其所現各症。亦無非神經起變化。故鍼少商曲池以清熱。大椎清熱而鎮靜神經。以治角弓反張。委中湧泉清熱而能引熱下行。使不致犯腦。中脘泄化痰食而泄府熱。因小兒身體短小。故宜微刺之。

慢驚風

症狀　面色淡白。山根露筋。神昏氣促。四肢抽搐。或清冷。或倦怠少神。口吐沫。目直視。小便清長。大便溏薄。或完谷不化。惡寒潮熱。喉中痰響。脈虛細舌淡白。

病因　錢仲陽曰。小兒慢驚。因病後或吐瀉。或藥餌傷損脾胃。肢體逆冷。口鼻氣微。足逆冷。昏睡露睛。此脾虛生風。無陽之症也。因吐瀉脾肺俱虛。肝木所乘。或急驚屢用瀉藥。則脾損陽消。遂成慢驚。錢氏爲兒科聖手。其學說頗可取法。蓋吐瀉與病後及藥餌損傷三者。皆能使脾胃虛弱。則化力呆滯。飲食減少。化生之津液不足以營養全身。於是乎血管中之養料缺乏。而成貧血症。故病兒面色㿠白。山根露筋。同時心臟因少血而衰弱。故倦怠少神。脈虛而細弱。大便溏薄。或完谷不化者。皆因脾胃虛弱不消化。不吸收之故也。神經因缺乏營養而發虛性之興奮。故四肢抽搐振動。然其爲虛性之興奮。故不若急驚之劇烈也。

治療　大椎　天樞　關元　神闕　各穴均灸

治理　大椎爲治驚風之要穴。取其能鎮靜神經也。灸天樞關元。溫補腸胃之虛寒而助運化以治泄瀉。灸神闕所以振陽氣而強心。此穴爲治慢驚之妙穴。每見危重之慢驚病。氣微欲脫之時。單灸此穴而得甦者。舍此而外別無良圖也。

痙厥

痙

症狀 初起惡風發熱。頭痛連腦。或嗆咳。或小便頻數。或嘔噁胸悶。舌白滑或膩。脈浮而急數。稍甚則項脊強痛。身體反張。臥不著席。頭汗浸淫。神昏譫語。欲起不得起。欲臥不得臥。舌苔或黃或絳。再甚則角弓反張。手足抽掣。少腹結塊。大便堅實。口噤目赤。金匱云。太陽病發熱無汗反惡寒者。名曰剛痙。發熱汗出而不惡寒者。名曰柔痙。此言其初起之症象也。又曰病者身熱足寒。頸項強。惡寒時熱。面赤目赤。獨頭動搖。卒口噤。背反張者。痙病也。此痙病之本症。又曰痙爲病。胸滿口噤。臥不着席。脚拘攣必齘齒。此痙病之已甚也。痙病症狀。不外乎此。

病因 痙者頸項強直之義也。凡病而見頸項強直者。皆得以痙名之。故其原因頗多。有因外感而成者。如傷風而發熱。重復感寒而致痙。即內經所謂諸病項強。皆屬於風者此也。如感風溼之邪而致痙者。經所謂諸痙項強。皆屬於溼是也。金匱云發汗多。

因致痙。又曰風病下之則痙。又曰瘡家不可發汗。汗出則痙。又曰太陽發汗太過因致痙。此爲誤汗誤下以致痙。其他更有痰火痙。風痰痙。妊娠痙。產後痙。種種名目繁多。不勝枚舉。然總括之則不外乎兩端。一爲感受外邪而成。一爲諸病誤治而得。其所以發現種種症狀者。則又不外乎腦。內經曰。督脈爲病。脊強反折。夫督脈卽人身之脊髓神經。是痙病屬腦之明證也。故西醫名之爲腦脊髓膜炎。蓋其以局部病狀而取名也。外感之邪。卒入人身。體質孱弱者。抵抗力衰弱。神經不勝其刺激。發生痙攣。起強直之狀態。故成角弓反張。臥不着席。此外感成痙者也。若謂諸病誤治。如誤汗誤下或過汗以致津液虧損。神經失其營養。或誤治而致內熱太盛。神經錯亂。故爲抽掣搐戰。神昏譫語。古人所謂熱甚生風者此也。他如惡寒發熱。頭痛連腦。嗆咳等症。則爲病之前驅期。若能亟行醫治。可免於成痙也。

治療　少商　出血　曲池　人中　中脘　委中　湧泉　合谷　風府　風門　大椎　身柱　至陽　命門　肝俞　膈俞　百會　前驅期

百會　風府　風門　合谷　肺俞

治理　少商爲肺之井穴。外感之邪從口鼻入。必先傷肺。故刺之以宣肺氣解外邪。曲池清熱而止抽掣。人中合谷開口噤而醒神昏。委中淸熱而止項脊強直。中脘淸府熱而下燥結。湧泉引熱下行。使不犯腦。他如百會大椎等穴。則直刺病灶之局部。其功效較他穴爲尤著。痙病之原因雖多。其爲腦神經病則一。症狀亦相類。故但立一法。足以統治之。如其見症略有不同者。是又貴乎醫者臨症時。隨機應變耳。痙病然。他病亦然也。

厥

厥症有二。四逆謂之厥。忽然暈仆。不省人事。亦謂之厥。故張介賓曰。厥症起於足者。厥發之始也。甚至卒倒暴厥。忽不知人。輕則漸蘇。重則卽死。最爲惡候。後世不知詳察。但以手足寒熱爲厥。又以脚氣爲厥。謬之甚也。雖仲景有寒厥熱厥之分。亦以手足爲限。蓋彼自辨傷寒之寒熱耳。非內經之所謂厥也。張氏之言。蓋亦分厥爲四逆暈厥二種。四逆之厥有寒厥熱厥。暈厥之症。則有痰厥。食厥。氣厥。等等之不同也。

痰厥

症狀　强仆卒倒。面白神昏。目閉不語。口吐涎沫。四支厥冷。脈多沉滯。

病因　此症多由其人素多痰濁。然痰多亦不致遂成暈厥。良由痰多之人。體質之不堅實可知。易招外界之感觸。如六淫之侵。七情暴發。而引動其固有之痰濁。蒙蔽腦經。故有昏仆卒倒之種種危象。是以痰厥一症。主因在痰。然必有其他感觸爲其誘因也。

治療　中脘　豐隆　合谷　針　靈台　灸

治理　痰濁之生。多由於脾胃不運化。以致津液停留而成。中脘能斡旋中州。使津液不致停留。以絕痰濁之來源。此爲根本療法也。豐隆爲泄降痰濁之猛將。合谷醒神昏。古人以痰厥爲痰迷心竅。故灸靈台以散心肺中之痰濁。

食厥

症狀　而黃噯氣。發熱口渴。時時瘛厥。昏不能言。手不能舉。胃脘高起。脈多滑。

病因　此症多由醉飽無度。或感風寒。或著惱怒而成。古人所謂胃氣不行。陰陽痞膈。升降不通。而成暈厥者也。尤多見於小兒。良以小兒脾胃不強。消化力弱。易於食傷。痰滯鬱於中焦。化爲濁腐。故發熱口渴。胃脘高起。胃中熱濁之氣。薰蒸神經。興奮太過。而發生瘛厥等症。

治療　中脘　足三里　內庭　中衝

治理　食厥之起。原屬食滯。故鍼中脘足三里助脾胃之消化而去食滯。因食滯而發熱。屬陽明經。故鍼陽明經之滎穴。內庭以退身熱。剌中衝。以醒昏厥。苟能於胃脘部按摩數百轉。則其效益佳。

氣厥

症狀 面色晄白。氣促不語。神志雖清而不能自主。卒然暈倒。四肢厥冷。口出冷氣。

病因 此症多由氣量狹窄之人。中懷悒鬱。情志不宣。氣機鬱塞而成。或大怒大恐。大驚過悲等等而發。蓋用情太過。神經受重大之刺激而起變化。故輕者神志恍惚。不能自主。重者則卒然倒地。神昏等危候見矣。

治療 膻中　建里　內關　氣海

治理 氣會膻中。故針膻中以調氣。氣海能治一切氣病。勝玉歌曰諸般氣疾從何治。氣海鍼之灸亦宜。故二穴爲治氣厥之要穴也。建里內關能宣泄胸中鬱結。蓋氣厥者莫不心胸苦悶也。

寒厥

症狀 手足逆冷。身寒面青。爪甲冰而青紫。不渴而吐。下利清谷。腹痛或不痛。脈沉遲細。舌苔淡白。

病因 此條與下條之厥。乃四肢厥逆。非昏厥也。本症之原因。多有寒邪內盛。體溫降低。故見手足清冷。腸胃受寒。故吐下兼見。古人所謂陰盛陽虛者是也。

治療　神闕　氣海　關元　俱灸

病理　灸神闕氣海關元三穴。以復陽氣。陽氣充則陰寒自除。而手足亦温矣。且三穴皆在腹部。能直驅腸胃之寒邪。而恢復其機能。故吐下亦止。

熱厥

症狀　身熱。手足厥逆。煩渴昏暑。不省人事。譫語自汗。溺赤脈數。或伏。舌紅或乾。

病因　本症由於熱邪內盛。故煩而渴。熱邪犯腦。故神昏不省人事。津液爲熱邪之蒸迫。故自汗。津液大傷故舌紅而乾。手足厥逆者。熱盛之徵也。此所謂陽盛陰衰者是也。

治療　行間　湧泉　復溜　曲池　合谷

治理　熱厥爲熱邪內盛。故鍼厥陰之滎穴行間以泄之。湧泉復溜清熱而生津。曲池合谷退身熱而醒神昏。熱退津復。手足自温。諸恙亦解。

癲症

癲之與狂。皆爲神經錯亂之病。古來醫籍多分二症。良由狂則舉動剛暴。癲則不若狂之躁亂猛厲也。故有陰癲陽狂之稱。究二症之原因。古人則謂怒動肝火。痰迷心竅而發癲狂。

惟近今之說者。則謂二者症狀雖有差異。皆爲腦神經病也。其所以爲癲爲狂者。則因腦神經受病邪之剌激。人身之正氣足者。反應力強。故其現象亦剛暴。則爲狂症。反之則正氣弱者。則反應力亦弱。故其現象亦柔和。此爲癲疾貌視之則狂病重而癲病輕。實則癲病更深於狂也。故狂病較爲易療。癲病則難醫治。且有狂病不愈。久則成癲。可見癲者爲狂病更進一步也。

狂

症狀 喜怒無常。歌哭無時。妄言妄詈。自高自尊。少臥不飢。兩脈洪大。甚則登高而歌。棄衣而走。踰牆上屋。

病因 經曰。狂始生先自悲也。喜忘多怒善恐者。得之憂饑。狂始發。少臥不飢。自高賢也。自辨智也。自尊貴也。善罵詈。日夜無休。狂言善驚。善笑。好歌樂。得之大恐。又曰。多食善見鬼神。善笑而不發於外者。得之有所大喜。由此以觀。則癲狂皆由七情過度而成。蓋七情太過。腦神經受重大之剌激。因而錯亂。以致發生喜怒不常。歌哭無時。行動乖妄。種種無意識之舉動。此外更有傷寒陽明熱盛發狂。良由胃中有迷走神經。若胃熱過盛。則能直接影響於迷走神經。由迷走神經傳遞於腦。而致發狂。惟胃熱發狂。則多一發即止。且不若癲狂之狂症難治。而明於再發也。

治療　十三鬼穴。

傷寒熱盛發狂。　曲池　大椎　絕骨　湧泉　期門

治理　十三鬼穴。即人中。少商。隱白。大陵。申脈。風府。頰車。承漿。勞宮。上星。男子會陰。女子玉門頭。曲池。舌中縫。間使後谿針之頗有效驗。其理由殊難解釋。若因胃熱發狂。故鍼曲池以清陽明之熱。大椎退身熱。湧泉清內熱。行間期門泄氣血之熱。而鎮靜神經。

癲

症狀　或歌或笑。或悲或泣。語言顛倒。穢潔不知。精神恍惚。食不知飽。飢不知食。好靜多睡。如醉如癡。經年不愈。

病因　此症亦由用情太過。中懷悒鬱。或所希不遂。如貪名者求名。好利者圖利。或情場失戀。或時勢逼迫。終則不能償其所願。中心鬱憤。久則耗液灼津。古人謂五志之火內燔。陰分虧損。以致肝木生風而爲癲疾。蓋人身之滋養料缺乏。神經失其濡養。不能如常人靈動活潑。故如醉如癡。精神恍惚。甚者腦經錯亂。行動舉止。不能自主。故或喜或歌。或悲或泣。妄言妄動。古人謂之魂不守舍也。癲疾之由由於情

慾不遂。故治此症首重心理療法。宜先怡其耳目。暢其心志。解其所欲。然後如法施治。則事半而功倍矣。

治療 依照狂症針十三鬼穴。或加灸心兪神門。三四壯至十壯。

治理 癲狂之病理相同。故治法亦無異。本症之加灸心兪神門者。取其能振心陽而安神定志也。癲疾之起而未久者。針之頗效。己屢試之。惟年久癇疾。或發或愈。則根深蒂固。勢難爲力矣。

癇

症狀 發時卒然昏仆。瘈瘲抽搐。目上視。口眼喎斜。口吐白沫。忽作五畜之鳴。昏不知人。移時卽醒。或一日數發。或數日一發。

病因 癇症古人每與癲并稱。亦有謂癇卽癲者。巢氏病源則謂十歲以上爲癲。十歲以下爲癇。今引徐嗣伯風眩論云。痰熱相感而動風。風火相亂則悶瞀。故謂之風眩。大人曰癲。小人則爲癇。其實則一也云云。惟癲疾則經年累月。纏綿難愈。癇症則忽發忽醒。或一日數發。或數日一發。發則神昏。醒則動作如常。二者之病狀毫不相同。是不能混合言之也。考癇疾之作。多起於病後虛怯。心腎陰虛。肝火胆火倏逆。痰涎上壅而成。近賢王愼軒氏。則爲小兒癇疾。多係遺傳性。或由其父母嗜酒。或姙娠之時。其父母受精靑之感動。皆足爲小兒癇病之素因也。先業師張山雷氏。嘗謂癇症之發。多由氣上不下。聚於巔頂。冲激腦經而成。唐宋以後有五癇之分。曰羊癇。牛癇。馬癇。猪癇。鷄癇等稱。蓋其以所作聲及發作之形狀。稍有不同而分別言之也。無甚意義。故不採取。

治療　大椎　間使　後谿　鳩尾　百會　神門　心俞　風府　豐隆
中脘

治理　豐隆泄降痰濁。中脘化痰而降氣。百會風府大椎。直刺神經之總樞。而恢復其功用。間使後谿神門等穴。瀉心經之邪。爲治神志病之要穴。鳩尾一穴。專治癲癇。且頗有效。其理殊難推測。殆因癲癇有關於心。而此穴附近於心故也。

瘧

經曰。夏傷於暑。秋爲咳瘧。又曰汗出遇風。及得之以冷浴。又曰陽勝則熱。陰勝則寒陰陽相搏而瘧以作。此內經之論瘧也。後世諸家。亦多言之。然皆以風寒暑溼之邪。及痰食阻滯等等爲瘧疾之原因。而近今之西醫學說。謂瘧疾之原因。係一種胞子微蟲。名麻拉利亞者。蕃殖於蚊體腸壁。並集合於蚊之唾腺。侵入人身血液內。而發生本症。故夏秋間小溪池沼之所。敗荷腐草之地。以及不清潔之水等處。蚊之蕃殖最盛。故瘧疾之發生亦恆以此時爲多。瘧菌侵入血液。新舊生滅。舊蟲滅而遺子。瘧止期也。子孵化而生新蟲。瘧發期也。然嘗見殷實之家。有夏秋不受一蚊之嘬刺者。何以亦犯瘧疾乎。故專以瘧蚊概論一切瘧疾。似亦未盡然也。考中醫言瘧。名目繁多。不勝枚舉。要不外乎寒熱之輕重。起發之遲早。而別其名稱。其主要者則爲寒瘧。熱瘧。間日瘧。瘧母四種。

熱瘧

症狀 熱多寒少。或但熱不寒。發時骨節煩痛。肌肉消爍。汗出頭痛如破。煩渴而嘔。脈弦數。舌苔黃膩。

病因 瘧疾雖四時皆有。而夏秋爲多。良由夏秋則天之暑氣下。地之溼氣上。暑溼交蒸醞釀。人感觸之輒成瘧疾。或貪涼而沐浴當風。炭酸不出。饕餮而飽餌食睡。胃積難消。凡此種種。皆瘧疾之主要原因也。致於所以成熱瘧者。則爲感受暑熱之邪。古人謂暑邪內伏。陰氣先傷。陽氣獨發。故熱多寒少。或但熱不寒也。

治療 太谿　間使　陶道　後谿　俱針瀉

治理 陶道爲治瘧疾之特效穴。太谿間使後谿清暑熱之邪。暑熱清則煩渴頭痛等症亦解。

寒瘧

症狀　發時多寒少熱。腰背頭項疼痛。始則戰慄鼓頷。繼乃發熱。逾數時汗出或不汗出而解。脈多弦滑。舌苔白。

病因　夏月乘涼沐浴。感受寒邪。伏於太陰。不能外出而與陽爭。故多寒少熱。北人謂爲脾寒病者此也。以其屬寒邪。故發時多惡寒少熱。或竟惡寒戰慄鼓頷者惡寒重也。

治療　大椎　間使　陶道　復溜

治理　大椎陶道。屬於督脈。古人謂督脈主一身之陽氣。鍼之瀉之。則能退熱。補之灸之則能除寒。故能治惡寒發熱之瘧疾。且據內經邪入風府循膂而下之說。則二穴正所以泄其邪也。惟瘧疾病灶。究在何處。尙無確定之論。二說雖可通。然終嫌無確實之證據。故大椎陶道二穴。何以能治瘧疾。其理殊難究測。而於治療上實有偉效。普通瘧疾。於未發前一二小時。或針或灸。未有不愈者。近賢王愼軒氏。謂風府脊骨。骶骨。皆是神經之要處。則瘧疾當屬神經系統之病。更引金匱瘧脈自弦之說。謂弦脈爲脈管壁纖維神經拘急之脈象。又謂砒霜金鷄納爲瘧疾之特效藥。皆有興奮神經之功用等說。以證明瘧疾屬神經系病之原理。然則大椎陶道等穴。亦爲刺激神經之要處。與砒霜金鷄納同一作用耶。惟王氏之說是否確實。則尤有可疑也。

間日瘧

症狀 寒熱往來。發有定時。頭痛胸悶納少。小溲渾黃。脈弦。隔一日作者謂之間日瘧。隔二日或三日作者。謂之三陰瘧。

病因 中醫謂瘧邪伏於淺者則日作。稍深則間日作。若深入三陰。則間二三日一發。謂瘧邪從衛氣而出入。邪在淺則出入易。故日作。邪在深則出入難。故間日或二三日而作。故日作者病輕。間日者較重。二三日發者則更重矣。西學則謂瘧虫侵入血球。生殖蕃息。待原蟲充滿。毀此血球而入彼血球之際。人體遂發寒熱。此項原蟲約分三種。生長之期各有不侔。故有一日瘧。間日瘧。三日瘧之別。西學之說。原由檢驗而得。自不能謂其不確。惟中醫言邪氣之藏於淺深者。亦未可非。嘗見病瘧者。初起大都日作。繼則間日。治療尚易。若久延不愈。則正氣日羸。乃成二三日一發之三陰瘧。調治頗難。此非病邪深淺之明證乎。

治療 與上同。惟宜每日針灸一次。連治三次。無不愈者。若三陰久瘧。則加灸脾俞。以久瘧則面黃食減。故宜脾俞以益脾。

瘧母

症狀 面色無華。寒熱日作。或時作時止。或不作。少食痞悶。有塊結於右塊而硬痛。此症先由瘧而來。故名瘧母。脈弦細。舌苔淡黃。或光剝。

病因　金匱云。瘧疾一月不瘥。此爲結癥瘕。名曰瘧母。後世諸家。則謂瘧邪夾瘀血痰溼。結於脅下。伏於肝經而成。實則脾臟腫大也。良由瘧疾發熱之時。脾臟先起充血。次則細胞增生。此時脾腫大。達平常之數倍。若遷延不治。則漸結漸固。輒從硬化而成癥瘕。名曰瘧母。脾臟腫大則消化力減退。故少食。瘧邪久留。血液日耗。赤血球減少。故面色無華彩也。

治療　章門　鍼灸　脾俞　鍼灸　有寒熱者則加鍼灸大椎間使。

治理　臟會章門故章門專主各藏之病。且其部位附近脾藏。鍼而灸之。能直達病灶。而散其血結。使其軟化。脾俞促進脾臟之運化。而補血液。此治瘧母之良法也。

瀉痢

內經曰。春傷於風。夏生飧泄，又曰邪氣留連。則爲洞泄。又謂溼勝則濡泄。此言泄瀉之病源也。又曰。飲食不節。起居不時者。陰受之。又謂陰受之。則入五藏。入五藏。則䐜滿閉塞。下爲飧泄。久爲腸澼。此言痢之病因也。夫瀉與痢。皆腸胃病。或由外感而成。或內傷由飲食而成。古人早已言之。惟二者之症狀。則不相同。瀉則大便時行而通利。所下之物或爲稀水。澄澈清冷。或稀溏黏糞。或完谷不化。有寒熱之分。痢者則大便時行。所出不多。裏急後重。滯而難下。故又名滯下。而所出之物。皆屬垢膩。或作白色。或赤色。或赤白痢作。故有白痢。赤痢。赤白痢之分。且二症治法。亦大有別焉。

寒瀉

症狀 腸鳴腹痛。大便泄瀉。所下之物。澄澈清冷。或完谷不化。小便短少。四肢厥冷。體重無力。脈多遲緩。舌多白膩。

病因 吾人飲食。入胃則由腸胃消化之。吸收而取其精華。而排泄其糟粕。此無病之人也。若腸胃失司其職。則泄瀉之病成矣。夫寒瀉由胃腸受寒。或寒邪自外侵襲。或多食生冷。以使腸胃虛寒。不能熟腐水谷。腸壁之吸收管。因受寒邪而緊束。吸收失常。遂使水分逕流。故或下稀水。澄澈清冷。或完谷不化。水分多數由大便排泄。故小便短少。更有五更泄瀉者。晝則大便如常。惟至五更。天將明時。則洞泄數次。古人謂之腎泄。良由腎司利尿之職。腎陽衰微。小便不利。則水停腸中而泄瀉、故曰腎泄。柯韻伯曰。夫鷄鳴至平旦。天之陰。陰中之陽也。因陽氣當至而不至、虛邪得以留而不去。故作瀉於黎明。西醫則謂腸癆。謂此症有結核菌潛居腸中。晝則消化力強。該菌不得逞勢。若五更時。則人寐已熟。人身各機關皆安靜。腸中殺菌之力亦衰。故斯菌得肆其毒而爲泄瀉也。

治療 中脘　氣海　天樞　神闕　俱灸　腎泄加灸　腎俞　命門

治理　神闕。中脘。氣海。天樞四穴。均在腹部。灸之能除腸胃之寒邪、而具温中逐寒。調氣止瀉之效。腎泄則加灸命門。腎俞。以温補腎陽。腎陽振則泄瀉愈矣。

熱瀉

症狀　暴注下迫。泄瀉黃糜氣穢。肛門灼熱。口渴煩熱。腹部疼痛。或嘔噦頻作。小溲短赤。苔黃脈數。

病因　寒瀉係感受寒邪。多食生冷而成。熱瀉多由於暑熱蘊於腸胃。故恆患於夏秋之時。因腸壁之神經。受熱邪之刺激。而興奮蠕動亢進。遂使水分長驅直下。而爲泄瀉。熱邪鬱蒸腸胃中之谷食。因而發酵腐敗。故所下之物穢臭不堪。而肛門亦覺灼熱。腹部因之痠痛。水分因泄瀉而消失。故口渴。更有泄瀉青色者。則因於胆熱分泌胆汁過多。故泄下青色之蛋水。而以小兒多見之。

治療　太白　太谿　曲池　三里　陰陵泉　曲澤　胆熱泄青者加胆俞足臨泣陽陵泉

治理　古人以泄瀉病屬脾。蓋脾藏亦爲消化器官也。故鍼太白以泄其熱。曲池。足三里。以泄腸胃之熱邪。曲澤。太谿清暑熱而治煩熱口渴。陰陵泉不特能清熱。且有通利小便之功。使水分與熱邪。由小便而分利之。胆熱泄青。則鍼胆俞足臨泣。陽陵以泄之。

白痢

症狀 腹痛。下痢。青白粘膩。欲行不暢。舌淡苔白或膩。脈沉或細。

病因 痢疾多患於夏秋之間。良由此時暑溼熱三氣盛行。若感受之。蘊於腸胃。則成痢。或多食生冷油膩。及腐敗之物。停留腸胃而成。張景岳謂痢疾是畏熱貪涼。過食生冷。至大火西流。新涼得氣。則伏陰內動。而爲下痢。蓋飲食失宜。阻礙腸胃之消化。因而積滯其中。或暑溼之邪。或生冷飲食之刺激。而分泌多量之粘液。或夾脂油而出。故所下青白黏膩。黏液膠滯腸中。故欲行不暢。肛門重墜。此所謂氣滯不化也。因其黏液不得暢行。積滯不去。故腹中作痛。所謂痛則不通者是也。

治療 合谷　關元　脾兪　天樞　因於暑溼者則針之寒溼者則灸之

治理 合谷疏通大腸之氣滯。肛門重墜者。用之頗有效。蓋古人所謂調氣則後重自除也。關元天樞亦所以調腸胃之氣化。而宜積滯。灸之可除寒溼之邪。鍼之可泄暑熱之氣。脾兪取其能醒脾快胃也。

赤白痢

症狀 腹痛下痢。裏急後重。赤白相雜。腥穢不堪。肛門灼熱。日數十行。口渴舌紅。苔黃膩。脈弦數或滑。

症因 古人謂溼熱蘊於陽明。熱勝於溼。傷陽明血分。則爲赤痢。溼勝於熱。傷陽明氣分。則爲白痢。溼熱俱盛。則氣血兩傷。而爲赤白痢。夫溼熱之邪。集於腸胃。腸膜因之發炎。炎處滲出粘液。甚則腸壁血管破裂。故所下赤白。兼作直腸發腫。故後重。裏雖急於欲便。而肛門重墜不得暢行。垢濁不能儘量排泄。故日數十行。若腸膜潰爛。所下之物。或如敗醬。或如屋漏水。如魚腦。如豬肝者。皆不治之症也。

治療 小腸俞　中膂俞　足三里　合谷　外關　腹哀　復溜

治理 小便中膂二俞。爲治赤白痢之要穴。蓋其部位附近直腸。鍼之能直達病灶。而泄溼熱之邪。合谷足三里。泄陽明之熱。而疏通腸胃之氣。腹哀治腹痛下痢。以其部位近腸胃也。外關復溜則淸溼熱。若下痢如魚腦。敗醬等者。則因熱毒深重。故不治。

休息痢

症狀 下痢。腸中微覺隱痛。每感起居飲食失調。或過勞而發。乍發乍止。經年不愈。面黃食少。神倦支疲。

病因 此症多由痢疾調治失宜。或失於通利。或兜濇太早。以致餘邪逗留腸中。若飲食調和。起居適宜。則腸胃之抵抗力強。可以不發。若飲食失調。或稍事勞動。則抵抗力衰減。餘邪得以肆虐。卽發生下痢。每多經年累月。時發時愈。如休息然。故名休息痢。久痢則脾胃虛弱。故食少而面黃也。

治療 神闕　天樞　關元　小腸俞　脾俞　各穴俱灸

治理 久痢則脾虛。故宜灸脾俞以益脾。神闕天樞關元小腸俞四穴。均所以調腸胃之氣。而促進其消化機能以外。更有百會一穴。善治久痢。蓋久痢則清陽之氣下陷。灸百會則能升下陷之清陽。若與以上各穴同灸。正與東垣之補中益氣法。同一意義也。

噤口痢

症狀 胸悶嘔逆。痢下不止。心煩發熱。飲食不下。舌苔黃或燥。脈弦數。

病因 噤口者。飲食不下也。其症有二。有初起而噤口者。有久痢而噤口者。夫飲食不進。則生化之源告匱。又復下利。奪其津液。則此症之危也可知。其初起卽噤口者。則因暑溼與熱邪蘊阻胃中。以致消化機能失職。故飲食不下。嘔逆頻作。然此乃病毒犯胃。去其病邪。則胃納漸甦。飲食自進。若久痢噤口不食。則爲胃氣將絕之候。勢難藥救也。

治療　初起卽噤口者。依照赤白痢條針之。久痢噤口者。依照休息痢條灸之。然多不救也。

咳嗽

咳爲有聲而無痰。嗽是有聲而有痰。二者雖有別。然多合言之。夫咳嗽肺病也。其原因多端。素問云。五藏六府。皆令人咳。非獨肺也。蓋肺主一身之氣。爲諸氣出入之道路。故咳嗽雖不盡屬肺而必借道於肺以出之。夫咳嗽之發生。如風寒燥溼等邪之外襲。痰飲之阻滯等等。以致肺中有所積蓄。乃作咳嗽以排泄之。故咳嗽乃排泄肺中積蓄物之一種作用。非病態也。可知治咳嗽。當驅除其積蓄物而咳嗽自己也。尋常之咳嗽。不外風寒痰熱。痰飲。乾咳四種。茲分條言之如下。更有虛癆咳嗽。則列入虛損門中。

風寒咳嗽

症狀　形寒頭痛。或頭暈。鼻流清涕。咳吐痰濁。白膩而爽。或咳或嘔。或咳引脅下痛。或咳而喘滿。脈象浮滑。舌苔薄白或膩。

病因　此症由風寒自外襲入。傷及肺氣而成。古人謂肺之合皮毛。又謂肺主皮毛。蓋皮毛亦爲呼吸器。肺時在翕張。皮毛之孔亦時在翕張。以其微而不之覺也。若風寒束於肌表。毛孔閉塞。則肺氣不宣。故發生咳嗽喘滿等症。此爲咳嗽症之最輕淺者。

治療 列缺　風府　肺俞　合谷　天突　太淵　經渠　兼喘者加鍼　三間　商陽　大都　兼咳引脅痛者再鍼　行間　期門

治理 本症由於風寒外束。治宜疏散表邪。故取合谷列缺風府解表而驅風寒也。佐天突以宣肺氣。咳嗽無不關於肺。故肺俞爲治咳嗽之要穴。咳而嘔者病仍屬肺。故取太淵列缺以止嘔。脅痛屬肝。故取行間期門二穴以泄之。且期門位居脅部。能直達病灶。故治脅痛之功效特佳。兼喘滿者則取三間商陽大都泄肺氣而止喘。

痰熱咳嗽

症狀 身熱。咳逆不暢。咯痰濃厚。口乾胸悶。舌紅苔黃。脈象浮數。

病因 此症多由風熱襲肺。肺中津液。爲風熱之邪所爍。鍛鍊成痰。積蓄於肺。乃爲咳嗽。厚膩之痰粘滯肺管。故咳而不爽。胸悶者。痰濁阻滯也。口乾者。肺有熱也。

治療 經渠　尺澤　魚際　解谿　陶道　豐隆

治理 經渠爲肺之經穴。能治咳逆。尺澤爲肺之合穴。能泄肺熱。魚際退身熱。解谿豐隆泄痰熱。陶道疏散風熱之邪。各穴相合。則有解表熱化痰濁之功。故能治痰熱咳嗽也。

痰飲咳嗽

症狀　形寒咳逆。每屆清晨或初更。則作咳甚劇。咯痰白膩。或稀薄白沫。胸悶或脇痛。甚或不能平臥。或胸背之間。一片作冷。舌多白膩。脈濡滑或沉濡而細。

病因　此症多由飲食生冷。或感受寒邪而發。古人所謂形寒飲冷則傷肺者是也。然必因平素脾陽不振。或老人之陽衰者。不能運化津液。以致停蓄爲痰飲。每受外邪或生冷食物之引誘。則漬入肺絡。乃爲咳嗽。清晨初更。則臟府安靜。脾胃運化之力益衰。故咳亦愈劇也。

治療　肺俞　膏肓　足三里　脾俞　俱灸

治理　肺俞膏肓。位居背部。灸之則直達肺臟。去寒邪而化痰飲。灸脾俞。所以振脾陽而助運化也。足三里則降氣逆。若老人久年痰飲咳嗽。每多下元虧損。則宜加氣海關元。以攝納下焦之氣。助治用黑錫丹最好。

乾咳嗽

症狀　咳而無痰。聲不連續。內熱口渴。甚則胸脇引痛。脈象多弦數。舌多絳無苔。

病因　此症多由感受外感之燥氣。尤多患於秋令。蓋秋時燥氣盛行。感觸之。直入肺臟。

肺失淸肅而成。或多食辛熱。嗜好煙酒。致肺有鬱熱。消爍肺液而成。陳修園云。肺爲臟腑之華蓋。臟腑之火不得水制止。上刑肺金。致肺燥乾咳。有聲無痰。與寒飲作咳者。不同也。

治療 少商　列缺　肺兪　關冲　足三里　魚際

治理 魚際泄肺熱。少商關冲淸肺熱而生津。列缺肺兪止咳逆。足三里降氣。諸穴同用。大有淸熱潤燥。降氣止咳之功。故能治乾咳也。

肺痿

症狀 咳聲不揚。咳痰艱於上行。行動數武。氣卽喘促。衝擊連聲。痰始一應。口渴。甚則半身痿廢。或手足痿軟。

病因 金櫃謂肺痿之起。或從汗出。或從嘔吐。或從消渴。小便利數。或從便難。又被快藥下利。重亡津液。故得之。喻嘉言曰。肺痿其積漸已非一日。其熱不止一端。總由胃中津液不輸於肺。肺失所養。轉枯轉燥。然後成之。於是肺火日熾。肺熱日深。肺中小管日窒。欬聲以漸不揚。胸中脂膜日乾。咳痰艱於上行。觀此則肺痿原由肺中津液枯少。以致肺葉日漸乾燥。其所以半身痿廢。手足痿軟者。亦爲津液虧損。筋失所養而成也。

治療　膏肓　肺兪　足三里　少商　列缺　魚際　太淵　中府　曲池

治理　肺痿由於肺熱傷津。故宜取少商列缺魚際太淵等穴。清肺熱而生津。膏肓肺兪爲治咳之要穴。兪府能清肺熱。而治喘促。足三里則降氣。曲池清熱生津。若至半身痿廢。手足痿軟。則爲難治。可遵照中風門半身不遂及手足不用條鍼治之。

肺癰

症狀　咳嗽。吐痰腥臭。胸中隱痛。鼻息不聞香臭。自汗喘急。甚則喘鳴不休。唇反。若咯吐膿血。色如敗滷。滃臭異常。正氣大敗。而不知痛。坐不得臥。飲食難進。爪甲紫而帶彎。手掌如枯樹皮。面白顴紅。聲啞鼻煽等症。皆爲不治。

病因　肺癰之成。多由感受風寒。未經發越。停留肺中。蘊發爲熱。或兼溼熱。痰涎垢膩。蒸淫肺竅。以致咳吐膿血。或如敗滷等者。則不可挽救也。

治療　魚際　少商　尺澤　豐隆　足三里　風門　肺兪　合谷

治理　魚際少商尺澤。清泄肺熱。豐隆足三里降氣而化痰濁。風門肺兪合谷諸穴皆泄肺氣而治喘急。初起者鍼之可以收效。久則不能爲力矣。

痰飲

痰與飲二症也。稠膩者謂之痰。稀薄者謂之飲。二者皆津液所化也。人而無病。則津液能營養人身。有病則化爲痰飲。反足以爲害矣夫痰多藏於腸胃與肺中。故每因咳吐下而出。飲者流溢周身。無處不到。蓋痰飲雖皆屬津液所化也。而其變化之原因。略有不同也。痰者乃胃中食物之精華。或肺中津液薰蒸而成。考吾人飲食入胃。化爲乳糜。其精華則由腸胃之吸收管吸收之。傳達於淋巴管以入血管而爲血。若腸胃之吸收作用減退。則津液停滯腸胃而爲痰。若肺爲風寒所侵襲。或大熱煎熬。則津液停滯於肺。而爲肺中之痰。此痰濁之所由生也。飲者爲胃中之水液所化。或血中水分變成。吾人飲入之水。本由腸中吸收。運行周身而爲汗爲尿。若吸收作用減退。則水分停滯而爲飲。且血中本有水。若一部分之鼓動力。輸送力減退。則停滯而爲飲。溢於內則爲內臟之飲。溢於外則爲肌膚之飲。故飲者能流溢周身。無處不到。此飲症之所由成也。古人論痰。則有溼痰。燥痰。風痰。熱痰。寒痰。之分。飲症則有痰飲。懸飲。溢飲。支飲。伏飲。之別。症狀不同。治法各異。是不可不辨也。

溼痰

症狀 肢體沉重。腹痕脘悶。脈軟滑面黄。舌淡而膩。痰多易咯。口不渴。

病因 此症多飲食失調。如多食油膩厚味。或感受外界之溼邪。以致脾陽衰憊。不能運化津液。停留於胃。蘊蒸成痰。故腹痕脘悶。肢體沉重等症作矣。

治療　脾俞　膻中　中脘　豐隆　足三里　各穴俱灸

治理　古人謂脾胃爲生痰之源。故取脾俞中脘二穴促進脾胃之運化。使津液不致積蓄爲痰。灸之則具化溼之功。豐隆專化痰濁。膻中宣泄氣機。諸穴合用。則有健脾胃。運機樞。化溼痰之功。

燥痰

症狀　喉癢而咳。咳則痰少而濃厚。氣短促。面恍白。咳而不爽。

病因　痰有厚薄之分。濃厚者爲稠痰。較薄者爲稀痰。大約痰之屬風。屬溼。屬寒者。精稀薄。屬火。屬燥。屬熱者。多稠膩。人之精血充足。則化力厚而成稠痰。人之少血衰弱。則化力薄而成稀痰。故暴病多稠。久病多稀。本條之燥痰。乃燥氣傷肺。鍛津成痰。故濃厚粘膩。膠滯肺管。故咳嗽不爽。呼吸斷促也。

治療　依照咳嗽門。痰熱咳嗽條針治之。

風痰

症狀　神機驟然蒙閉。神昏厥逆。四肢抽搐。痰聲如鋸。胸脅滿悶。脈弦面靑。兩目怒視。

病因　此症多由肥盛之人。肌肉不堅。津液不化。古人謂肥人多痰溼。或平素嗜好烟酒。以致痰濁阻滯。陰分日衰。不能涵陽。則肝風內動。挾痰濁而犯腦。致成神昏抽搐等症。故名風痰。非外感之風邪也。

治療　大敦　行間　中脘　膻中　列缺　關元　百會　人中

治理　大敦行間。潛熄肝風。中脘泄化痰濁。列缺膻中宜泄肺氣。而開痰濁之鬱窒。以治胸脅滿悶。人中百會醒神昏而止抽搐。關元攝納下焦之氣。諸穴合用。則具潛陽熄風。抑肝滌痰之效。

熱痰

症狀　煩熱口渴。神昏好睡。咯痰濃黃。脈洪而赤。舌黃膩或神識不靈。

病因　此症由於熱邪蟠踞肺胃。津液爲熱邪所鬱蒸因而成痰。故厚膩而色黃。煩熱口渴。若神昏好睡。神識不靈。古人則謂痰熱蒙蔽清竅。實則腦神經受痰熱之蒸灼。而失其靈動活潑也。

治療　經渠　陽谿　豐隆　間使　委中　靈道　神門

治理　經渠泄肺熱。豐隆化痰濁。委中陽谿間使清熱而治煩熱口渴。靈道神門清熱而醒神昏。

寒痰

症狀　咳痰稀薄。脈沉。面目青黑。小便短少。手足清冷。少腹拘急。舌潤有青紫色。

病因　古人謂命門眞陽衰微。不能蒸化津液。水泛則爲痰。夫命門卽腎。功主分泌水液。若失其功用。則水液停留。故少腹拘急。小便短少。腎不分泌。則腸胃之吸收管亦失吸收之功能。致水液停留而爲寒痰。所謂水泛爲痰者此也。手足清冷者。陽氣衰也。

治療　命門　腎俞　膻中　肺俞　足三里　俱灸

治理　命門腎俞。位居腎臟之外。灸之則直達腎臟。促進其分泌機能。所謂壯腎陽以制水也。膻中肺俞。則溫化肺胃之寒痰。足三里引氣下行。灸之且能運化水液。使不致停蓄爲痰也。

痰飲

症狀　素盛今瘦。咳逆稀痰。腸間水聲漉漉。頭目暈眩。足下覺冷。甚或小便不利。肌肉浮腫。脈多弦滑。舌白或紅潤。

病因　金匱有四飲之名。曰痰飲。懸飮。溢飲。支飲。惟痰飲屬痰。雖則屬痰。而所咳之痰必是粘液。或雜以微細痰屑之稀痰而已。非厚膩之痰可比也。痰飲症。古人謂爲素肥今瘦。夫昔肥而今瘦者。良由飲食所化之津液。不能運化。停留腹部腔隙。。以成痰飲。故腸間漉漉有聲。體中津液因痰飲之消失。不能榮養肌肉。以致日形瘦削。故昔肥而今瘦也。若小便不利。則水飲無從排泄。勢必溢於周身故爲浮腫。阻滯於肺。則爲咳逆也。

治療 天樞　中脘　命門　膏肓　氣海俱灸

治理 天樞中脘氣海。運行腸胃之水飲。使不停留。命門温補腎陽。以通利小便。使飲留之水分。由小便而排泄之。膏肓行肺中之痰飲。而治咳逆也。

懸飲

症狀 咳唾白沫。脅下引痛。脈多弦數細。舌多白膩甚或經年累月不愈。呼吸氣短。雙目仰視。

病因 水飲能流溢人身。古人以其停留於何部而異其命名。蓋示後學以辨別之法也。懸飲者多起於病後虛弱。渴多飲水。或暴飲過多。因中宮陽氣衰微。不能蒸化分播。以致水停脅下。金匱謂水在於肝。脇下支滿。嚏而痛。蓋肝藏爲水氣窒礙。故咳吐引痛。水飲留於脇下。懸而不降。不由小便而排泄。故曰懸飲。若久延不瘥。呼吸氣短。雙目仰視。則爲難治。

治療　大椎　陶道　俱灸　肝俞　針灸　肺俞　灸　期門　章門　針

治理　肝俞行肝臟停留之水飲。期門章門治脇下引痛。且直達病灶。能運行脇下之水飲。大椎陶道肺俞。灸之則振陽氣化水飲而治咳唾白沫。

溢飲

症狀　肢節癱痛。筋骨煩疼。嘔逆咳嗽。喘急不得臥。脈浮弦。

病因　金匱云。水飲流行。歸於四肢。當汗出而不汗出。身體疼痛。謂之溢飲。此症之成。多由其人虛冷。多溼者飲水過多。含溼更盛。脾因溼而失其運化之力。以致水飲停留。外不能由毛竅排泄爲汗。内不能由膀胱輸出而爲小便。是以洋溢四肢。故肢節癱痛。筋骨煩疼。水飲入肺。則咳嗽喘急。停留於胃。則爲嘔逆。因其爲水飲洋溢而發生諸病。故名溢飲。

治療　水分　關元　神闕　肺俞　中脘　足三里　命門　俱灸

治理　水分專治水病。以其能分利水液也。關元神闕中脘。能運行水液。而促進脾胃運化之機能。足三里降氣逆以治喘急咳逆。命門促進腎臟分泌。使水飲從小便輸出。則無洋溢之患矣。

支飲

症狀　頭暈嘔吐。痞滿欬逆。氣短倚息不能臥。脈弦細。舌淡而潤。

病因　金匱云。咳逆倚息短氣不得臥。其形如瘇。謂之支溢。夫飲之原因。必其人平素肺臟衰弱。有咳嗽之疾。間作間息。或感風寒。咳嗽痰涎較多。若因其微而忽之。久則增劇而成支飲。或由脾胃虛寒。水飲停留。支結於肺胃心下之處。故成嘔吐痞滿咳逆等症。

治療　依照溢飲條針治之。

伏飲

症狀　胸滿嘔逆。喘咳。腰背痛。心下痞。振振惡寒。身瞤劇。脈伏或滑。

病因　伏者潛而藏之之意。蓋水飲伏於人身而不病也。張石頑曰。凡水飲蓄而不散。謂之留飲。留飲者留而不去也。留飲去而不盡者。皆名伏飲。伏者伏而不動也。飲之所以伏者。必由脾腎陽虛。不能蒸散。伏於肺胃。則爲咳逆。嘔吐心下痞滿等症。伏於腰背機肉等處。則爲腰背疼痛。身瞤劇等症。此外更有癖飲。飲澼。流飲。酒客等名。癖者素有痰疾間作間息。以成癖也。澼者是水積腸中之意。流者是水飲流行也。酒客者以嗜好飲酒每多飲病也。然其見症治法。已概括各條中故不另述。

治療　膻中　中脘　關元　腎俞　脾俞　膏肓　俱灸

治理　膻中中脘。去肺胃之伏飲。腎俞脾胃。治腰背之疼痛而振脾胃之陽蒸化伏藏之水飲。膏肓治喘咳而化痰飲。伏飲去則諸恙悉解。

哮喘

熱哮

症狀　身熱口渴。喘咳不得臥。聲如曳鋸。兩脈滑數。

病因　哮與喘二症也。哮者喉中有痰聲。其病因偏於痰。故金匱言哮。謂咳而上氣。喉中如水鷄聲。喘則爲吸呼之氣急促。其病因偏於氣。故治哮者。宜治痰。治喘則宜理氣也。然哮症之中。復有寒熱之別。熱哮由於痰熱內鬱。留於肺絡。氣爲痰阻。故呼吸有聲如曳鋸。喘咳者。痰滯氣逆也。身熱口渴。痰熱盛也。

治療　天突膻中合谷列缺足三里太冲豐隆　俱針

治理　熱哮由於痰熱內鬱。故剌天突膻中以宣肺氣。而治咳逆。復取足三里豐隆之泄降痰熱。合谷列缺清泄肺熱。太冲能治諸逆上冲。諸穴合用。則有化痰濁。泄肺熱降氣逆之功。故能治熱哮也。

冷哮

症狀 形寒肢冷。咳嗽痰多。喉中有聲。脈細弦或細滑。舌潤不渴。

病因 此症多由素有痰飲之人。留積胸中。每遇風寒而發。蓋風寒外束。肺氣先傷。陽氣不得外泄。引動痰飲上逆。故咳嗽痰多。痰飲壅滯氣道。故呼吸時。喉中有聲也。

治療 靈台俞府乳根膻中天突豐隆肺俞足三里。

治理 冷哮原由內有痰飲。兼感風寒而發。治宜疏解風寒。溫宣肺氣。而化痰飲。故灸靈台以解表寒。灸膻中以宣肺氣。天突乳根俞府豐隆以化痰飲。表解飲除。則肺氣肅矣。

實喘

症狀 胸高氣粗。呼吸促急。兩肩聳動。聲達戶外。兩脈滑實。

病因 素問曰。諸病喘滿。皆屬於熱。又謂邪氣入於六腑。則身熱。不時臥。上爲喘呼。李士材云喘者短促氣急。又謂張口抬肩。搖身擷肚。此皆指實喘而言也。夫實喘之原由於感受外邪。壅窒肺竅。氣道爲之阻塞。故胸高氣粗。肺氣急於向外排泄。故呼吸促急。而兩肩聳動也。聲達戶外者。呼吸之氣粗而急。然與哮症之痰聲有別也。

治療 肺俞合谷魚際足三里期門內關　俱針

治理 喘症有虛實之分。實者宜瀉之。故取肺俞合谷魚際以泄肺氣。期門內關以泄胸中之邪。足三里降氣。若喘症而至面淡鼻冷。則不治。然速灸關元氣海。各數十百壯或可救。

虛喘

症狀 喘時聲低息短。吸不歸根。若斷若續。動則更盛。心悸怔忡。兩脈虛細。

病因 虛喘由於腎元虧損。丹田之氣不能攝納。氣浮於上而成。多患於老人。以其爲氣不足。故雖喘而聲低氣短。與實喘不同也。古人云。呼出心與肺。吸入腎與肝。腎虧則吸不歸根。故若斷若續也。心悸怔忡者。乃心下惕惕然跳。築築然動。本無所驚而心動不甯。亦由心臟衰弱。腎氣上逆而然也。

治療 關元腎俞氣海足三里　俱灸

治理 關元氣海攝納氣之上浮。而補丹田之氣。足三里引氣下行。腎俞益腎元虧損。腎氣充。丹田氣足。則無上逆之弊矣。

虛勞門

陽虛

症狀 怯寒。少氣。自汗。喘乏。食減無味。腹脹飧泄。或精氣清冷。陽痿不舉。目眩肢痠。膝下清冷。水泛爲痰。面唇㿠白。舌白無華。脈多沉細軟弱。或大而無力。

病因 經曰。陽虛生外寒。乃心臟機能衰弱。輸血力弱。皮下血管貧血。故見惡寒少氣等症。脾陽不振。則化力呆滯。吸收減退。故腹瘕泄瀉。腎陽衰弱腎精冷陽痿。肢痠脚冷。故治陽虛者。宜補脾腎之火也。

治療 命門腎俞脾俞關元神闕　各穴俱灸

治理 灸命門肺俞。壯腎陽也。腎陽充則膝冷陽痿等症悉解。脾俞溫養脾臟。復佐關元神闕以振下焦之元陽而強心。脾陽振則化元強。心陽振則輸力充。斯惡寒少氣自汗泄瀉等症亦愈矣。

陰虛

症狀 怔忡。盜汗。潮熱。或五心煩熱。口乾不寐。男子遺精。女子經閉。或面赤唇紅。

病因　咳嗽痰多。脈多數而無力。

經云。陰虛生內熱。多由熱病後。及少年色慾過度。損及肝腎。精陰枯涸。不能涵陽。以至陽氣偏旺。而生內熱。至於遺精不寐等症。亦由陰虛陽旺。君相之火不藏也。面赤唇紅等症。則由陰虛於下而陽浮於上也。

治療　大椎　陶道　肺俞　膏肓　足三里　陰郄　後谿　肝俞　腎俞

治理　大椎陶道濳陽退熱。肺俞膏肓足三里治咳嗽而益虛。肝俞腎俞益肝腎之陰以涵陽。陰郄後谿清虛熱而治盜汗。熱輕則鍼而灸之。熱重者愼勿灸也。

五　癆

症狀　潮熱盜汗。咳嗽痰多。初起多稀薄。久則漸形濃厚。胸部或背部一處作痛。或側面而臥。此肺癆也。若面色蒼白而不能行者爲肝勞。足軟弱不能久立而遺精者爲腎勞。

病因　精氣內奪。期內虛損。由虛而漸以成癆者。精氣虛憊之極也。越人謂自上損下者。一損肺。二損心。三損脾。四損肝。五損腎。自下損上者。一損腎。二損肝。三損肺。四損心。五損脾。五臟俱損。乃成五癆。夫五癆雖屬五臟。然有連帶之關係。故中醫之論癆病。每連類及之。如咳嗽吐血。久而不愈。上損於肺。肺之呼吸系病不能呼炭納養。體內之新陳代謝因而失職。能影響脾胃之消化。以及心之循環。臟之神經。腎之內分泌。各藏無不受其累。此所謂自上損下也。又少年斲傷。損及腎藏。精液枯涸。遂生虛熱。引起肝陽。肝旺乘脾。消化失職。血無資生。則心之循環無由供給。神經及各組織均失營養。至末期可連累及肺。此所謂自下損上也。古人又謂上損及中。過脾不治。蓋肺病第一期。病專在肺。咳嗽痰多。連及神經循環。謂之第二期。潮熱。顴紅。至壞至消化機能飲食不進。則爲末期。已屬不治。又謂下損及中。過脾不治。蓋腎陰虛而生內熱。以至飲食不進者。亦爲不治也。惟西醫論癆病則謂爲結核菌爲患。然必因臟器先弱。失却抵抗能力。故適合於結核菌之滋長發育也。

治療　四花　腰眼　肺癆加肺俞膏肓足三里　心癆加陰郄後谿　脾癆加脾俞胃俞

肝癆加肝俞　章門　腎癆加精宮三陰交

治理　四花腰眼專治五癆及一切虛損。肺癆則加肺俞膏肓足三里以治咳嗽而降氣。心癆則加陰郄後谿養陰退熱而治盜汗。脾癆則加胃俞脾俞補益脾胃而治泄瀉。肝癆則加肝俞以益肝。章門以治脅痛。腎癆則加腎俞精宮三陰交以補益腎藏。而治遺精。癆病之初起者。醫治得法。尚可挽救。若久延不愈。則非鍼藥所可圖收也。

吐衂門

吐血

症狀　吐血或從吐出。或從嘔出。傾盤盈碗。或鮮散中兼紫黑大塊。吐後不即凝結。面色晄白。脈多虛芤。

病因　吐血出於胃。方書所謂府血是也。其原因多由胃熱逼血妄行。因而上溢。或暴怒火逆傷肝。古人謂怒則氣上。以致血向上迫。或肝火昌熾。鼓激胃中之血上溢。故從嘔吐而出。或飲酒過多。傷胃而吐血。然皆屬胃中之血。有謂肝心脾皆能吐者。非也。失血過多則成貧血之現象。故面色晄白而脈虛芤也。

治療　魚際　尺澤　足三里　膈俞　中脘　內庭　嘔血加肝俞　行間

治理　吐血出於胃。故針足三里內庭以泄降胃氣之上逆。蓋氣逆然後血逆也。鍼膈俞以甯血。魚際尺澤能止血。中脘清胃熱而降衝氣。嘔血屬肝火。故取肝俞以抑肝。行間以泄肝。然肝氣上逆而嘔血者。多兼胸脅痕痛。則宜加鍼期門陽陵以治之。

咳血

症狀　因咳嗽而見血。或乾咳。或痰中兼血咳出。氣喘急。然所出之血。不如吐血之多也。脈多微弱。

病因 咳血出於肺。方書所謂臟血是也。其原因多由於外感風熱。鬱於肺而嗆咳。傷肺。故血從咳嗽而出。或陰虛火動上逆而咳血。或肥盛酒客輩。痰中有血。凡此皆肺中之血也。惟咳血久而成癆。或因虛癆而咳血者。則見肌肉消瘦。四肢倦怠。五心煩熱。咽乾顴赤。潮熱盜汗等。當依照虛癆條治療之。

治療 肺俞。百勞。足三里。膈俞。陰虛火動者加三陰交。肝俞。痰中帶血者。加豐隆中脘。風熱襲肺者。加風門列缺。

治理 咳血屬肺。故肺俞百勞爲治咳血之要穴。足三里降氣。陰虛火動者則加鍼肝俞三陰交以養陰。酒傷痰中夾血者。則加中脘豐隆以降氣化痰。風熱傷肺者。故加鍼風門列缺以宣泄風熱之邪。

衄血 鼻衄眼衄耳衄牙衄皮膚出血

症狀 鼻衄即鼻中流血。亦名紅汗。耳衄牙衄即耳中與牙齒出血也。眼衄目中出血也。皮膚出血又名肌衄。

病因 衄者血從經絡滲出。而行於清道也。良由風熱壅盛而發。或煙酒惱怒刺激而出。古人謂陽絡損則血外溢。血外溢則爲衄血也。

治療　（鼻衄血）合谷禾髎大椎魚際列缺少商上星鼻衄原由風熱。魚際列缺清肺熱。禾髎位居鼻旁。故能治鼻衄也。少商能清肺且爲鼻衄之特效穴。

（眼衄血）睛明太陽行間曲泉。眼衄乃積熱傷肝。或誤藥擾動陰血。以致血從目出。故宜鍼行間曲泉以清泄肝熱。睛明太陽以其部位近目。故能泄局部之熱而止血也。

（耳衄）足竅陰剌出血。俠谿。陽陵泉。行間。翳風。此症多由飲酒過多。或多怒之人。肝胆之火上激。以致血從耳出。故鍼竅陰俠谿陽陵行間以泄肝胆之熱。翳風以泄病灶局部之熱而止血。

（肌衄）膈俞血海。此症亦血熱沸騰而從毛竅溢出。故取膈俞血海以清血熱而止其血也。

（牙衄）合谷內庭手三里足三里。牙衄乃陽明蘊熱上乘。故鍼合谷內庭手三里以泄陽明之熱。足三里清熱而引熱下行。

嘔　吐

實熱嘔吐

症狀　口渴發熱。食入則吐。所出之物多兼穢臭。或苦或酸。頭目暈眩。舌黃脈數。

病因　嘔者。有聲而有物。吐者。有物而無聲。二者雖略有不同。然皆胃病也。嘔吐之屬於熱者。由胃有鬱熱。火勢上炎。胃氣不能下降而成。或怒激肝氣。肝木橫逆。或肝胆風熱上炎。皆致嘔吐。經曰諸逆上衝。皆屬於火。諸嘔吐酸。皆屬於熱。是也。夫吐出之物。或苦或酸者。則因胃酸與胆汁。因熱而分泌過多上溢也。

治療　內庭　合谷　內關　中脘　上脘　足三里　肝胆之氣上逆者。加陽陵泉　太冲。

治理　實熱嘔吐。由於胃熱。故鍼內庭足三里以清熱而降氣。嘔吐之病灶在胃。故鍼中脘上脘以直泄脘中之熱而止嘔吐。合谷內關宣泄胸部之氣而清熱。肝胆之火上亢者。則加鍼太冲陽陵以泄之。若輕症之嘔吐。則單鍼三里留撚稍久。其效頗著。

虛寒嘔吐

症狀　嘔吐稀涎。面青肢冷。胃脘不舒。口鼻氣冷。不渴。苔白脈細。

病因　嘔吐之屬於虛寒者。乃由脾胃之陽不振。運化失職。或飲食生冷。以致寒溼濁邪。留滯中宮。乃上逆而作嘔吐。故覺當胃不舒。四肢厥冷也。

治療　中脘　內關　氣海　胃俞　三陰交　膻中　脾俞　足三里　俱灸

治理　嘔吐皆由氣上逆。故足三里爲要穴。內關膻中宣泄胸中之氣。脾俞胃俞振脾胃之陽。而化寒溼濁邪。三陰交亦能溫脾化溼。氣海理腸胃之氣。氣調則無上逆爲吐之患矣。

乾嘔

症狀　乾嘔不止。有聲無物。與噦相似。惟不若噦聲之惡濁而長也。但覺胸膈不舒。口渴或不渴。甚則四肢厥冷脈絕。

病因　乾嘔亦屬胃病。蓋由清濁之氣。升降失常。阻拒於胸膈之間。乃脾胃虛弱。運化失職。氣機失調而成。亦有因於胃熱者。濁熱之氣上攻。則兼發熱口渴。

治療　中脘　足三里　內關　脾俞　胃俞　章門俱灸。胃熱者改灸易針。加針內庭。厲兌

治理　屬虛寒者。則單用灸法。以溫補脾胃。如脾胃俞中脘章門等穴是也。餘如三里內關亦無非降氣行氣。而具升清降濁之功。因胃熱者則鍼以泄之。復加內庭厲兌以清陽明之熱。

噎膈

寒膈

症狀　脘腹痞滿。嘔吐清水。四肢厥冷。食不得入。或食雖可入。而良久反出。面色皖白

。兩脈遲細。

病因 膈者膈塞不通。飲食不下也。若食入反出。謂之反出。二者皆膈間受病。故通名爲膈也。寒膈由於中宮陽氣衰微。寒邪凝聚。脾氣不能升。胃氣不能降。故飲食不下。反胃亦由脾胃虛寒。運行失職。不能熟腐五谷。變化精微。故食雖可入。良久復出也。王太僕曰。食入反出。是無火也。古人謂朝食暮吐。是胃虛寒也。

治療 膻中　灸　膈俞　灸　中脘　足三里　公孫　脾俞　胃俞　針灸

治理 膻中膈俞宣展胸膈之氣。足三里公孫降氣逆。中脘脾胃俞振脾胃之陽而理寒邪。

熱膈

症狀 胃脘熱甚。口苦舌燥。煩渴不安。嘔吐酸臭。食入卽吐。或前後閉濇。脈多大而有力。

病因 素問曰。三陽結謂之膈。夫所謂三陽者。卽腸胃膀胱也。蓋腸中積熱。則後不圊。膀胱結熱。則小便不利。故前後祕濇。胃有鬱熱。則胃津枯耗。食道液燥。故食不得下。且下旣不通。勢必上逆。故食下亦仍出。是火上行而不降也。因其三陽結熱。故口渴舌燥。煩躁不安也。

治療 內庭　中脘　足三里　支溝　合谷　大陵　內關　委中　大腸俞。

治理　內庭中脘泄胃熱。足三里降氣逆。且與支溝合用則有導府之功。合谷大腸俞清腸中之熱。委中清膀胱之熱。大陵內關清熱而治煩渴不安。

氣膈

症狀　噎氣頻頻。中脘滿痛。痛行脊背。胸悶氣熱。食不得下。大便不利。

病因　素問曰。膈塞閉絕。上下不通。則暴結之疾也。此言噎膈之起於鬱結不舒者也。內經曰憂則氣梁。蓋中心抑鬱。憂結不解。則氣鬱於中。運化不利。肝氣上逆。故食不得下。而成氣膈。

治療　中脘　膻中　氣海　列缺　內關　胃俞　三焦俞　足三里　俱針灸　期門　鍼

治理　氣膈以調氣爲主。故取膻中氣海理氣之鬱結也。足三里降氣之上逆也。列缺內關宣泄胸膈之氣。期門泄肝氣。鬱結不舒。則胃氣不能敷布。故取胃俞三焦俞。以運行胃氣。氣調鬱解。膈症自愈。惟憂結爲情志病。苟病者能達觀。則易於收效也。

痰膈

症狀　咳嗽氣喘。喉間痰聲。胸膈痞悶不舒。飲食不能下咽。舌多膩苔。兩脈滑實。

病因　此症多因憂思悲恚。脾胃受傷。血液漸耗。鬱氣生痰。痰濁滯留於肺胃。阻塞氣機。飲食下咽。每有所阻。如礙道路。膈而不得下。噎膈所由成也。痰滯氣逆。故咳嗽氣喘。

治療 膈俞灸 天突 針灸 肺俞灸 豐隆 針灸 下脘 灸 大都 灸 足三里 針灸

治理 肺俞天突治咳嗽氣喘。膈俞理胸膈之氣。豐隆泄化痰濁。三里大都降氣。下脘旋運中州以行痰濁。

食膈

症狀 胸脘脹痛不得安。食難下咽而痛。甚或氣塞不通。危殆不堪。

病因 此症多患於老人。良由脾胃衰弱。每於過飢之後。猝然暴食。壅滿胃之上口。閉塞脾胃之氣機。而成噎膈。食滯於胃。故胸脘部脹滿作痛。老年患此。多難救治。

治療 中脘 脾俞 胃俞 膻中 氣海 足三里 巨闕

治理 中脘三里巨闕。化食滯而兼導六腑。脾俞胃俞。助脾胃之消化。膻中氣海則調氣而宣氣機之閉塞也。

虛膈

症狀 飲食不下。肌膚乾燥。或嘔吐白沫。糞如羊屎。兩脈虛澀。體倦神疲。

病因　此症多由脾胃津液枯燥。不能化納。以致飲食不下。蓋人身藉飲食之精微以營養。若飲食不進。則滋養料之來源告匱。故肌膚乾燥。古人謂噎而白沫大出。糞如羊屎不治。若胸腹疼痛如刀劃者。死期迫矣。

治療　膈俞　合谷　大包　太冲

治理　灸膈俞數十壯以治膈氣。針合谷以實大腸之氣。針灸大包以補胃。針太冲以降逆。然多不救也。

臟脹門

水臟

症狀　初起四肢頭面腫痕。漸延胸腹。皮膚黃而有光。脹大繃急。按之窅而緩起。甚則臍突露筋。口渴煩躁不寐。胸悶氣喘。皮膚日粗。面色灰敗。鼻出冷氣。則為危候。

病因　此症多由水腫之甚以變成者。水腫之原多為飲冷過度。或著寒邪。以致脾腎陽衰。脾不運輸。腎不分利。體中水分無所發泄。水氣泛濫。溢於皮膚。膨痕而成水腫。日久月深。水質蓄積不消。肢體脹大滿量。遂成腫體。即變水臟。水鬱於內。猶溝壑之積水。積久不消。化而為毒。則難施治。若腹露青筋。面色灰敗。則為水毒深重之候。若口渴煩躁。則水毒化熱。煎熬血液。腎中之龍水上騰也。凡此皆爲水針垂危之候。雖有華扁之能。亦將束手矣。

治療 腎俞 灸 膀胱俞 灸 三陰交 針 陰陵 針 水分 灸 人中 脾俞 灸

治理 腎俞膀胱俞。以宣膀胱之氣化。而促進腎臟之分泌。陰陵通利小便。脾俞振脾陽以行水。水分爲治水臟之特效穴。以其能分利水分也。三陰交運化脾之溼。人中可用粗針泄水。

氣臟

症狀 腹大而四肢瘦削。皮色不變。按之窅而即起。喘促煩悶。或腸鳴氣走。漉漉有聲。二便不利。脈弦鬱。

病因 氣臟與水臟。原屬二症。以手按之。成凹而不隨手起者。水臟也。按之成凹而隨手起者。氣臟也。氣臟之原因。多由七情鬱結。氣化凝聚。留滯中焦。腹部乃爲之脹滿。用情太過。傷及脾胃。脾胃失運化之能。血液無從產生。肌肉失所營養。故四肢漸形瘦削也。

治療 膻中 氣海 關元 脾俞 胃俞 中脘 足三里 各灸數十壯

治理 氣臟原屬氣積。治以理氣爲主。故取膻中氣海關元調氣而開鬱結。脾胃俞中脘足三里則助脾胃之運化。氣調則痞滿自除。脾胃強則化力足。斯諸恙均得而解矣。

實脹

症狀　腹脹堅硬。大便祕結。小便黃赤。行動呆滯。吸呼短促。或胸高氣粗。脈沉滑有力。

病因　此症多由七情之傷。脹起於旬日之間。或多感受寒溼之邪。多食生冷之物。以致脾陽不振。失其旋轉。溼濁阻滯。因而痞滿。

治療　依照氣臟各穴針灸之。以調其氣。大便祕結者加針支溝內庭。幷瀉足三里以化結滯。而導六腑。

虛脹

症狀　容形枯槁。脹起於經年累月。腹部脹滿。朝寬暮急。或暮寬朝急。大便溏薄。或小便清白。脈細少氣。面淡舌白。

病因　虛脹多起於久瀉。或飲食起居不善攝養。或病後飲食不慎。中氣受傷。脾胃虛弱。不能運化。濁氣滯塞於中。以致痞滿。若痢後成痞。久病羸乏。臍心凸起。喘急不安者。此爲脾腎俱敗。則難調治。若咳嗽失音。青筋橫絆腹上。及爪甲青或頭面蒼黑。嘔吐頭重。上喘下泄者。皆不治之症也。

治瀉　關元　中脘　下脘　神闕　脾俞　胃俞　大腸俞　各灸三五壯

治理　虛脹由於中氣虛損。脾胃衰弱。故灸關元神闕中下脘各穴。以益中氣。大腸俞以鼓舞腸中氣化。以治大便溏薄。脾俞胃俞則調補脾胃。扶加正氣。脾胃健則運化復常而脹消矣。

癥瘕門

癥

症狀　而黃肌瘦。飲食減少。神疲體倦。胸脘腹間有塊硬痛。按之有形。牢固不動。舌光脈澀。

病因　積聚之有形可徵者曰癥。古人謂癥者眞也。然有食癥。痰癥。血癥。之分。食癥者因食積而成癥也。多由多食生冷黏膩之物。脾胃虛弱不能消化。膠滯脘間。與氣血相搏。積聚成塊。日漸長大。堅固不移。痰癥由於痰濁鬱滯。多積於脇下。血癥乃血積而成也。多由臟府虛弱。寒熱失節。或風寒內停。或閃挫跌撲。氣血停滯。瘀瘀絕絡而成血癥。多積於少腹部。

治療　(少腹有塊)關元　太冲　行間　三陰交　膈俞少腹有塊。多屬血積。故所取各穴皆屬血分之穴。如灸太冲能行血。行間三陰交能破瘀。膈俞開胃調氣。

(臍上脇下有塊)神闕中脘中脘章門脾胃俞。臍上脇下有塊。多屬食積。故取下脘中脘之化積滯。脾俞胃俞健脾胃以助運化。神闕調氣。章門能直達病灶。消脇下之塊。

(脇下兩旁有塊)章門期門行間肺俞豐隆陽陵。此症多由痰積。故取肺俞豐隆以化痰。章門期門以消積。行間陽陵以疏胆肝之氣。因脅下屬肝膽二經也。更宜於塊之中央及上下左右針而灸之。不問其爲何積。均可如法施治。直達病灶。收效尤易。

瘕

症狀　發生胸脇臍腹。或痛。或噯氣。或嘔吐。甚則氣逆神昏。腹中有塊攻衝。遊走無定。聚散無常。推之則動。按之則走。脈多沉細。舌苔薄白。

病因　積聚之或聚或散者曰瘕。古人謂瘕者假也。難經曰聚者陽氣也。其始發無根本。上下無所留止。其痛無常處。蓋指瘕症言也。多由肝脾之氣失和。肝氣橫逆。脾失輸化。水飲痰液。凝聚成瘕。隨氣之順逆運滯。而時形時散。故起伏不時。游走無常也。

治療 氣海 關元 脾俞 肝俞 各灸十數壯 嘔逆噯氣者。加鍼灸內關足三里

治理 痞症多爲氣滯而發。故取氣海關元以調氣脾俞肝俞調和肝脾之氣。嘔逆噯氣則鍼灸內關以宣胸膈之氣。足三里以降氣逆。更須調攝得宜。可收全功。

五積門

心積

症狀 此症起於臍畔或臍上。大如手臂。形如屋樑。由臍至心下。縈繫於中。伏而不動。久則令人心煩心痛。夜眠不安。身體腫。股皆腫。不可移動。困苦異常。脈沉細或芤。舌絳。

病因 難經曰。心之積名曰伏樑。起臍上。大如臂。上至心下。有若屋樑。故名伏樑。此症多由心經氣血不舒。凝聚而成也。

治療 上脘 針灸 大陵 針 心俞 針灸 膈俞 針灸 行間三陰交

治理 上脘直刺症灶。散氣血之凝滯。心俞膈俞大陵活血通結。而泄心經之積氣。足三里調氣行血。行間三陰交行血而破血結。苟能心曠神怡。可冀漸以向愈。

肝積

症狀 左脇下有塊。狀如覆杯。有足似龜。久則寒熱如瘧。或喘咳嘔逆。脇下痠痛。脈弦而細。

病因 難經曰。肝之積名曰肥氣。在左脇下如覆杯。有頭足。久不愈。令人咳逆痎瘧。此症多由肝藏氣逆。與瘀血積合而成。

治療 章門　灸　行間　針灸　期門　針　膈俞　針灸　寒熱嘔逆加針灸大椎足三里

治理 章門期門化脇下之塊。肝俞調肝氣。膈俞行間行血破瘀而化積。中脘爲諸穴之佐使。位近病灶。能理氣消積。寒熱者則鍼灸大椎以除之。咳逆者則取足三里以降氣。

脾積

症狀 當脘痠痛。如覆大盤。面黃肌瘦。飲食不爲肌膚。胸悶嘔。脈多沉細。

病因 脾積者。脾之積氣也。難經曰。脾之積名曰痞氣。在胃脘如覆大盤。久不愈。令人四肢不收。此症由於脾胃衰弱。氣少運行。寒邪痰飲。積聚不化而成積。脾胃衰弱不能運化津液。故面黃而肌瘦也。

治療 痞根穴　脾俞　中脘　內庭　足三里　隱白　行間俱灸　塊之上下左右針而灸之。

治理 痞根爲經外奇穴。專治痞積。凡屬積聚。用之皆效。脾俞中脘益脾胃之衰弱。而助運化。內庭隱白足三里行脾胃之積氣。行間破積聚。復於塊之上下左右針灸之。其效益著。

肺積

症狀　微寒微熱。咳嗆氣促。呼吸不利。嘔逆頻作。右脇下覆大如杯。胸痛引背。脈弦細。

病因　難經曰。肺之積名曰息賁。蓋因肺氣積於脇下。喘息上賁也。此症多由肺氣不利。痰濁不化。積聚脇下而成。

治療　巨闕　期門　肺俞　經渠　章門　豐隆　內關　足三里鍼而灸之

治理　息賁治法。宜降氣開痰散結。故取期門章門巨闕直達病灶以散結。內關經渠宣肺氣而開痰濁之積聚。豐隆足三里降氣而化痰濁。

腎積

症狀　先於小腹右角起一小塊而微痛。塊漸大。痛漸劇。時上時下。痛引腹部。寒熱不時。甚則痛攻心下。坐臥不寧。困苦萬狀。續則漸漸不衝。塊漸小。痛亦漸止。而至於無。起伏不時。

病因　腎積曰奔豚。因其發作時。有物如豚之奔走故名。金匱曰。奔豚病從少腹起上衝咽喉。發作欲死。復還止。皆從驚恐得之。經曰恐則傷腎。蓋大驚猝恐。腎藏之分泌乖常。尿毒穢氣結而上逆。故自少腹上衝於心胸。甚則欲死。古人所謂水氣上逆凌心也。然亦有由腎氣虛而寒溼積聚。或房勞不節。復感寒涼。而成斯疾也。

治療　中極　章門　腎俞　湧泉　三陰交　關元　俱用灸法

治理　奔豚由於腎氣虛寒。水氣上泛。故灸腎俞湧泉以益腎陽。而排除水氣。關元中極行氣而通調水道。章門三陰交。祛腎臟之寒邪。他如氣海期門各穴。均可酌取也。

三消

上消

症狀　心胸煩熱。咽如火燒。大渴引飲。飲不解渴。小便清利。食量減少。大便如常。舌上赤裂。脈多細數。

病因　內經曰。心移熱於肺。傳爲鬲消。鬲消即上消也。多由嗜慾過度。或過食辛熱之物。或感受燥熱之邪。以致心肺鬱熱。故飲食多而易消也。

治療　內關　神門　魚際　尺澤　肺俞　人中　然谷　太谿　金津　玉液　俱針

治理　上消由於心肺鬱熱。故針內關神門以清心熱。魚際尺澤以清肺熱。然谷太谿清熱養陰。金津玉液清心熱而生津液。針人中以泄陽邪。且此穴亦能治消渴多飲水也。

中消

症狀　口渴引飲。多食善飢。不為肌膚。肌肉瘦削。大便祕結。小便頻數。自汗口臭。甚或面赤。唇焦。關脈滑疾。舌紅苔黃。

病因　經云。二陽結謂之消。又曰大腸移熱於胃。善食而瘦。謂之食㑊。又曰邪在脾胃。陽氣有餘。陰氣不足。則熱中善飢。此症乃脾胃鬱熱。津液枯燥。故渴飲多食。而不能化生津液。以滋養肌肉。以致漸形瘦削也。

治療　中脘　胃俞　脾俞　內庭　曲池　三里　支溝　陽陵　金津　玉液　俱針

治理　中脘胃俞內庭泄胃熱也。曲池清大腸之熱。脾俞陰陵清脾熱。金津玉液清熱而生津液。三更支溝清熱而通大便。

下消

症狀　初起便溺不攝。溺如膏淋。煩渴引飲。漸至腿膝枯細。面色黧瘦。耳輪焦槩。小便多而渾濁。或上浮如脂。或如燭淚。脈細數舌絳。

病因　下消又名腎消。多因色慾過度。肝腎陰虛。虛則火旺而津液爲之消爍。故煩渴引飲。而小便渾濁也。

治療　湧泉　然谷　腎俞　肝俞　肺俞　曲泉　中膂俞　俱針

治理　下消由於肝腎陰虧。虛火上炎。故針肺俞以清上焦之虛火。腎俞肝俞以益肝腎之陰而制陽光。湧泉然谷曲泉以清虛熱而養津液。中膂俞清熱而養腎陰。此皆治腎陰虛而成渴消者。然亦有命門火衰。火不歸元者。則宜灸腎俞中膂俞中極命門關元氣海以振下焦之陽。而納上浮之火。

黃疸門

陽黃

症狀　一身盡黃。色明如橘子柏皮。身熱煩渴。或消穀善飢。小便赤澀。大便祕結。脈滑數。舌黃厚。

病因　黃疸有陽黃陰黃之分。陽黃屬熱。陰黃屬寒。陽黃多由脾胃溼熱鬱蒸而成。喻嘉言謂夏月天氣之熱。與地氣之溼交蒸。人受二氣。內結不散。發爲黃疸。惟近今之說者。則爲胆熱。膽口炎腫。汁不下於小腸。溢於血管而發黃色也。

治療　中脘　足三里　委中　至陽　胆俞　陽陵泉　公孫　三陰交　俱針

治理　中脘足三里清胃熱而導府。委中清熱而利溼。胆俞陽陵泉。泄胆中之熱。公孫三陰交清脾熱。至陽化溼熱而退身熱。

陰黃

症狀　身目皆黃。黃色晦黯。有若薰爐。形寒胸痞。腹滿踡臥。四肢撥腫。或自汗自利。小便亦少。渴不欲飲。甚則嘔吐。舌淡而白。脈濡而細。大便白色。

病因　陽黃色明屬溼熱。陰黃色晦屬寒溼。亦有因陽黃服寒涼藥劑過多。而成陰黃者。陰黃之成多由過食寒冷之物。或感受寒溼之邪。蘊於脾胃。越於皮膚而成。

治療　脾俞　氣海　足三里　至陽　中脘　陽綱　俱用灸法

治理　陰黃屬寒溼阻於脾胃。故灸脾俞中脘以化脾胃之溼邪。氣海除腹中之寒溼而治腹滿。至陽陽綱化寒溼。足三里行溼而治嘔吐。

酒疸食疸

症狀　身目均黃。心下懊憹。胃呆欲吐。脛瘇溲黃。面發赤色。小便短少。足下熱。舌苦黃膩。脈弦實。此酒疸也。若寒熱不食。或食畢卽頭暈。脘腹滿悶。二便秘結。舌膩脈滑實者。此食疸也。

病因 酒疸者。疸病之由於酒傷得之者也。如飢時食酒。或酒後當風而臥。入水淩浴。以致酒溼之熱。遏而不宣。蒸發爲黃。食疸又名穀疸。乃食傷所成之疸也。多由胃熱大肌。過食停滯。致傷脾胃而成。夫所謂酒疸食疸者。均屬陽黃病。不過因其病因疸同。而易其名稱耳。胡廉臣先生謂。凡人消化不良。不論因酒因食。妨礙胆汁之排泄者。均成黃疸也。

治療 酒疸依照陽黃條針之。(食疸)中脘足三里胃俞內庭至陽

治理 酒疸雖由酒傷。亦屬溼熱爲病。故與陽黃同治。食疸由於食積。故取中脘足三里以運化食滯。胃俞內庭以泄胃實而清熱。至陽清熱而退黃。他如陽綱腕骨等穴俱可採用。更宜與陽黃條互相參看。

女勞疸黑疸

症狀 額上黑。皮膚黃。微微汗出。手足心熱。或薄暮發熱。然必以少腹拘急。小便自利。大便黑。爲女勞疸之的症。

病因 女勞無度。或醉飽入房。或小腹蓄血。或脾中溼濁下趨。古人謂爲脾腎之色外現。

則身黃而額黑。黑疸多由酒疸女勞久疸延。或誤下。以致脾腎虛弱而成。初起則面部發黑。甚則周身漸黑。大便亦黑。若腹脹如水臌。或心中如噉蒜狀。皮膚不仁者。則爲危候。

治療　公孫　然谷　中極　脾俞　腎俞　至陽　陽綱　俱用灸法　血瘀者加關元膈俞。

治理　女勞與黑疸。均由脾腎虛弱。故灸脾俞腎俞以益脾腎。佐公孫然谷以宣脾腎之氣化。至陽陽綱專退身黃。爲治疸症之要穴。若小腹有瘀血者。則加針灸關元膈俞以行瘀。

汗病門

自汗

症狀　不因勞動。不因發散。濈然汗自出。或每至天明時汗自出。惡寒身冷。脈象虛微。舌多淡紅。

病因　自汗屬陽虛。陽者衞外而固表者也。陽氣內虛。陰中無陽。蓋陽虛陰盛而表不固。腠理疏。則汗隨氣泄。經謂陰勝則身寒汗出。即其候也。若過服汗劑。汗出不止。

則爲亡陽危候。

治療 合谷　鍼　復溜　灸　大椎　灸

治理 瀉合谷補復溜以止汗。大椎以固表而振陽。并可參用下條盜汗各穴。若自汗欲脫。亟宜灸神闕。不論壯數。但以汗止爲度。蓋汗出過多。則心臟衰弱。神闕爲強心之穴也。

盜汗

症狀 寐中汗竊出。醒後倏收。氣虛神倦。脈虛細。舌多紅而光。仲景云。男子平人脈虛弱細微者。善盜汗也。

病因 盜汗屬陰虛。陰者內營而斂藏者也。陰氣虛弱則生內熱。而迫液外泄。若兼咳嗽。顴紅。潮熱。等症。則已入損門爲難治。若汗出如珠不流者。此爲絕汗。死不可治。

治療 間使後谿陰郄肺俞百勞。

治理 盜汗屬陰虛內熱。故鍼間使後谿陰郄以養陰退熱。肺俞百勞退熱而益陰。若婦人產後脫血過多。孤陽無依。大汗不止者。則宜本條各穴改鍼易灸。并加灸氣海關元等穴。以固眞元。

黄汗

症狀　身重而冷。狀如周痺。胸中鬱塞。不能食。煩躁不眠。汗自出而口渴。汗出沾衣。色正黃。如柏汁。脈象多沉。

病因　黃汗爲疸症之一。身黃而汗出沾衣作黃色也。乃脾家溼熱蘊蒸。由毛孔泄出。多由汗出用水浸浴。水入毛孔。經鬱蒸而爲黃汗。仲景所謂黃汗得之汗出。入水中浴。水從汗孔中入得之是也。

治療　脾俞　陰陵　三里　中脘　公孫　至陽

治理　黃汗屬脾家溼熱。故取脾俞公孫以清脾熱。三里中脘至陽以清熱化溼。陰陵滲利溫邪。此外如三焦俞人中等穴。均可佐使。并宜酌量鍼黃疸門陽黃條各穴。

寤寐門

不眠症

症狀　精神恍惚。怔忡健忘。輾轉不寐。四肢懈怠。甚則心煩焦急。頭旋眼花。少氣不支。

病因　此症多由思慮太過。傷及心陰。神不守舍。或病後血虛火旺。心神不安。乃成煩而不寐。怔忡健忘等症。然亦有胃中有積有熱。或痰濁阻滯。則心煩不寐。內經所謂胃不和則臥不安是也。他如邪念叢生。慾火上衝。雜念交感。致成心理之失眠者。則惟靜養可以奏功。鍼藥所難及也。

治療　三陰交　神門　間使　心俞　內關

胃有積熱者則鍼中脘　三里　內庭　天樞

痰濁阻滯　豐隆　中脘　足三里　肺俞

治理　失眠之由於心陰不足。神不守舍。與血虛火旺者。則鍼三陰交間使內關以滋陰養液。心俞神門以安神定志而養心陰。若因積因熱因痰者。則但去積清熱化痰。積滯去。熱邪退。痰濁除。則神志安靜自得酣臥矣。

多寐症

症狀　四肢倦怠無力。胃呆食減。呵欠頻頻。精神萎頓。反復昏睡。脈則虛緩。

因病　此症多由大勞大病之後。脾陽虛憊。精神不振。以致怠倦多寐。或溼邪內戀。蒙蔽清陽。神志不清。昏迷好睡。則必兼舌膩口糊等症。

治療　脾陽虛憊者。大椎　至陽　脾俞。

治理　溼邪內戀者。　中脘　足三里　脾俞　胃俞。

大椎至陽。振陽氣。脾俞益脾。艾灸三穴。則能興奮精神而治陽虛多寐。屬溼者則取中脘　三里　脾俞　胃俞　以斡旋中樞。而化溼邪。

疝氣門

衝疝

症狀　氣從少腹上衝心。疼痛異常。甚則冷汗淋漓。飲食不進。二便祕塞不通。古人所謂不得前後爲衝疝也。

病因　疝症均屬於肝。與衝任爲病。良由衝任循腹裏。肝脈過腹裏而環陰器。故疝氣雖有衝疝。厥疝。瘕疝。狐疝。癀疝。瘕疝。癩疝。等之區別。終不外乎此三經也。衝疝之原因。多由寒溼之邪。久鬱於內。化鬱爲熱。客寒觸之。以致少腹疼痛。掣引睪丸。甚則氣上逆而衝心作痛。歲久不癒。漸變衝心疝氣。則難調治矣。

治療　關元。太冲。獨陰。臍三角灸法。

治理　衝疝乃衝任與肝三經之氣滯而成。故用臍上三角灸法。以宣通氣結。關元太冲疏肝任二經之氣。獨陰爲經外奇穴。專治疝氣。

癩疝

症狀　少腹控卵。腫急絞痛。甚則陰囊腫大如斗。如栲栳。或頑癩不仁。

病因　此症由太陽寒溼之邪。下結膀胱。因而陰囊腫痛。經曰三陽爲病。發寒熱。傳爲癩疝。三陽即小腸。膀胱胆。小腸膀胱居下體。而肝與胆爲表裏。故皆能致疝也。

治療　曲泉　中封　太冲　大敦　氣海　中極

治理　肝脈循陰器。故疝病皆宜取肝經之穴。曲泉中封泄肝氣。太冲大敦疏肝也。且二穴治疝氣。每有特效。可謂治一切疝氣之主要穴。復針灸氣海中極。以調氣。而化寒溼之邪。

厥疝

症狀　脈大而虛。少腹疼痛。上下左右。攻衝無定。甚則四肢厥逆。

病因　肝經素有鬱熱。寒邪外鬱。肝氣乃不條達。因而橫逆遂成此症。

治療　太冲　大敦　獨陰　石門　氣海

治理　太冲大敦疏泄肝氣。石門氣海行氣而治少腹疼痛也。

狐疝

症狀 睾丸偏有大小。臥則入腹。立則下墜。時上時下。脹緊攻痛。久則正氣日衰。病氣日盛。以致不能坐立。坐立則脹墜欲絕也。

病因 經曰。肝所生病爲狐疝。多由寒溼之邪。襲入厥陰。沉結下焦。邪挾肝風而上下也。

治療 依照癩疝條治療之。并於臍下六寸。兩旁一寸。灸三壯。

瘕疝

症狀 腹有瘕痞。左右有塊。痛而且熱。時下白濁。女子不月。男子囊腫。

病因 此症多由於脾經溼氣下注於衝任交會之處。以致結爲瘕痞作痛。衝爲血海。任爲氣海。脾溼下注。衝任失調。故女子爲不月。男子則陰囊腫痛也。

治療 氣海　中極　陰陵　陰交　大敦　太冲

治理 陰陵化脾經之溼氣。大敦太冲治陰囊腫痛。氣海中極陰交宣衝任之氣而消瘕痞。

㿗疝

症狀 肝脈滑甚。卵核腫脹。偏有大小。堅硬如石。痛引臍腹。甚則腐囊因腫脹而成瘡。時出黃水。或成癰潰爛。或下膿血。

病因　此症稱之爲癀疝者。以其必裹膿血。甚則下膿血也。多由肝不條達。血凝氣滯而成。蓋肝脈環陰器。故結於陰囊而爲癀疝。

治療　依照㿗疝條治療之。再加鍼氣衝中極。以行氣血之凝滯。而治臍腹部之痛。

癃疝

症狀　少腹滿痛。腎囊腫大。小便祕塞。甚則脹緊欲絕。

病因　癃者小便不通也。疝病而小便祕塞。故名癃疝。此症多由脾經溼熱下注膀胱。溼熱鬱結。故小便不通。腎囊腫大。少腹滿痛等症見矣。

治療　關元　陰陵　三陰交　水道　大敦　太冲

治理　癃疝治法。當通利小便。故取關元宣膀胱之氣化而治少腹滿痛。陰陵水道化脾經之溼熱。而通調水道。大敦太冲則治陰囊腫脹也。

遺精門

康健之體。氣盛精旺。淡色慾。節房勞。其有偶然遺者。非病也。乃盈滿而遺也。謂之精溢。若每日一遺。或三五日一遺。以致疲勞倦怠。耳鳴頭眩者。則病矣。若非有良好之調治。久則漸入虛勞。而成不治。然遺精一症。則又有有夢無夢之別。有夢屬心病。無夢屬腎病。有夢曰夢遺。無夢曰滑精。二者之治法。略有不同。述之於後。

夢遺

症狀　精泄時每夢與女子交合。或每夜一遺。或數日一遺。久則神志恍惚。脈多弦數。舌紅。有時黃薄。

病因　夢遺屬心病。多由好色之人。見美色觸於目而起淫心。印入於腦。夜乃成夢而遺精。古人謂心爲君火。腎爲相火。慾念妄動則君火搖於上。相火熾於下。水不能濟。而精隨以泄。或陰虛之體。不能涵養。陽事易興。而致遺泄。若失於調治。久則漸入損門。爲患不淺也。

治療　心俞　白環俞　腎俞　中極　關元　三陰交　針

治理　心俞　白環俞　腎俞三穴。清君相之火而滋陰。三陰交則養陰以涵陽。所謂壯水以制火也。三極關元益虛弱而固精。惟由於慾念妄動者。則爲心理所造成。尤宜恬淡性情。清心寡慾。庶可收效。不然則無情之鍼灸可救生理之變化。不能治情慾之妄動也。醫者病者。宜注意之。

精滑

症狀　每在睡中。無夢自遺。或慾念一動。陽舉而精自滑下。不分晝夜。甚則一日數度。精神痿頓。耳鳴目眩。腰痛頭昏。漸則潮熱盜汗。而成虛癆。脈虛弱或細數。

病因　此症多由縱慾無度。或誤犯手淫。斲喪太過。以致腎氣不藏。精關不固。不能攝精。每因慾念一動。卽不禁而滑出。漸至神經衰弱。而潮熱盜汗等症作矣。調治殊難治療。此症首宜使病者定心志。節嗜慾。然後施以治療之法。古人云。服藥百顆不如獨臥一宵。此症最相宜也。

治療　精宮腎俞關元中極　俱用灸法

治理　精宮能固攝精氣。專治遺精。關元中極固精益元氣而補虛弱。腎俞。補益腎藏。若兼潮熱盜汗等症。則加鍼灸膏肓足三里。

淋濁門

淋與濁二症也。淋者小溲數而且澀。淋瀝不暢。故謂之淋。仲景云淋之爲病。小便如粟狀。少腹弦急。痛引臍中。大抵淋病之起。多由胞熱之故。與濁懸異。濁者小便時下濁液。綿綿如醬水狀態。多由溼熱下注。然淋病有石淋。勞淋。血淋。氣淋。熱淋之分。濁則有赤濁。白濁之別。症狀各有不同。宜分別述之。

五淋

症狀 (石淋)臍腹引痛。小便艱難。輕則下沙。甚則下石。或黃赤或渾濁。色澤不定。便時刺痛。澈於心肺。令人難受(勞淋)小便淋瀝不通。遇勞而發。身體疲憊。溲時數痛。腹脹牽引谷道。勞之微者。其淋亦微。勞之甚者。其淋亦甚。(血淋)溺痛帶血。血色鮮紅。脈數。(氣淋)少腹滿痛。溺有餘瀝。(熱淋)肥盛之人。溼熱流於下焦。多發於夏季溼令。瘦削之人。陰虛津枯。熱甚而淋。然皆莖中熱痛。小便熱赤。口渴喜飲水。或煩熱。

病因 (石淋)由於膀胱蓄熱。失其氣化之職。結成沙石。從尿道而出。惟此症非其人陰陽太虛。而曾患生殖器病者不易得此。故五淋中當以石淋爲最少。然一經患此。頗難治療。故爲淋病中最重之症。(勞淋)由於本能衰弱。元氣不足。膀胱不能輸送水道。苟一過勞事。溺竅因此淤塞不通。而爲淋病。(血淋)此症亦由膀胱蓄熱。熱甚搏血。失其常道。與溲俱下。(氣淋)由於氣化不及州都。胞中氣脹。故使小便點滴。小腹滿堅。(熱淋)熱淋有虛實之分。屬於實者。如與不潔之婦人交合。或好食辛辣煎炒厚味。積熱太甚。流注下焦。膠祕而爲熱淋。虛者如好色縱慾。陰精枯燥。相火猖。熾熾灼津液。腎氣爲斵喪。致水道不利。而成熱淋。

治療　腎俞。三焦俞。小腸俞。膀胱俞。陰陵。中極。中谷。尺澤。石淋加鍼行間。太谿。委中。勞淋加鍼關元。血鍼加鍼血海。三陰交。氣淋加針氣海。熱淋加鍼湧泉。

治理　淋雖有五。然皆爲小溲澀痛。屬腎與膀胱熱邪鬱結。不能滲泄故也。故針腎俞。膀胱。宜通氣化。三焦俞。小腸俞。以清熱。中極以鼓下焦氣化。佐陰陵以通利小便。合谷。尺澤開肺氣而調水道。石淋加行間。太谿。委中。以清熱養陰。勞淋加灸關元。以益下元。血淋加血海。三陰交以清血。灸氣加灸氣海以調氣。熱淋加湧泉以清熱。

赤白濁

症狀　初起口渴。小便時莖中熱痛。如火灼。刀割。穢濁之物。淋瀝不斷。隨溲銜出。不便時。自流濃液。白濁則色白。如眼之眵。如瘡之膿。赤濁溺赤。濁亦赤。經過相當日數。則莖中不灼痛。小便則頻數。濁液自滴。脈多滑大。或濇滯。

病因　白濁赤濁多由入房太甚。或交媾不潔。忍精不泄。以致敗精瘀腐。蘊釀而成。或溼熱下注而成溼熱濁。然由敗精瘀腐者十中六七。由溼熱下注者十常二三。古人云色白如泔。如或腐化腐醬。而馬口不乾結者爲溼。色黃赤而馬口乾掩者爲火。然亦有失於調治。久則脾氣下陷。而成脾腎虛弱之症。則當求脾腎而舉之固之。不能與普通之赤白濁一例觀也。

治療　三陰交　關元　腎兪　膀胱兪　陰陵　脾虛下陷者。脾兪　腎兪

關元　中極　章門　針而灸之

治理　濁與淋雖屬二症。然其治法則相近。本症取腎兪膀胱兪關元等穴。鼓舞下焦之氣化。佐三陰交陰陵淸熱而分利小便。蓋小便通暢。則氣自除。脾腎虛者則針灸脾兪腎兪章門關元中極。以益脾腎而固下元。

癃閉門

小便癃閉

症狀　閉者則小便閉無點滴下。癃者淋瀝點滴而出。一日數十行。或勤出無度。屬實熱者則煩悶舌赤。大便閉。小便不通。莖中疼痛。屬虛寒者。憎寒喜煖。手足逆冷。小腹如冰。言語輕微。裏無熱候。口不渴。舌淡紅。然皆少腸痠急。脘腹痞滿。甚則胸悶氣喘。

病因　屬實熱者。則多因溼熱之邪鬱阻膀胱。以致小便閉塞。少腹痠滿。屬虛寒者。則由腎陽衰弱。不能分佈水液。以致小溲滴點。日數十行。然亦有敗精瘀血。阻淤溺道

。以致小便閉塞。更有因肺氣不宣者。古人謂肺主通調水道。肺氣閉塞。則小便不通也。

治療　氣海。關元。中極。屬實熱者加鍼陰陵。三陰交。曲泉。屬虛寒者。加灸腎俞。膀胱俞。肺氣不宣者。加合谷尺澤。

治理　氣海。關元。中極。宜下焦之氣化。氣化行則小便暢下。屬實熱者。則佐陰陵等穴清熱能利小便。屬虛寒者。則佐腎俞等穴以振腎陽。肺氣不宣者。則佐合谷等穴以開展肺氣。上竅開則下竅自利。若因敗精瘀血者。則多屬鬱熱之症。可依照實熱條鍼治之。

大便閉

症狀　大便閉結。腹部痞滿。疼痛拒按。內熱煩燥。口渴。溲赤。此屬實閉。若形枯神衰。肌肉消瘦。內無實熱。大便祕結。此屬虛祕。

病因　實閉症。多由食積與熱邪阻滯腸中。以致便塞腹痛。故必兼煩熱口渴等症。虛祕者則因血虛液枯。腸中失所濡潤。不能輸送糟粕外出。故內無實熱見症。肌肉消瘦者。血津枯而榮養缺乏也。

治療　大腸俞。支溝。足三里。氣海。實熱者加中脘。內庭。三間。陰虛者加太冲。太谿。

治理 大便不行。病灶在腸。故取大腸俞氣海以宣腸中氣化。足三里。照海。支溝。降陽胃之氣而通大便。實熱症加鍼。中脘內庭。以化積滯而清熱邪。陰虛則加太冲。太谿。以滋養津液。津液充則大便潤下。

便血門

症狀 小便溲血。脈多無力。神疲眼倦。若溲血日久。形枯色痿。癃閉如淋。二便引痛。喘急虛眩。行步不能者。與死為鄰矣。

病因 經曰胞移熱於小腸。則癃溺血。可知溺血之由。無不本諸熱者。蓋血得熱則妄行。從小便而出。多慾之人。腎陰虧損。下焦結熱。血隨而出。然亦有肝腎兩虛。血室之血。失於統攝而成此症者。

治療 膀胱俞。關元。三陰交。湧泉。肝腎虛者。加肝俞。腎俞。

治理 膀胱俞。清溺中之熱。佐關元以固血。三陰交與湧泉。清熱以甯血。肝腎虛者。加肝俞腎俞以益肝腎。

溼脚氣

症狀　浮腫先見於足部。軟弱光亮。漸延兩股兩膕。不便行走。甚則破之流水。痠重難動。因寒而發者。面黑。惡寒。足冷如冰。是爲寒溼脚氣。溼鬱化熱者。面黃。口渴。便閉。熱赤。足如火熱。是爲溼熱脚氣。若嘈心嘔吐。煩渴異常。氣短喘息。胸悶。心跳。或腹部衝脈動跳震手。則爲脚氣衝心之危候。若脈短促。舌紫黑。或苔焦。其人昏厥不語。兩鼻孔煽者。則不治。

病因　脚氣病。內經各厥。分痺厥。痿厥。厥逆三症。頑麻腫痛爲痺厥。卽溼脚氣也。縱緩不收爲痿厥。卽乾脚氣也。厥氣衝胸爲厥逆。卽脚氣攻心也。溼脚氣之原因。多由處居低溼之地。溼邪襲入足脛經絡皮肉。而致腫脹。或飲汚穢之水。及腐敗食物。化生溼熱。下注兩足。而得之溼毒上攻。則成脚氣衝心之症。

治療　足三里　三陰交　絕骨　陰市　陽輔　陽陵　犢鼻　商邱　崐崙
脚氣攻心加鍼關元　氣海　大敦

治理　脚氣病所取各穴皆病灶之局部。且各穴之功效爲陽輔陽陵風市等之通經絡。三里崐崙等之化溼行氣。故能治脚氣頗有效驗。惟寒溼脚氣則宜針而灸之。若溼熱脚氣。腫處發熱者。愼不可灸。若脚氣攻心則宜加取關元氣海大敦以泄氣之上逆。

乾脚氣。

症狀　兩脚乾瘦。不腫而痛。或萎弱攣急。或日見枯細。步履維艱。面色枯燥。舌多紅。脈弦數。或弦細。甚則亦能衝心。而成心悸氣促、腹部震動等症。

病因　本病多起於病後營養缺乏。或暑熱傷足三陰。津液爲熱所灼。以致枯細瘦弱。而爲乾脚氣。

治療　湧泉。至陰。太谿。崑崙。陰陵。陽陵。三陰交。絕骨。三里。

治理　本症所取各穴。均能直達病灶。而具養陰退熱通經活絡之功。若攻心症。則與溼脚氣之脚氣攻心條同治。

痿痺門

痿症

症狀　腿膝手足不利。或不能伸屈。或血弱而不能履行。或冷痲而失其知覺。

病因　痿者四肢無力。舉動不能。如委棄之狀也。此症多由熱邪爍傷精血。而皮毛筋骨爲之軟弱無力。或病後精血大虧。筋骨失所營養而成。內經所謂大經空虛。營衛之氣不足也。

治療　陽陵。絕骨。大杼。　灸　參看手足各病門。

治理　痿症乃筋骨爲病。故灸陽陵大杼絕骨三穴。以恢復筋骨之用。並參觀手足各病門以治療之。

痺症

症狀　筋骨二部分作痛。或拘攣。或遊行走痛。而無定處。

病因　經云風寒溼三氣雜至。合而爲痺。風氣勝者爲行痺。血氣勝者爲痛痺。溼氣勝者爲著痺。都爲經絡受風寒溼各邪之襲擊而發生疼痛拘急等症。

治療　依照痿症治療各穴。改灸爲鍼。或鍼且灸之。并參觀手足胸背各病門。

婦人門　經病

經水先期

症狀　未及經期而經先至。腹不甚痛。身熱而色紫。脈洪數。此屬實症。亦有腹痛身不熱而色鮮紅者。此屬虛症。

病因　女子經水。以三旬而一至。月月如斯。經常不變。故謂之月經。又謂之月信。一有不調。則失其常度。而諸病見矣。素問曰天地溫和則經水安靜。天寒地凍則經水凝泣。天暑地熱。則經水沸溢。可知經水先期。屬血熱者爲多。蓋血熱內鬱。能使神經與細胞起非常之興奮。於是血液運行。亦同時超過常度。而經乃先期至矣。然亦有因於氣虛不能攝血。而不由血熱者。更有因於憂鬱忿怒過度。血液之循環乖度。遂致血不涵肝氣橫逆。而經先期來者。此在乎臨症時細察也。

治療　血熱氣海三陰交行間關元針。肝氣橫逆者。加曲泉期門肝俞。氣虛者灸氣海，中極，三陰交，

治理　血熱而經先期至者。則當清血熱。故取血海，三陰交。行間等穴，以清熱。關元位居子宮。鍼之則能直達子宮。故爲經病之要穴。鍼而泄之。以清熱。肝氣橫逆則加鍼曲泉，期門，肝俞，以泄肝氣。虛者則灸氣海，中極，三陰交，以益氣固血。

經水後期

症狀　經水後期而來。少腹綿綿作痛。而色淡不鮮。脈大無力或濇細。惡寒喜煖。此虛也。然亦有色紫或成塊者。脈細數。此血熱乾枯也。

病因　方書謂經水後期。屬血室虛寒。或生冷凝滯。蓋血室虛寒或誤服生冷。其血因寒邪而凝結。於是血液之循環濇滯。運行之能力減退。遂致經行後期矣。間亦有血熱乾枯者。蓋血熱內熾之人。因高度熱量之薰灼。遂致血絡燥結。血液乾枯。血行瘀滯。而致經水後期而至者。然不常見也。

治療　虛寒者關元，氣海，血海，地機，歸來灸，血熱內熾者，依照血熱而經水先期條針治之。

治理　虛寒而經水後期。治當驅寒邪。溫下焦。而調氣血。故灸關元，氣海，歸來，以煖子宮而益氣除寒。灸血海地機散血液之凝滯。而促進血行。庶乎寒邪去。氣血通暢。斯無後期而來之患矣。

月經過多或減少

症狀　婦人經水一月一行。其排泄量。須月月平均。若經來過多。或過少。則爲病矣。

病因　方書以經多屬實。經少屬虛。此言其常也。然經來過多。有由於氣虛者。有由血熱妄行者。有由鬱怒傷肝者。蓋氣虛則不能攝血。血熱則血液妄行。鬱怒則肝氣橫逆。凡此種種。皆足以造成。經水過多之病。經來過少。有由於瘀熱內蓄者。有由於脾胃虛弱者。有由於血室虛寒者。蓋瘀熱內蓄。則血液乾枯。脾胃虛弱。則飲食減少。健運失常。經血乏生化之源。血室虛寒。則血液之運行力衰微。因而凝泣。凡此種種。皆能使月經減少也。

治療 經水過多或過少。屬氣虛者依照經水先期氣虛條治療之。屬瘀熱者依照經水先期血熱條針之。血室虛寒者依照經水後期虛寒條治療之。脾胃虛弱者則於虛寒條中。加灸脾俞。胃俞。以補益之。

經閉

症狀 經閉有虛性。實性。兩種。虛性之症狀。爲頭眩心悸。面色㿠白脈細。初則經行減少。漸至經閉不行。或神疲氣短。肢冷脈微。經行乍多。漸至經閉。或食少便溏。而黃脈虛。經期屢亂。漸至經閉。如見少腹硬痛。肌膚甲錯。脈象沉細。月事不來。或腹滿瘕痛。胸悶噯噁。脈象弦細。而月事不來。此實性之經閉也。

病因 經閉之原因頗多。本條所言。不過舉其大略耳。實性之經閉。多由瘀血停積。瘀血積於子宮。新血不得下行。故致經閉而少腹硬痛。或由氣化鬱結。血滯不行。經閉而滿腹痕痛。如胸悶噯噫等症。皆氣鬱之徵也。虛性之經閉。多由血液貧乏。或神經衰弱。子宮不能分泌經水。故致經閉而成頭眩心悸。氣短。肢冷等。氣血虛弱之現象。或脾胃虛弱。消化不良。飲食減少。缺乏產生經水之原料。亦成經閉之病。而現食少。便溏。面黃等症。然有由生理異常者。則月經終身不來。所謂暗經是也。又有二月一行者。謂之並月。三月一行者。謂之居經。一年一行者是謂避年。其經水雖不按月而來。然亦能受姙。身無疾病。此生理之異常。不能作疾病論也。

治療　實性經閉。膈兪。血海。氣海。中極。行間。曲泉。三里。俱用針法。虛性經閉。三陰交，膈兪，肝兪。關元。脾兪。胃兪。俱用灸法。

治理　經閉之屬實者。原由經水瘀結。或因氣結之阻滯，以致閉而不下。則當去其障礙。而經自通。故宜鍼瀉膈兪，血海，以去血積。氣海，中極，直達子宮。調氣而行血。其他如三里，行間，曲泉，俱有破血行血之效。若虛性經閉，其根本爲血液缺乏。無瘀可破。無積可通。法宜補之，益之，則水到渠成。血液充而經自下。故灸膈兪，肝兪，關元，三陰交等穴。補血液益下元。肺胃二兪，則培養中土。滋其化源。經閉之由於脾胃虛弱者。尤爲主要穴也。

經期腹痛

症狀 經期腹痛。有經前腹痛。經來腹痛。經前與經來而少腹作痛者。大多拒按。或經水成塊。脈多沉實。經後而少腹作痛者。則多為空虛之痛。痛而喜按。脈多虛細而弱。

病因 凡經前經來而腹痛者。多屬血瘀氣滯。經盡之後其痛即止。經後而腹痛者。多屬氣血虛弱。然其原因頗爲複雜。如屬於血瘀氣滯者。則有因胞宮陰寒自盛。經水不得陽氣之溫化而暢行。遂致少腹綿綿作痛。經水濇少。甚則四肢厥冷。或行經之期。感受風寒。或內傷生冷。氣血凝泣。不得暢行。而腹痛惡寒。或熱客胞宮。以致行經發劇烈之疼痛。所下經血臭穢異常。他如經期不慎。誤犯房事。或誤食酸鹹過度。皆足以使血凝氣滯。而造成經前經來之腹痛也。若經後腹痛。則由榮血衰少。供不應求。月經臨期。勉強下血。以致血管中之血液缺乏。遂成空虛之痛。痛多喜按。來亦少。或經後血室空虛。寒邪客之以致腹痛。然更有先天不足。發育不全。室女初次經來。即患經痛。以後每行必痛。經期尚準者。此陰道狹窄。經水不得暢行。鍼藥所難醫治。必待育之後。自行痊癒也。

治療 血瘀氣滯者。地機，血海，氣海，中極，足三里，合谷，交信。經後腹痛由於寒客胞宮者，關元，氣海，灸之。由於血虛者，依照經閉門。虛性經閉條治之。

治理 經前與經來腹痛。由於血瘀氣滯。治宜行血調氣。故取地機血海交信等穴，以行血。而治瘀積。氣海，中極，以鼓下焦之氣。合谷，三里，以宣氣滯。因於寒者，則灸以溫之。因於熱者，鍼以泄之。經後腹痛之由於寒客胞宮者。則灸關元氣海二穴以散寒邪。

經漏

症狀 經來不斷。淋瀝無時。所下不多。或時行時止。或少腹綿綿作痛。神疲肢倦。飲食減少。脈沉細或數。

病因 經漏者。淋瀝不斷也。此症多由孱弱之人。氣虛不能攝血。衝任不固。以致月事淋瀝不斷。色多淡而不鮮。或因行經未淨而行房事。致傷胞宮而成。則多少腹疼痛。此外如寒熱邪氣客於胞中。或憂思鬱結氣滯不宣。皆足致此。臨症時當細辨之。

治療 氣虛不能攝血者。關元，氣海，百會，腎俞，命門，俱用灸法。

治理 氣海，關元，益氣而固血。腎俞。命門補益下焦之元氣。百會則從高而升舉之。故經治淋瀝不斷、經期行房與氣滯不宣者。依照經來腹痛條治療之。寒熱之邪客於胞中者。依照經來腹痛條治療之。寒熱之邪客於胞中者。依照經水先期血熱條與經成後期虛熱條治療之。

血崩

症狀 突然下血不止。病人頓成貧血狀態。全身皮膚成蒼白色。口唇爪甲尤甚。心虛忐忑。

四肢發麻。眩暈耳鳴。甚則不省人事。脈芤或沉或伏。

病因 血大至謂之崩。是急病也。其原因亦有多端。素問曰。陰虛陽搏謂之崩。張石頑曰。崩之爲患。或脾胃虛損。不能攝血。或肝鬱有火。迫血妄行。或怒動肝火。血熱沸騰。或脾經鬱結。血不歸經。凡此皆足造成血崩。此外復有悲哀過度。尤爲血崩之大因。蓋吾人平日暇逸，氣和平而血安靜；若猝遇不如意事，而起悲哀，則氣機鬱結，神經乃起變化，以致血行之秩序淩亂，甚則血管破裂而成血崩之患。雖然。血崩之原因固多。當血崩不止。生命之虞在指顧間。危險殊甚。若不亟爲制止。而欲探本求原，未有不誤事也。故不論其病原如何。當以止血爲要務。遏止急流。庶可救急於當時。然後因症施治。以善其後。

治療 血崩不止，關元，中極，百會，三陰交，隱白，大敦，以上俱灸，用直接灸法，不論壯數以血止爲度。

治理 關元中極，益下元而固血。百會固精止血。三陰交養血。隱白，大敦，爲治血崩之特效穴。直接灸之可以立止。其原理如何。莫能解之。舊說所謂大敦屬肝，隱白屬脾，肝藏血，脾統血，故二穴能治血崩。然其確實之理由。或有不然者。缺之以遺知者。

帶下

白帶赤帶

症狀　女子下部流出粘液。似水似膿。或稀或稠。色白者名白帶。色赤者名赤帶。赤白相間者爲赤白帶。或子宮疼痛。尿意頻仍。或穢臭不堪。失於調治。則變爲久病。粘液愈多。體質衰弱。皮膚黃白。全身倦怠。食慾不振。腹痛頭眩。因之孕育無望。或月經不調。且易致血崩。及全身衰弱症。

病因　諺云。十女九帶。可知婦女多帶病矣。王孟英曰。帶下爲女子生而即有。津津常潤。本非病也。但過多則爲病矣。夫所謂帶下者。謂其綿綿如帶而下也。前賢言此有主冷入胞宮者。巢元方，孫思邈，嚴用和，婁全和善，諸人是也。有主溼熱者。劉河間、張潔古，諸人是也。有主脾虛氣虛者。趙養葵，薛立齋，諸人是也。有主痰溼者，朱丹溪是也。有主脾胃虛者，張景岳是也。立說多端。總而括之。不外寒熱二端而已。其病灶則在子宮也。張子和曰。赤白痢者。是邪熱客於大腸。赤白帶者是邪熱客於胞宮。英國合信氏曰。子宮流白帶。與肺傷風則流清涕，大腸病則下痢，其理相同。蓋傷風流涕爲鼻膜分泌出之粘液。下痢爲大腸分泌出之粘液。帶下則爲子宮分泌出之粘液也。子宮蓄熱。或子宮有寒。皆能分泌多量之粘液。或黃或白。其色不一。夾血者則爲赤血。屬熱者少腹隱隱作痛。所下之物或夾穢臭。陰道灼熱。因其子宮炎腫故也。屬寒者則不痛不穢臭。所下之物。白色爲多。惟帶下。除上列原因外。更有思想無窮。慾火中燒。或手淫太過。房事不節。以致損傷子宮而成此症。帶下由此而成者。更爲多數矣。

治理　帶脈專治帶下。歸來中極位近子宮。能直達病灶。驅除障凝。三陰交鍼之則清熱養陰。灸則能溫煖下焦。用之以爲各穴之佐使。屬熱則鍼瀉以清熱。屬寒則艾灸以除寒。赤帶係子宮炎腫。粘滯夾血而下。故針血海以清血。三焦俞少腸俞以清下焦之火。若帶病久延體質漸衰。食減而黃者。則當加鍼灸腎俞命門關元脾俞以補脾腎而固下元。

附不孕之治療法

生育一事。男女雙方均有密切之關係。苟雙方發育健全而無疾病。則兩性相交。未能不生育者。反之。若雙方有疾病。或生理異常。則不能成孕矣。夫生理之異常。屬女性者，則有騾，紋，鼓，角，脈，五不孕。及子宮歪斜之類。屬男性則有發育不全。陽物短少。精宮不正等。凡此種種。皆非鍼藥所能療。其因於疾病者。則可得而治矣。然其原因頗多。女子則月經不調。氣血虧損。子宮虛寒。皆不受孕。男子則陽痿不舉。精薄。精冷。或早泄等。

亦不能生育也。

月經不調　視其或先或後。辨其虛實寒熱。遵照經病門中各條治療之。

氣血虧損　宜取膈俞，氣海，肝俞，心俞，三陰交，鍼而灸之，以益其氣血。

子宮虛寒　宜取關元，中極，腎俞，三陰交，以振下焦陽氣。而養真元。并宜多灸之。

陽痿不舉（或早泄）。腎俞，命門，關元，宜多灸之。取其能補精氣。而振腎陽。精足陽充。則陽興矣。

精薄精冷　依照女子子宮虛寒不孕條治療之。尤宜節制性交。庶克有效。

頭部門

頭痛

症狀　外感頭痛、多屬三陽經絡。太陽頭痛在正中與項部。少陽頭痛多在兩側。陽明頭痛多在額部。內傷頭痛多見氣怯神衰。遇勞即發。或頭痛如破。或時常牽引作痛。昏腫不安。

病因　外邪襲入三陽經絡。頭部血管或充血或鬱血。皆致頭痛。以頭部屬三陽經也。然有因風，因寒，因溼，因熱，因暑等之差別。感受風寒而痛者。則多兼惡風惡寒、因於溼者則頭痛而重，或倦怠，無力，口糊。因於熱者只見發熱，心煩，口渴。因暑者或有汗或無汗，身惡熱。如血分不足，陰火攻冲，則痛連魚尾，善驚惕或五心煩熱。因七情惱怒，肝胆火鬱上冲而痛者，則頭痛如破。或痛引脇下。因痰飲而痛者。則昏重而痛。憒憒欲嘔。頭痛自有多因。不可不辨也。

治療 腦頂痛上星，風池，百會。正頭痛上星。神庭，前頂，百會。額角眉稜骨痛，攢竹，合谷，列缺，眉心。偏頭痛。頭維，太陽，風池，臨泣，

治理 以上各穴。皆根據病灶而取。頭痛之屬實熱者。鍼以瀉之。屬虛屬寒者。鍼而灸之。更宜究其病因何屬，而加用其他穴俞。如因外感風寒者。常加鍼風門，風府，大椎等穴，以驅風寒。因溼者。則加取中脘，三里，陰陵，等穴以化溼。因暑熱者。則加鍼委中，尺澤，合谷，曲池，間使，等穴以清暑熱。內傷血分不足，陰火上冲者。加後谿，間使，三陰交，肝俞，腎俞，等穴以養陰退熱。肝胆之火上冲者。加肝俞，期門，行間，等穴以泄肝。因痰飲者。則加豐隆，肺俞，三里，等穴以化痰飲。此皆貴乎醫者臨症時。隨機而應變之。

附頭風 雷頭風

頭風與頭痛。并非二症。凡頭痛之久而不愈。起伏不常。時發時愈者。乃頭風也。故其

症狀與治法與頭痛一也。惟有因痰飲停留胃脘。其人嘔吐痰多。發作無時。甚則停痰上攻。口吐清涎。暈眩不省人事。飲食不進者。則爲醉頭風。若頭痛而起核塊者爲雷頭風。多由痰濁阻滯。若頭中如雷之鳴者。風客所致也。治療之法。醉頭風宜取豐隆：肺俞，三里，中脘，等穴以化痰濁。佐風池，腦空，頭維，合谷，等穴。以治頭痛。雷頭風宜取百會，風池，風府等以驅風而治頭痛。因痰者佐以化痰之穴。更宜審其寒熱。於核塊之上屬寒者，則灸之。屬熱者，刺出血。則收效更易也。

眩暈

症狀　眩謂眼黑。暈爲頭旋。俗稱頭旋眼花是也。由於內風者，多兼耳鳴，心悸。或夜間盜汗。五心常熱。屬外風者則多兼寒熱骨節疼痛。或頭眩而兼頭痛額痛。

病因　經云。諸風掉眩。皆屬於肝。故眩暈之病。多屬於肝腎陰虛。不能涵陽。而虛陽上越。致成頭旋眼花。五心發熱。等症。其因於外風者。間亦有之。蓋風邪外襲。激動痰涎上干而成眩暈。然屬內風者爲多也。

治療　屬內風者，百會，頭維，太陽，攢竹，上星，肝俞，腎俞，湧泉，行間，三陰交，屬外風者，風池，風府，頭維，攢竹，豐隆，三里，中脘，

治理　內風眩暈，原肝腎陰虛。而虛陽上越。法當滋壙肝腎。故取肝腎二俞及湧泉行間，三

陰交等穴。以益肝腎而納虛陽。佐百會攢竹穴，以治頭部之眩暈。標本兩顧。庶克有效。外風則取風池，風府，以驅風邪。頭維攢竹以治頭暈額痛。復佐豐隆三里中脘等穴以化痰濁。風邪解痰濁平。則眩暈自己。

附大頭瘟蝦蟆瘟

大頭瘟　此症多由風熱之邪。襲入三陽經絡。初起於鼻額延至面目。紅腫如火灼熱。面有光澤。或壯熱氣粗。口乾舌燥。咽喉腫痛不利。或寒熱往來。甚則大便不通。若不急治。腫處必致腐化成膿。更有傳染之可能。

蝦蟆瘟　則腫於頸項部。亦屬風熱爲病。其兼見之症狀。與大頭瘟相類。亦能傳染。治此二症。急宜於太陽穴之紫絡。用三稜鍼刺去惡血。委中尺澤之靜脈，及少商，商陽，中冲，少冲，少澤，等穴。均刺出血。以清熱而解毒。復鍼合谷。曲池。等穴以退熱而消腫。如大便不通者。更宜鍼中脘，足三里，支溝等穴以通大便。

目疾門

目赤　兩目紅赤。或色似胭脂。或赤絲亂脈。或赤脈貫睛。怕日羞明。甚則淚下。此症之因。多屬風熱上乘。或火鬱於上。以致目球充血。故目赤而疼痛。若因於肝熱上凌者。則多赤而不甚痛也。

治療　太陽，睛明，攢竹，頭維，屬風熱火鬱者，加風池委中，合谷，以疏風而清熱。屬肝熱者加鍼臨泣，行間肝兪等穴。以泄肝熱。

目腫脹　此症之起因有二。一爲外因。一爲內因。外因者。乃感受外界風熱之邪而成者也。其症眼胞瘇痕。輕則如杯。重則如蝦式。必然多淚而珠痛不甚治之易愈。內因者。多由龍雷之火。自上攻擊。其球必疼，而睥方急硬。重則疼滯閉塞。血灌睛中，頗爲難治而變症不測也。

治療　外因，刺風池，頭維，合谷，以驅風熱之邪。刺瞳子髎，及太陽穴（靜脈刺出血）以泄局部之熱而治眼胞內膜充血。內因亦宜刺太陽，攢竹，睛明，頭臨泣，等穴以清熱而退腫。復宜鍼肝兪，足臨泣，光明，行間，湧泉等穴以引上逆龍雷之火。然每多不治也。

青盲雀目　青盲者瞳孔如常。無損無缺。略無變態。惟視物不見。其原因多由七情內傷。損其精血。以致目失所養。最爲難治。若高年及病後，或心腎不充。而成斯症者。雖治不愈。雀目俗稱雀盲，亦稱雞盲，目科爲之高風內障，其狀至晚不見。至曉復明。乃由血虛所致。內經曰，目得血而能視。血虛則不能視也。

治療　青盲與雀目。均由陰血虧虛而成。治當滋補肝腎之陰。故宜取肝兪，命門，三陰交，以益肝腎之陰。陰充目得所養而光自復。復取瞳子髎，攢竹，以恢復視神經之功用。

目昏　初起時。但昏如雲霧中行。漸覺空中有黑花。又漸則視物成二件。久則尤不收。則成遂成廢疾。此症多由血液虛少。光華虧損而成。如七情太過六慾之傷。以致肝血不足。則成此症。亦有目疾失治。耗其目光而昏者。則難醫治也。

治療　依照青盲與雀目條治療之。因三者皆屬肝陰不足。而成之症也。

翳膜　此症先感視物不明。繼則生膜如蠅翅。其象各有不同。故名稱多端。有所謂圓翳，冰翳，滑翳，澀翳，散翳，浮翳，沉翳，偃月翳，劍脊翳，棗花翳，白翳，黃心黑花翳等等。圓翳者黑睛上一點圓。先患一眼繼傳兩目。日中看之差小。陰處看之則大。或明或暗。視物不明。冰翳如冰凍堅實。陰處及日中看之。其形相同。疼而淚出。滑翳如水銀珠子。微含黃色。不痛無淚。遮繞瞳神。澀翳微如赤色。或聚或散。澀痛無淚。散翳形如鱗點。乍青乍白。疼痛流淚。浮翳上如冰光。白色環繞。瞳神不癢不痛。沉翳白藏在黑珠下。向目細視方明。疼痛夜重。偃月翳白輪上半。氣輪交際。隱隱白片。薄薄蓋下。其色粉青。劍脊翳亦稱黃翳。色白或如糙米色者。或微焦黃者。狀如劍脊。棗花翳薄甚而白。起於風輪。從白膜之內。四圍環布而來。白翳黃心。四邊皆白。中心一點黃。大小皆頭微赤。團團在黑珠上。黑花翳凝結青色。大小皆形皆澀。頻頻下淚。此皆翳膜之名稱。與症狀之大略也。欲知其詳。則當讀專書也。其原因多由肝氣盛而發在表也。亦有因勞慾過度。或沵藥過多而成者。

治療 取睛明，四白，太陽，攢竹，等穴以退翳膜。取肝兪行間光明。以泄肝。更可刺少商出血。用血點目。以退翳膜。陽氣衰少者。鍼而灸之。

目淚 目淚之症有二。一爲迎風流淚。一爲目淚自流。迎風而流淚者多患於老年婦人。蓋年老則淚腺硬化。一遇風寒。伸縮力減退。則淚外流。且婦人善哭泣。以致淚腺弛張。亦成斯症。目淚自流者。多由感受熱邪或肝熱上激淚線。分泌目淚過多。而向外溢也。

治療 迎風流淚。宜鍼灸太陽。及鍼頭維，攢竹，以恢復其功用。幷直接灸大小骨空。每有特效。目淚自流取太陽風池頭維後谿睛明等穴。以泄熱。肝熱者加肝兪臨泣以泄肝。

耳疾

耳聾 此症有二。一爲耳聾。一爲重聽。耳聾則兩耳無所聞。重聽則較耳聾爲輕。但聞之不眞也。按腎開竅於耳。少陽之脈絡耳。故肝胆之火上逆。則爲耳聾。腎氣虛弱則爲重聽。亦有風熱之邪襲虛而成耳暴聾者。

治療 耳門，翳風，聽宮，耳聾者加肝兪，行間俠谿，臨泣等穴以泄肝胆之火。重聽者則肝兪，腎兪，大谿，以補益肝腎。耳暴聾者加風池，合谷，等穴以疏散風熱之邪。

耳鳴 耳鳴有虛實二種。耳中如蟬噪不休。以手按之愈鳴者屬實。乃肝胆之火上逆也。若時鳴時止，以手按之則不鳴，或少減者。屬虛。乃肝腎之陰不足也。虛者依照重聽條治療之。實者依照耳聾條治療之。

鼻疾

鼻塞　鼻爲肺之竅。風冷傷肺。津液凝滯。則鼻塞不通。或風熱襲肺。鼻膜炎腫。亦成鼻塞之病。

治療　宜取迎香，通天，以宣鼻塞。復取風府合谷上星以疎解風邪。

鼻流清涕或濁涕。鼻流清涕不止。名曰鼻鼽。多由感受風寒。鼻膜分泌粘液過多。而向外流溢也。鼻流濁涕名曰鼻淵。亦曰腦漏。鼻涕時下如白帶。有時或黃或紅作膿髓狀。氣甚腥臭。亦由風寒化熱。鼻膜因炎腫而成此症也。

治療　鼻鼽宜取上星，風池，大椎，鍼而灸之。以驅風寒。鼻淵宜於以上各穴。單用鍼法以驅風熱，復加鍼迎香，百會，合谷，以泄熱而去鼻膜之炎腫。

牙齒門

牙痛　齒爲骨之餘。而屬腎。其部位則屬陽明。故陽明鬱熱。或腎陰虛而虛陽上亢。則爲齒痛。或風熱外襲。亦成此症。然屬陽明鬱熱者。則舌黃，口渴，紅腫疼痛，多兼發熱。虛陽上亢者，則不腫不渴，舌多無苔。若因風熱者，則多發熱而兼惡風寒。其有因於虫痛者，則齒上有蛀孔也。

治療　合谷。頰車。刺病灶之局部。以止痛。上爿牙痛則加鍼人中。下爿牙痛加鍼承漿。陽明有熱者則加鍼內庭以泄之。虛陽上亢者。加鍼呂細以清之。屬風熱者。加列缺以驅風熱。

口舌門

口乾脣腫　脣屬脾胃。脾開竅於口。故口乾脣腫。皆屬脾胃有熱。若脣腫而起白皮皺裂。如蠶繭者。名曰繭脣。亦屬心脾之火上逆也。

治療　宜取合谷。二間。足三里。三陰交。少商。商陽。刺出血以清脾胃之熱。繭脣加刺大陵。神門。尺澤。等穴以清心熱。

舌瘡舌出血　舌瘡者。舌疼痛而有瘡。甚者發生糜爛。舌出血者。舌破而有血流出。按心開竅於舌。故舌病屬心。心經火盛則舌瘡糜爛。或舌破而出血也。

治療　取金津。玉液。刺出血。以清心火。復鍼合谷。委中。人中。太冲。內關。等穴以泄熱。

重舌木舌　重舌者。舌下脉壅如舌形。木舌則舌壅滿口。而語蹇。亦屬心經鬱熱而發於外也。均是急症。宜速治之。

治療　宜速以三稜鍼。於舌上兩邊刺出血。以清熱退瘇。（舌正中不可刺）復刺金津。玉液。十宣等穴出血以泄熱。

咽喉門

喉痺　喉裏瘇塞。痺痛痰多。不能咽物。甚則水漿不得下也。其原因甚多。有由於風熱者。則兼壯熱惡寒。有由於熱毒者。則兼面黃目赤目睛上視。有由於陰毒者。則喉間腫如紫李。微見黑色。惡寒身瞤。腰痛肢痠。更有由於飲酒過度而成。或七情所傷而成喉癰喉痺等。非數言可盡。然多屬痰火。及風熱抑遏而已。

治療　宜刺少商。合谷。頰車。關冲。等穴以開鬱泄熱。復鍼尺澤。神門。湧泉。豐隆。三里等穴。以清熱而化痰。

喉風　咽喉瘇痛。痰涎壅塞。口噤不開。不能言語。或面赤腮瘇。滴水難下。多由痰火而成。惟所起之根源。有所不同。如忿怒失常。而動肝火。勞傷過度而動心火。膏粱炙煿而動胃火。謳歌憂惱而動肺火。房勞不節而動肝火。凡此種種皆足以使火上痰升。而成喉風。其名稱亦有多端。有所謂鎖喉風。啞瘴喉風。弄舌喉風。纏喉風。飧食喉風。撮口喉風。陰毒喉風。走馬喉風。纏舌喉風。連珠喉風。落架喉風等。不勝備舉也

治療　宜急刺少商。商陽。關冲。出血。以清熱開鬱。再鍼合谷。尺澤。魚際。神門。內關

。豐隆。以清熱化痰。

喉瘇喉痛　普通之喉瘇或喉痛。皆屬風熱。宜取少商。合谷。液門。等穴以疏散之。

乳蛾　乳蛾生於帝丁之旁。形如乳頭。紅腫疼痛。妨礙飲食。有單蛾雙蛾之別。單蛾生於一邊。雙蛾生於兩邊。其因有二。一屬實火。二屬虛火。屬實火者則起於猝暴。兼有形寒發熱。頭痛等症。虛火則發生緩慢而無寒熱之見象也。

治療　宜刺金津。玉液。廉泉等穴。以清熱退腫。復佐合谷。少商。以泄熱。

小兒疳症

疳症多因小兒氣血虛憊。腸胃受傷所致。有因孩提闕乳。早食粥飯。或乳食不節而成者。有恣食甘肥香炒生冷而成者。其症多見頭皮光急。毛髮焦稀。顋縮鼻乾。口饞唇白。兩眼昏爛。搡鼻。搡眉。脊聳體黃。門牙咬甲。焦渴自汗。尿濁。瀉酸。腹脹鳴。癖積。潮熱。嗜啖瓜果。鹹酸炭米泥土等物。此皆疳症之現狀也。張石頑謂疳者。藏府虫疳也。良以此症原由寄生虫。潛居藏府而成。又謂疳者乾也。因脾胃津液乾涸爲患。在小兒爲五疳。在大人爲五癆。蓋小兒之疳症。卽大人之癆病也。名稱頗多。姑擧其要。以資參考。

肝疳　面目爪甲皆青。眼生眵淚。隱澀難睜。搖頭揉目。耳瘡流膿。腹大而露青筋。身體瘦弱。甕青如苔。

心疳　身體壯熱面赤。唇紅。口舌生瘡。胸膈煩悶。五心煩熱。盜汗發渴。

脾疳　面色發黃。肌肉消瘦。心下痞硬。發熱喜睡。好食泥土。頭大頸細。有時吐瀉。大便腥粘。

肺疳　面白氣逆。咳嗽。毛髮焦枯。肌膚乾燥。增寒發熱。常流清涕。鼻頰生瘡。

腎疳　面目黧黑。齒齦出血。中氣臭。足冷如冰。腹痛泄瀉。啼哭不已。

無辜疳　腦後項邊有核如彈丸。按之轉動。軟而不痛。其中有虫如米粉。身熱弱瘦。或便利膿血。

丁奚疳　手足極細。腹大臍突。面白潮熱往來。顱顖開解。頸項小而身黃瘦。

脊疳　身熱羸瘦。煩渴下利。拍背有聲者鼓鳴。脊骨如鋸齒。十指皆瘡。頻嚙爪甲。

蛔疳　皺眉多啼。嘔吐清沫。中脘作痛。口唇或紅或白。腹痕露筋。肛門淫癢。

哺露疳　虛熱往來。頭骨分開。翻胃吐虫。煩渴嘔噦。此外更有腦部生瘡。謂之腦疳。潮熱。五心煩熱。盜汗嗽喘。謂之疳痨。手足虛浮者。謂之疳腫。然皆同一疳症。以其症狀稍有差異而別其名稱也。

治療　四縫穴。用粗針刺之。擠去白色之水液。至見血乃已。或用斜交叉灸法。或於中食二指割脂。按此症頗為難治。藥物治療。不易見功。惟此三法擇一用之。頗有捷效。其理則不可解。惟疳症之較輕者。則用四縫穴。重者則宜用斜交叉灸。皆割脂法。

胸腹門

胸痛　多由傷寒表邪未解。下之太早。內陷胸中。或六淫之邪傷肺。肺氣鬱結不宣。胸亦爲之作痛。惟痰凝氣結。或血積於內。亦成胸痛。惟多隱隱作痛。其痛緩。其來漸。久久不癒。飲食減少。此內傷胸痛也。

治療　外感胸痛。表邪內陷者。支溝。間使。行間。內關。針之以開泄表邪。六淫傷肺者。氣戶。肺俞。中府。列缺。少商。針之以宣肺氣。

內傷胸痛。期門。天突。中脘。膻中。以調氣。痰凝者加足三里豐隆以化痰。血積者加膈俞。行間以行血。

胸中痞滿。此症心下阻滿。而無實質可指。多由脾胃虛弱。運化不及。以致痰凝食滯。或憂思鬱結。氣滯不宣。致成胸中痞滿不舒也。

治療　陰陵。中脘。足三里。承山。內關鍼而灸之。以宣展氣機而助運化。

脇痛　古人謂肝胆藏於內。外應乎脇。且厥陰少陽二經。均行脇部。所以脇痛無不屬於胆肝之病。然有內傷外感之不同。內傷者如暴怒感觸。悲哀氣結。或飲食失節。冷熱欠調。或痰積流注於脇。與血相結。皆能爲痛。惟因於怒氣或怨哀而作痛者。則痛而且膨。得噯則緩。其痛有時而息。因痰積者則痛無已時。或脇下高起作痛。此內因爲脇痛。然多兼寒熱頭痛等症。此外更有趺仆閃毆。內傷乎血。積於肝經。則脇部亦作痛。惟痛而不膨。按之則劇。綿綿無已時。

治療　一切脇痛。以期門。章門。陽陵泉。爲主穴。如由於暴怒。或悲哀過度者。加針灸膻中。氣海。以調氣。痰積流注者。加中脘。足三里。以化痰行積。血積者加鍼膈俞。行間。太冲。以行血。風寒襲入少陽。參閱肝寒少陽病條。

中脘痞痛　此症多由中州陽氣衰微。脾胃虛弱。以致氣滯不運。或食滯不化。或痰溼互阻。更有七情內傷。木不條達。或肝氣橫決。而影響於脾胃。亦成中脘痞病之症。

治療　中脘。建里。內關。足三里。針而灸之。以旋運中宮。開宣氣鬱。惟由肝氣失於條達。或橫逆者。則宜加鍼期門。行間。以泄肝。

腹痛　腹部疼痛。其症甚多。古人謂臍以上屬火屬實。臍以下屬寒屬虛。然亦不能執一而論也。究腹痛之原因。有外感寒邪而痛。有脾虛氣滯而痛。有食滯而痛。有血凝而痛。他如溼熱陰寒等。皆足以致腹痛也。凡外感寒邪。多食生冷。以犯腸胃而痛者。其腹柔輭而不拒按。脾胃虛弱。冷氣凝滯不通。因而致痛者。其痛綿綿不已。喜熱手按揉。面白神疲。小便清利。飲熱惡寒。或得食稍安。脈多微弱。如口腹不謹。強食過飽。或食後坐臥。以致停滯不化。則胸腹痞滿。痛不欲食。噯氣作酸。或痛而欲利。利後稍減。脈多滑實。若惱怒太過。憂思鬱結。或跌仆傷損。以致血液瘀滯而痛者。則不痕不滿。飲水作呃。過夜更痛。痛于一處。定而不移。如痢疾腹痛。霍亂吐瀉而腹痛。則多溼熱或陰寒之阻滯也。各詳本門。玆不再贅。

治療　中脘。天樞。氣海。足三里。虛寒者灸之。實熱者針之。脾胃虛弱者。加鍼灸脾俞。胃俞。三陰交。以溫補之。食滯不化者。加鍼內庭。大腸俞。以化積滯。血凝作痛者。加針肝俞。膈俞。行間。以行血破瘀。或於痛處針而灸之。其瘀自散。

肝胃氣痛　此症多由脾胃虛弱。肝氣乘之。以致當脘痕痛。或口泛清涎。或嘔吐頻作。飲食不進。甚則二便不通。手足厥冷。脈沉或伏。時發時痛。每多爲痼疾。

治療　宜針期門。行間。陽陵。以疏泄肝氣。中脘。氣海。以調脾胃之氣。內關。足三里。行氣而止嘔逆。若疼痛過劇。而致脈伏支冷。二便不通者。則可於尺澤。委中。各部靜脈刺出血。

腰背門

腰痛　腰者腎主之。腰痛屬腎病。故入房過度。損其眞氣。腎藏虛弱。則腰部作痛。惟多腰支痿弱。隱隱作痛。身體疲倦。脚膝痠軟。此外更有風溼寒溼。溼熱。閃氣。瘀血。痰積等之不同。風溼者腰部重痛不能轉側或痛無定處。牽引腿足。或兼寒熱。多由感受風溼之邪而成之也。寒溼者其腰如冰。拘緊疼痛。得熱則減。得寒則增。或兼頭痛身痛等症。多由感受陰寒雨溼之邪而成者也。溼熱者腰部疼痛沉重。小便赤澀。或兼發熱口渴等症。多由感受溼熱之邪而成者也。閃氣者。閃挫跌仆。勞動損傷。忽然腰部疼痛不可俯仰。瘀血者。日輕夜重。痛有定處。不能轉側。痰積痛部重滯。一片作痛。或一片如冰。喜得熱按。凡此種種。皆腰痛之原因也。

治療 環跳。委中。承山。腎虛者則針灸腎俞以益腎。風溼者加針灸風市。陽陵。以逐風溼。寒溼或溼熱者。加針三里。陰陵。以化溼。溼熱則針。寒熱則灸。瘀血及痰積者則於痛處針而灸之。以行血滯而化痰積。

腰痠 腰痛有風寒溼熱之異。腰痠悉屬房勞腎虛。惟有峻補。依照腎虛腰痛條治之。

脊膂強痛 督脈之經。與膀胱之經。均取道脊膂。若風寒等邪之侵襲。或經氣凝滯。則脊膂乃作強痛。或打撲損傷。從高墜下。惡血內留。則疼痛不可忍。或不能轉側也。

治療 人中。委中。白環。風府。以宣通督脈膀胱二經之氣。而驅風寒之邪。惡血內留者。加鍼肝膈二俞以行血破瘀。

背痛 背部屬太陽經。如風寒溼等邪襲入太陽。或經氣滯則背部作痛經云背者胸中之府。肺中有邪。則背部亦能作痛。若背部一片作冷而痛。此多由痰飲內伏。或寒邪凝結也。

治療 大杼。膏肓。崑崙。肺俞。風門。人中。以疏太陽之氣。且直達病灶。而通治一切背痛。其有兼見他症者。則加取適當之穴治之。若背部一片冷痛者。更可於痛處針而灸之。則直搗其巢。驅其障礙。收效益速也。

手足病門

四肢之病不外乎腫痛痠麻。不能伸屈行動等。多由風寒溼侵襲經絡。或痰飲流入四肢。或血凝氣滯。或挈重傷筋。跌仆損傷。或血液虧損不榮經絡等等。治療之法。則視其病處之部位屬於何經。而針之。灸之。如久年宿恙。或痠麻重而疼痛少者。宜灸。新病邪犯或疼痛甚劇者宜針。腫而不痛不熱者宜灸。腫而熱痛者宜鍼。屬虛則灸之。屬實則鍼之。此治手足各病之大法也。明乎此庶無誤治之弊矣。

肘臂或麻木　前廉或外廉者。肩顒。曲池。合谷。陽谿。三里。列缺。外關。後廉或內廉者。大陵。內關。尺澤。陽谷。曲澤。肩外俞。肩中俞。

手不能舉　肩顒。曲池。不能向前或向後。巨骨。肩貞。

肘臂強直不能伸屈　尺澤。曲池。手三里。手腕不能伸屈。大陵。陽谿。陽池。

五指麻木或不能伸屈　合谷透勞宮法。中渚。後谿。

兩手厥冷　曲池。太淵。

手臂紅腫　合谷。曲池。手三里。中渚。尺澤。肩背腫者加減肩顒。

腿痛　環跳。風市。居髎。如紅腫而痛者加鍼委中。血海。

腿膝無力　風市。陰市。絕骨。條口。足三里。

膝痛　陽陵泉。內外犢鼻。膝關。鶴頂如紅腫而痛者。加針委中行間。

脚肵痛　陽陵。絕骨。條口。三里。三陰交。陰陵。

脚轉筋　然谷。承山。金門。絕骨。陽陵。

足不能步或不能伸屈　環跳。白環俞。陽陵。絕骨。足三里。曲泉。陽輔。

足跗腫痛　解谿。崑崙。太谿。商丘。行間。

足心腫脹或脚跟痛　湧泉。崑崙。僕參。

足冷如冰　腎俞灸再鍼厲兌。

天應　阿是

鍼灸治療講義

五〇六

中華民國三十年一月再版

中華民國三十年一月再版

中國鍼灸學講義 全四編

定價法幣六元（加二發售）

編著者　江陰承澹盦
助編者　門人羅兆琚
　　　　　　邱茂良
出版者　中國鍼灸學研究社
發行代表人　江陰承澹盦
印刷者　無錫協成印務局